HAWAII

ÉDITION ÉCRITE PAR

Amy Balfour, Loren Bell, Greg Benchwick, Sara Benson, Jade Bremner, Adam Karlin, Craig McLachlan, Adam Skolnick, Ryan Ver Berkmoes et Luci Yamamoto

Sommaire

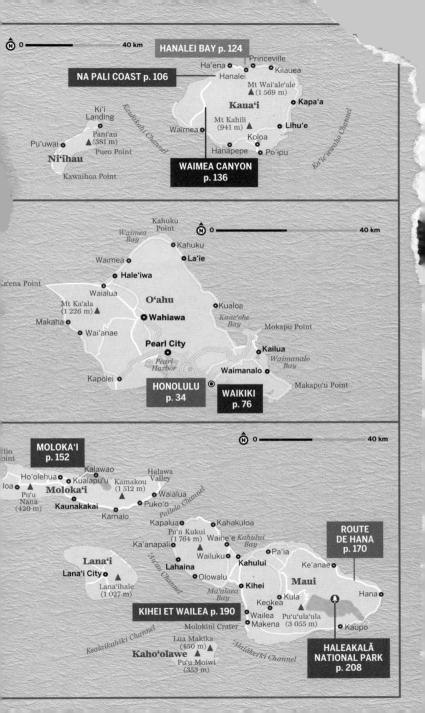

Kaua'i

Mt Wai'ale'ale (1 569 m)

Ha'ena
Princeville
Kilauea
Hanalei
Kapa'a
Ki'i Landing
Pani'au (381 m)
Pueo Point
Pu'uwai
Ni'ihau
Kawaihoa Point
Waimea
Mt Kahili (941 m)
Lihu'e
Koloa
Hanapepe
Po'ipu
Kaulakahi Channel
Ka'ie'ie'waho Channel

40 km

O'ahu

Kahuku Point
Waimea Bay
Kahuku
La'ie
Waimea
Hale'iwa
Waialua
Mt Ka'ala (1 226 m)
Wahiawa
Kualoa
Kane'ohe Bay
Mokapu Point
Makaha
Wai'anae
Pearl City
Pearl Harbor
Kailua
Waimanalo Bay
Kapolei
Waimanalo
Makapu'u Point
La'ena Point

40 km

Moloka'i

'lio Point
Kalawao
Halawa Valley
Ho'olehua
Kualapu'u
Kamakou (1 512 m)
Waialua
...loa
Pu'u Nana (420 m)
Puko'o
Kaunakakai
Kamalo
Pailolo Channel

Maui

Kapalua
Kahakuloa
Pu'u Kukui (1 764 m)
Waihe'e
Kahului Bay
Ka'anapali
Wailuku
Kahului
Pa'ia
Ke'anae
Hana
Lahaina
Olowalu
Kihei
Ma'alaea Bay
Keokea
Kula
Wailea
Pu'u'ula'ula (3 055 m)
Makena
Kaupo
Molokini Crater
'Au'au Channel

Lana'i

Lana'i City
Lana'ihale (1 027 m)
Kealaikahiki Channel
Kaho'olawe
Lua Makika (450 m)
Pu'u Moiwi (353 m)
'Alalākeiki Channel

40 km

Bienvenue à Hawaii

Avec ses plages de sable blanc, ses récifs de corail en Technicolor et ses volcans faits pour l'aventure, Hawaii est depuis longtemps devenu synonyme de paradis.

Nul besoin pour les voyagistes d'embellir les photos divines de ces îles se détachant sur le bleu profond de l'océan Pacifique ; quant aux spectaculaires levers et couchers de soleil, ils valent à eux seuls d'être célébrés.

Les Hawaiiens vivent dehors – un plus pour les amoureux du grand air. Qu'il s'agisse de surf, de baignade, de pêche, ou d'un pique-nique avec l''ohana (famille élargie et amis), les contacts avec la nature sont empreints d'*aloha 'aina*, une valeur traditionnelle prônant l'amour et le respect de la Terre.
Préparez-vous à vous balader parmi les anciennes coulées de lave, à apprendre à surfer, à plonger avec les tortues marines, à rejoindre une île en kayak, à observer les baleines ou à chevaucher avec les *paniolo*, les cow-boys de l'archipel.

Autre attrait : l'identité hawaiienne, fièrement entretenue par la population. Le Spam (jambon en boîte), la *shave ice* (glace pilée), le surf, l'ukulélé et la guitare hawaiienne, le *hula*, le pidgin (créole local), la chemise hawaiienne et les *rubbah slippah* (tongs) sont autant de traditions jalonnant le quotidien.

Mieux encore, tout ici donne une impression de décontraction, et la vie déborde d'*aloha* et de fun. Hawaii est fier de son héritage multiculturel ; descendants des premiers Polynésiens et communautés immigrées diverses coexistent pacifiquement. Venez apprécier ces valeurs hautement respectables dans un décor de rêve.

> *tout ici donne une impression de décontraction, et la vie déborde d'aloha et de fun*

Hanauma Bay, O'ahu
LEIGH ANNE MEEKS/SHUTTERSTOCK ©

APR - - 2018

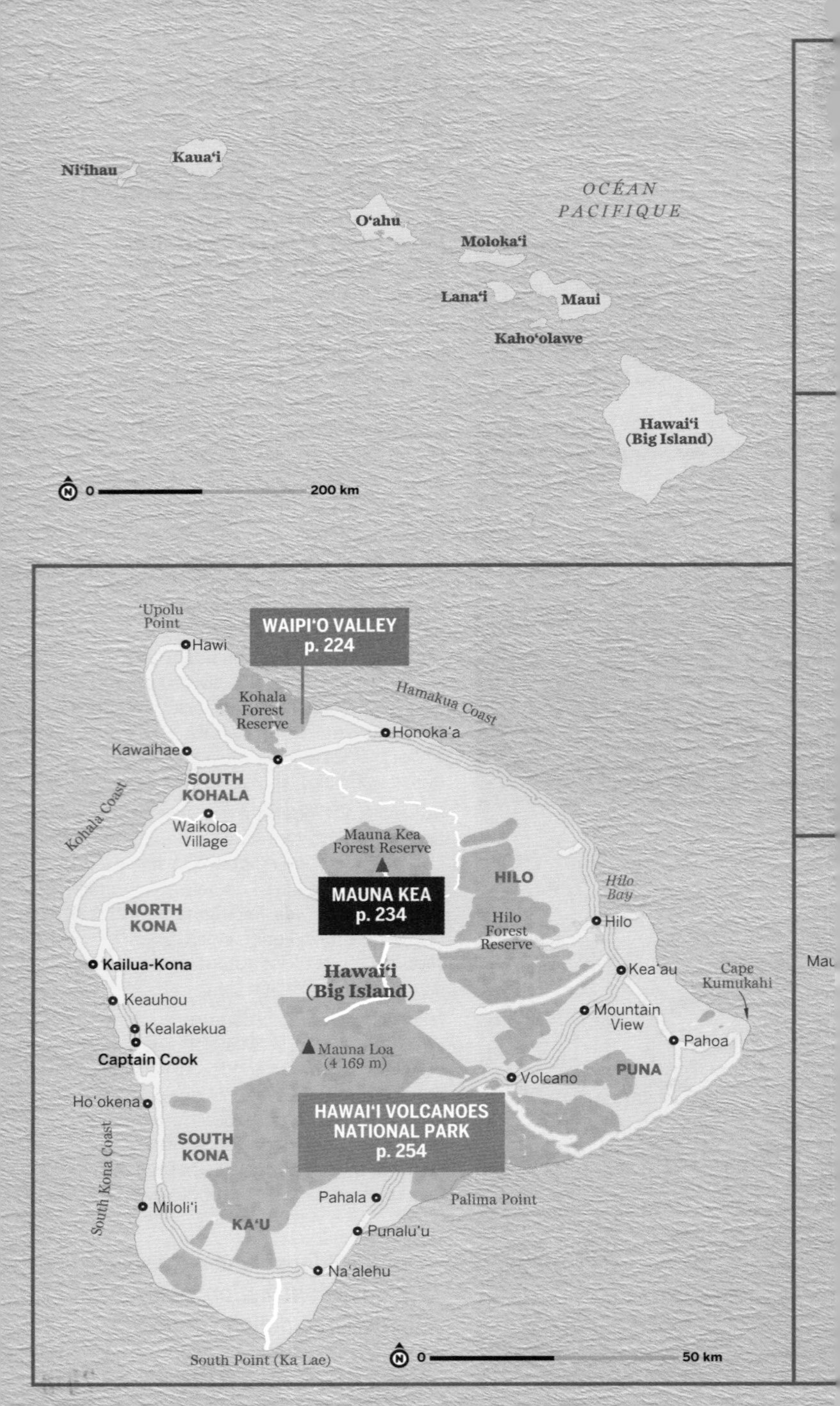

Ni'ihau   Kaua'i

O'ahu
Moloka'i

OCÉAN
PACIFIQUE

Lana'i   Maui
Kaho'olawe

Hawai'i
(Big Island)

N   0 ————————— 200 km

'Upolu
Point
Hawi

**WAIPI'O VALLEY
p. 224**

Kohala
Forest
Reserve

Hamakua Coast

Honoka'a

Kawaihae

**SOUTH
KOHALA**

Kohala Coast

Waikoloa
Village

Mauna Kea
Forest Reserve

HILO

Hilo
Bay

**MAUNA KEA
p. 234**

**NORTH
KONA**

Hilo
Forest
Reserve

Hilo

Kailua-Kona

Hawai'i
(Big Island)

Kea'au

Cape
Kumukahi

Keauhou

Kealakekua

Mauna Loa
(4 169 m)

Mountain
View

Pahoa

Captain Cook

PUNA

Ho'okena

Volcano

**HAWAI'I VOLCANOES
NATIONAL PARK
p. 254**

South Kona Coast

**SOUTH
KONA**

Miloli'i

Pahala

Palima Point

KA'U

Punalu'u

Na'alehu

South Point (Ka Lae)

N   0 ————————— 50 km

Mau

Stand-up paddle à Waikiki (p. 92)
ROBERT CRAVENS/SHUTTERSTOCK ©

Avant le départ
12 expériences incontournables

JOHN SEATON CALLAHAN/GETTY IMAGES ©

Honolulu
Un cocktail d'expériences à la mode îlienne

Dans la turbulente capitale hawaiienne, savourez les délices asiatiques au fil des ruelles de Chinatown, admirez la mer depuis le sommet de l'emblématique Aloha Tower, et flânez parmi les édifices en brique de l'époque victorienne. À Ala Moana, arpentez le plus grand centre commercial à ciel ouvert du monde, puis explorez les impressionnants musées d'art de la ville.

À gauche : centre de Honolulu ; à droite : *pho*, Pig & the Lady (p. 70)

1

2

Waikiki
Le retour de Waikiki

La plus célèbre station balnéaire de Hawaii, sur l'île d'O'ahu, a longtemps été le paradis du kitsch, avec colliers de fleurs en plastique, hauts de bikini en noix de coco et poupées à piles dansant le *hula*. Mais aujourd'hui, l'authentique *aloha* et le style chic-moderne font leur retour. On surfe des vagues mythiques en journée puis, à la nuit tombée, on apprécie la lueur des torches sur le sable. Chaque soir, des danseuses de *hula* ondulent des hanches sur des rythmes anciens ou modernes – à base de *slack guitars* et d'ukulélés – dans les hôtels de bord de mer, les bars à ciel ouvert et même les galeries marchandes.

À droite : Waikiki Beach (p. 82)

3

Na Pali Coast
Une aventure entre terre et mer

Cette côte splendide qui s'étend sur 26 km au nord-ouest de Kaua'i devrait figurer parmi vos priorités absolues. Sillonnez l'océan à bord d'un catamaran et mesurez-vous aux éléments en paddle ou en kayak. Ke'e Beach donne accès au Kalalau Trail, un parcours accidenté de 18 km. Cet itinéraire, le plus fameux de l'archipel, vous transportera dans un endroit à nul autre pareil, où les falaises verdoyantes dominent une vallée riche en arbres fruitiers, en cascades et en promeneurs solitaires.

Hanalei Bay

Une vie de rêve à la plage

Élu plusieurs fois parmi les plus belles plages des États-Unis, ce long croissant de sable au nord de Kaua'i ravira les amateurs de farniente et d'activités nautiques. Les surfeurs profiteront de vagues imposantes (ou modestes pour les novices), sous le regard des badauds foulant le sable doré. L'après-midi, habitants et visiteurs préparent souvent des grillades en sirotant une bière fraîche et en regardant le soleil décliner.

BILL FLORENCE/SHUTTERSTOCK ©

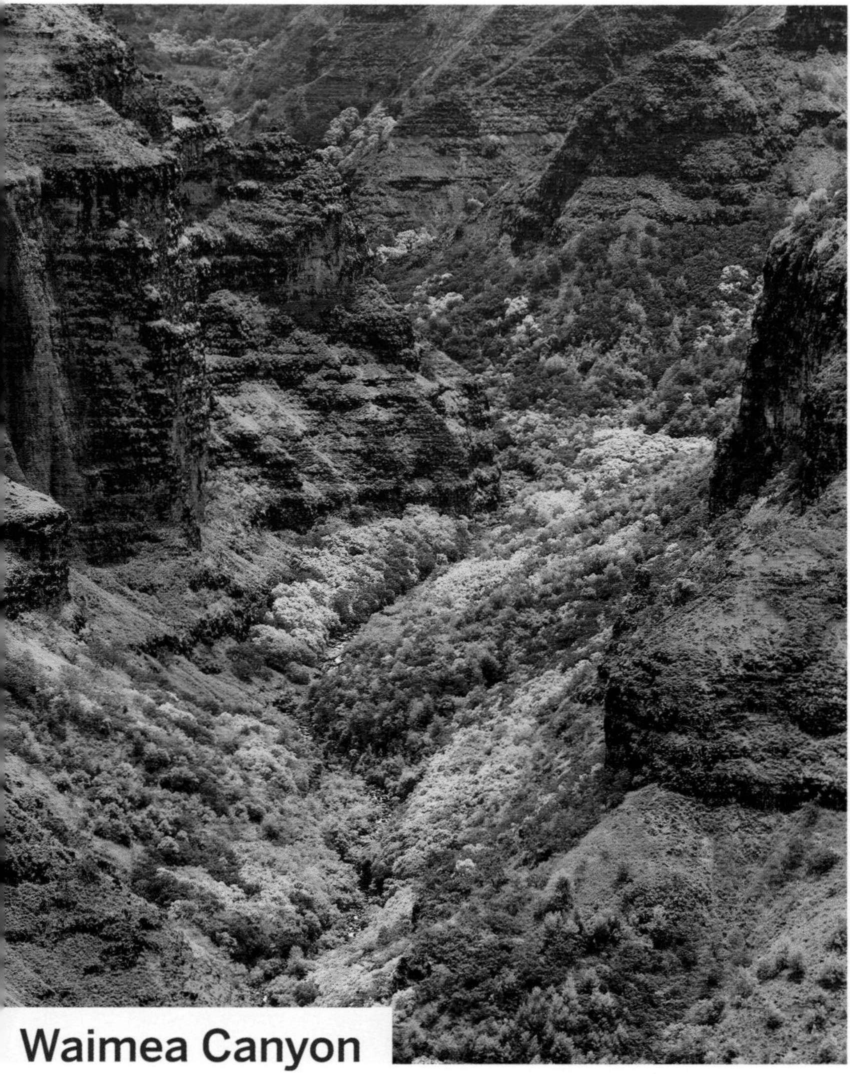

Waimea Canyon

Un cadre verdoyant et accidenté

Formé par des millions d'années d'érosion et l'effondrement du volcan à l'origine de Kaua'i, le "Grand Canyon du Pacifique" s'étend sur 17 km de long, 1,5 km de large et 1 100 m de profondeur. Accessibles via une route pittoresque, des belvédères offrent une vue panoramique sur des falaises accidentées et des gorges profondément encaissées. Des sentiers plongent au fond du canyon, dont l'intérieur recèle une mine de merveilles à observer.

5

Moloka'i

La plus hawaiienne des îles, entre histoire et nature

Plus de 50% des habitants de Moloka'i descendent des premiers Hawaiiens. Ici, on s'intéresse plus à la préservation des terres et de la culture qu'aux projets d'aménagement touristique. L'*aloha* y est toutefois très présent et les visiteurs sont les bienvenus. L'île abrite aussi la stupéfiante Kalaupapa Peninsula et la Halawa Valley, un lieu isolé mêlant champs de taro sacrés, temples anciens et cascades se jetant dans des bassins propices à la baignade.

SHANE MYERS PHOTOGRAPHY/SHUTTERSTOCK ©

Route de Hana

Un road trip vertigineux

La Hana Hwy joue les montagnes russes à Maui, plongeant dans des vallées luxuriantes pour remonter vers des falaises vertigineuses au gré de 600 lacets. La plupart de ses 54 ponts à une voie dominent une cascade, paisible ou tonitruante. Mais le plaisir ne se limite pas à la route. Faites une halte pour vous baigner dans un trou d'eau apaisant, randonner sur un sentier aux effluves de gingembre, ou savourer des goyaves fraîches.

Kihei et Wailea

Plages dorées et complexes impeccables

Les plages locales, de réputation mondiale, offrent de formidables conditions de baignade, de snorkeling et de farniente au soleil. Avec ses golfs impeccables, ses palissades de séparation et ses panneaux discrets, Wailea évoque un country club privé. Repaire le plus sélect du sud de l'île de Maui, l'endroit est remarquablement équipé. Dites *mahalo* (merci) aux lois hawaiiennes qui permettent toutefois d'explorer ces sublimes grèves, dotées de parkings publics.

Haleakalā National Park

Une beauté surnaturelle, entre mer et montagne

En marchant dans le ventre du volcan Haleakalā, au sud-est de Maui, on est d'abord subjugué par le paysage lunaire, puis par le calme étrange que seul vient troubler celui de vos pas sur les cendres volcaniques. Le sentier se poursuit à travers un paysage surnaturel, où se mêlent étendues de lave désolées, cônes volcaniques multicolores et nuages changeants. Sur la côte, des cascades se jettent dans des bassins scintillants, flanqués de sentiers, de points de vue et d'une incroyable forêt de bambous.

Waipi'o Valley

Une mystérieuse vallée tropicale

Une cuvette de verdure peuplée de fantômes et de légendes, un site
sacré, un refuge hors du monde : l'union unique de ces ingrédients
rend la Waipi'o Valley irrésistible. Le point de vue panoramique,
l'un des plus emblématiques de l'île de Hawai'i (Big Island), est déjà
une expérience en soi. Mais rien ne vaut une randonnée au fond
de la vallée pour fouler le sable noir et admirer de loin les cascades.
L'accès est interdit au-delà, ce qui renforce encore le mystère...

Mauna Kea
Une nuit à regarder les étoiles

À Hawaii, les ciels nocturnes sont parmi les plus lumineux de la planète. La nuit s'illumine d'un tapis scintillant et il est presque impossible de distinguer les étoiles les unes des autres. Heureusement, les télescopes gratuits du Mauna Kea, sur de l'île de Hawai'i (Big Island), invitent les visiteurs à étudier les charmes célestes en toute tranquillité. Arrivez au coucher du soleil pour une double séance de rêve, ou venez profiter des pluies d'étoiles filantes.

11

Hawai'i Volcanoes National Park
Sites volcaniques à Big Island

Logé sur les pentes du volcan le plus actif de la planète, sur l'île de Hawai'i ce parc fabuleux nous rappelle que la nature est vivante et en mouvement perpétuel. Un incroyable réseau de chemins de randonnée serpente au fil de coulées et de tunnels de lave, de fumerolles et de plages sauvages.

12

Avant le départ
Ce qu'il faut savoir

Quand partir

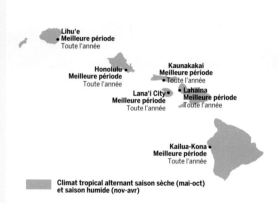

Climat tropical alternant saison sèche (mai-oct) et saison humide (nov-avr)

Haute saison (déc-avr et juin-août)

○ Les prix des hébergements augmentent de 50 à 100%.

○ Les périodes de Noël, du Nouvel An et de Pâques sont les plus chères et les plus fréquentées.

○ Il pleut davantage en hiver (meilleure saison pour le surf et l'observation des baleines) ; l'été est un peu plus chaud.

Saison intermédiaire (mai et sept)

○ Légère baisse de prix et de fréquentation entre les vacances scolaires de printemps et d'été.

○ Températures agréables, temps clair et ensoleillé.

Basse saison (oct-nov)

○ Moins de touristes, vols aux prix les plus bas.

○ Les prix des hébergements baissent d'environ 50% par rapport à la haute saison.

○ Il fait ordinairement chaud et sec.

Monnaie

Dollar américain ($)

Langues

Anglais, hawaiien

Visa

La France, la Belgique, la Suisse et le Canada, entre autres, font partie du Programme d'exemption de visa des États-Unis pour les séjours de moins de 90 jours. Une demande d'autorisation électronique de voyage ESTA est à remplir en ligne. Passeport biométrique ou électronique en cours de validité requis.

Argent

DAB répandus dans les grandes villes et celles de taille moyenne. Cartes de crédit couramment acceptées (sauf dans certains hébergements) et souvent nécessaires pour réserver.

Téléphone portable

Les téléphones étrangers tribandes ou quadribandes fonctionnent à Hawaii.

Heure locale

UTC −10. Quand il est 13h à Paris, il est 1h du même jour à Hawaii en été, et 2h en hiver.

Budget quotidien

Moins de 100 $

- Dortoir : 25-45 $
- Plat local au déjeuner : 6-10 $
- Ticket de bus : 2-2,50 $

100–250 $

- Chambre double avec sdb privée dans un hôtel moyenne gamme/B&B : 100-250 $
- Location de voiture (hors assurance et essence) : à partir de 35/150 $ par jour/semaine.
- Dîner dans un restaurant informel : 20-40 $

Plus de 250 $

- Chambre dans un complexe hôtelier balnéaire ou location d'un appartement de luxe : plus de 250 $
- Repas complet avec cocktail dans un grand restaurant : 75-125 $
- Circuit aventure guidé : 80-200 $

Sites Web

Hawaii Visitors and Convention Bureau (www.gohawaii.com). Site officiel de tourisme ; agenda des manifestations et guides touristiques multilingues.
Hawai'i Magazine (www.hawaiimagazine.com). Actualité des îles, reportages, restaurants et bars, conseils de voyage.
Lonely Planet www.lonelyplanet.fr/destinations/amerique/usa/hawai. Informations sur la destination, réservation d'hôtels, forum des voyageurs, etc.
Hana Hou! (www.hanahou.com). Attrayant magazine de bord de Hawaiian Airlines ; reportages disponibles en ligne.

Heures d'ouverture

Administrations 8h30-16h30 du lundi au vendredi ; certaines postes sont ouvertes le samedi (9h-12h).

Banques 8h30-16h du lundi au vendredi ; certaines jusqu'à 18h le vendredi et 9h-12h ou 13h le samedi.
Bars 12h-minuit ; certains jusqu'à 2h du jeudi au samedi.
Magasins 9h-17h du lundi au samedi, certains ouvrent le dimanche (12h-17h) ; horaires prolongés dans les centres commerciaux.
Restaurants petit-déjeuner 6h30-10h, déjeuner 11h30-14h, dîner 17h-21h30.

À l'arrivée

Aéroport international de Honolulu (HNL ; p. 325)

Voiture La plupart des agences de location sont représentées. Comptez 25-45 min pour gagner Waikiki par la Hwy 92 (Nimitz Hwy/Ala Moana Blvd) ou la H-1 (Lunalilo) Fwy.
Taxi Avec compteur, environ 40-50 $ jusqu'à Waikiki ; supplément de 0,50 $ par bagage et 10-15% de pourboire.
Navette porte-à-porte Environ 16/30 $ l'aller simple/aller-retour entre l'aéroport et Waikiki ; 24h/24 (toutes les 20 à 60 min).
Bus Les lignes TheBus nos 19 et 20 pour Waikiki (2,50 $) fonctionnent 7 jours/7 ; toutes les 20 à 60 min de 5h30 à 23h30 (bagages volumineux non acceptés).

Comment circuler

La plupart des déplacements inter-îles se font en avion ; mieux vaut louer une voiture pour explorer chaque île.

Avion Les vols inter-îles sont courts, fréquents et chers.
Bateau Un ferry relie Maui à Lana'i.
Bus Les bus publics n'offrent que quelques itinéraires sur les îles les plus grandes ; trajets lents, sauf sur O'ahu.
Voiture Louez une voiture, notamment pour explorer les îles autres qu'O'ahu. Envisagez un 4x4 sur Lana'i et de Hawai'i (Big Island).

Pour en savoir plus sur **comment circuler**, voir p. 328

Préparer son voyage
Envie de...

SAM STRICKLER/SHUTTERSTOCK ©

Plages

Hawaii évoque instantanément des étendues de sable doré bordées de palmiers tropicaux. Avec ses centaines de kilomètres de côtes, le choix est pléthorique.

O'ahu
O'ahu offre d'innombrables possibilités à ceux qui aiment le soleil, le sable et les activités nautiques.

Waikiki (p. 76)
Testez votre équilibre
sur une planche de surf.

Maui
Les plages dorées de l'"île de la Vallée" sont exceptionnelles pour se prélasser.

Big Beach (p. 200)
Un croissant d'1,6 km de
long bordé d'eaux turquoise.

Kaua'i
Ses plages attirent les sportifs de tous niveaux.

Hanalei Bay (p. 124)
Très prisée des surfeurs
et des amateurs de kayak.

INGO70/SHUTTERSTOCK ©

Aventures terrestres

Les îles hawaiiennes ont tout autant à offrir en termes d'activités terrestres qu'aux amoureux de la mer.

Maui
Un sentier ancien fait le tour de l'île, ponctué de structures multi-centenaires.

Pi'ilani Trail (p. 178)
Empruntez une chaussée
de pierres du XIVe siècle.

Hawai'i (Big Island)
D'imposants volcans aux paysages sauvages variés, à découvrir lors de randonnées tous niveaux.

Hawai'i Volcanoes National
Park (p. 254)
Le domaine du feu.

Moloka'i
D'impressionnants sentiers de randonnée sillonnent l'île la plus authentique de l'archipel.

Kalaupapa (p. 160)
Gagnez à pied ou à dos de
mule cette péninsule reculée.

Routes panoramiques

Les îles de Hawaii ont beau être petites, elles offrent des circuits en voiture exceptionnels le long de falaises (pali) vertigineuses et jusqu'au sommet de volcans.

PAUL LAUBACH/SHUTTERSTOCK ©

Maui
Sites anciens, chutes d'eau impressionnantes et communautés mystérieuses vous y attendent.

Route de Hana (p. 170)
Un itinéraire côtier avec cascades et ponts de pierre.

O'ahu
Même les citadins convaincus ont besoin de se détendre à l'occasion, de préférence au volant d'une décapotable.

Tantalus Round-Top (p. 64)
De superbes panoramas et une riche flore endémique.

Hawai'i (Big Island)
Les routes qui traversent les vastes zones volcaniques conduisent tout droit vers l'aventure.

Chain of Craters Road (p. 269)
La traversée d'une région volcanique active.

Cascades et bassins naturels

Pataugez dans la boue et enjambez les racines d'arbres barrant les pistes de jungle, pour plonger dans un bassin d'eau cristalline sous une cascade tropicale.

FOMINAYAPHOTO/SHUTTERSTOCK ©

Kaua'i
Les falaises plissées de la côte de Na Pali dissimulent une abondance de cascades.

Hanakapi'ai Falls (p. 115)
Une bonne baignade récompense les randonneurs.

Maui
Direction la route de Hana et l'est pluvieux de l'île pour une série de superbes cascades.

'Ohe'o Gulch (p. 214)
Les chutes d'eau s'y fracassent dans l'océan.

Moloka'i
La mystérieuse vallée de Halawa, imprégnée d'histoire ancienne, est d'une beauté luxuriante.

Moa'ula et Hipuapua (p. 159)
Deux magnifiques cascades.

Préparer son voyage
100% hawaiien

Activités de plein air

L'archipel hawaiien est l'endroit rêvé pour s'adonner aux sports aquatiques et aux activités de plein air. Côté océan, les surfeurs chevauchent les vagues immenses, les adeptes du snorkeling observent les récifs en compagnie des tortues vertes marines et les baleines à bosse attirent les observateurs à Maui en hiver. Côté terre, les randonneurs gravissent des pentes brumeuses et les vététistes dévalent les luxuriants sentiers forestiers. Et tous s'arrêtent pour admirer le volcan ardent de Hawai'i (Big Island).

Achats

Vous chérirez probablement longtemps l'artisanat et les œuvres d'art achetés à Hawaii. Les magasins et galeries des coopératives artistiques locales constituent une bonne entrée en matière. Il y a de tout : tableaux, photos, bijoux, mobilier, etc. Le travail du bois, le tressage de feuilles de *lauhala* et la fabrication de *kapa* (tissu d'écorce écrasée), dont on fait des vêtements, sont profondément ancrés dans la tradition locale. Vous pourrez aussi dénicher des objets d'art et des bijoux originaux lors des fêtes insulaires annuelles.

Divertissements

Dans les enclaves touristiques côtières, on peut écouter de la musique live en fin d'après-midi – généralement un homme ou une femme jouant à la guitare des airs hawaiiens populaires. Les grandes villes comme Honolulu et Kahului sont dotées de salles de concerts où se produisent régulièrement des joueurs connus de guitare hawaiienne ou d'ukulélé. N'hésitez pas à participer à un *luau*, un dîner-spectacle hérité de la tradition locale associant gastronomie et *hula* (danse accompagnée de chant).

Gastronomie

Colorée et métissée, la cuisine hawaiienne combine les influences asiatique et

LINDA HUGHES/SHUTTERSTOCK ©

polynésienne. Les premiers Polynésiens ont introduit des végétaux nourrissants comme le *kalo* (taro) ou le *niu* (noix de coco), ainsi que le poulet et le cochon. Puis, les immigrants ont apporté le riz, le *shōyu* (sauce soja), les piments et autres aliments des cuisines asiatique et espagnole. Goûtez des spécialités comme le *loco moco* (riz, œuf frit et steak haché nappés de sauce au jus de viande ou de condiments), le spam *musubi* (blocs de riz au jambon) et la *shave ice* (granité de glace râpée). La cuisine hawaiienne figure au menu de nombreux restaurants haut de gamme ; les chefs revisitent des plats ancestraux, accommodant de façon plus saine et plus gourmande les poissons, le bœuf, les fruits et les légumes locaux.

Boire un verre et sortir
Dans l'ensemble, Hawaii n'est pas pour les couche-tard. La nuit tombe vite et l'animation s'évanouit bien avant le petit matin. Les amateurs de cocktails

★ **Les meilleurs lieux pour déjeuner**
Ka'aloa's Super J's, Hawai'i (p. 251)
Rainbow Drive-In, O'ahu (p. 98)
Kilauea Fish Market, Kaua'i (p. 135)
Da Kitchen Express, Maui (p. 203)
Mana'e Goods & Grindz, Moloka'i (p. 168)

trouveront leur bonheur dans les bars du front de mer, mais ce sont les bars à cocktails et les restaurants haut de gamme qui se révèlent les plus inventifs, avec de délicieuses spécialités à base de spiritueux et d'ingrédients locaux. On trouve aussi des brasseries artisanales sur les grandes îles, et la plupart disposent d'un bar.

À gauche : danseurs hawaiiens pratiquant la "danse des couteaux de feu". À droite : *loco moco*

Avant le départ
L'agenda

Janvier

La haute saison touristique bat son plein en janvier, généralement le mois le plus humide et le plus froid.

✴ Nouvel An chinois

Danses du lion, pétards, foires et défilés marquent le Nouvel An chinois, généralement entre fin janvier et mi-février.

Février

La saison touristique continue. Les tempêtes hivernales apportent plus de pluies et des températures plus froides.

✴ Waimea Town Celebration

Sur une semaine à la mi-février, courses de pirogues, concours de fabrication de *lei*, concerts ainsi qu'un rodéo rassemblent plus de 10 000 personnes à Waimea, sur Kaua'i.

Mars

Un autre mois fréquenté, malgré les pluies persistantes. Étudiants et familles prennent une ou deux semaines de *spring break* ("vacances de printemps") autour de Pâques, qui tombe en mars ou avril.

✴ Whale & Ocean Arts Festival

Pour accueillir les baleines à bosse qui migrent au cours de l'hiver, Maui organise un recensement annuel des baleines, une exposition d'œuvres d'art, des spectacles et des activités pour les enfants début mars.

✴ Honolulu Festival

Mélange unique de cultures hawaiienne, asiatique et polynésienne, ce festival d'artisanat, de concerts et de spectacles de danse, qui se tient sur trois jours à la mi-mars, culmine avec un défilé suivi de feux d'artifice.

Avril

L'affluence touristique diminue, de même que les pluies. Après Pâques et la fin du *spring break*, les complexes hôteliers connaissent une baisse de fréquentation.

En haut à gauche : musiciens des Aloha Festivals, Honolulu

MANA PHOTO/SHUTTERSTOCK ©

🌺 Merrie Monarch Festival

Sur Big Island, le dimanche de Pâques donne le coup d'envoi d'un week-end de célébration de la culture et des arts hawaiiens à Hilo. Les "Olympiades de *hula*" attirent les meilleures équipes de toutes les îles, des autres États d'Amérique et d'ailleurs.

✕ Waikiki Spam Jam

Organisée fin avril à Waikiki, cette fête de rue insolite est dédiée à l'incontournable SPAM, de la viande de porc en boîte dont les Hawaiiens sont friants. Mais les stands abondent de nombreuses autres spécialités locales.

Mai

La foule est clairsemée et les prix baissent légèrement entre le *spring break* et les vacances d'été. Les températures restent douces, avec des journées ensoleillées et dégagées pour la plupart. Les hôtels affichent complet le week-end férié du Memorial Day, à la fin du mois de mai.

★ Les 5 plus belles fêtes

Aloha Festivals, septembre

Triple Crown of Surfing, novembre/décembre

Merrie Monarch Festival, mars/avril

Koloa Plantation Days Celebration, juillet

Kona Coffee Cultural Festival, novembre

Juin

Début juin, les visiteurs profitent d'un temps chaud et sec, ainsi que de remises sur les vols et les chambres d'hôtel.

🌺 Moloka'i Ka Hula Piko

Moloka'i est le berceau du *hula*. Début juin, ce festival de *hula* gratuit de trois jours draine des foules immenses.

En haut à droite : surfeur à la Triple Crown of Surfing (p. 305)

Juillet

Les températures montent et la pluie est rare. Les vacances estivales américaines et la fête nationale font de juillet l'un des mois les plus fréquentés. Réservez tôt et attendez-vous à des prix élevés.

✥ Independence Day

Le 4 juillet, la fête nationale est célébrée à travers tout l'archipel avec des feux d'artifice et des foires.

✥ Koloa Plantation Days Celebration

Cette immense fête consacrée à l'héritage de l'industrie sucrière et des *paniolo* (cow-boys hawaiiens) de Kaua'i anime la côte sud de l'île neuf jours durant à la mi-juillet.

Août

Les familles affluent toujours sur les îles. Un temps chaud et ensoleillé domine. Statehood Day, jour férié observé le troisième vendredi du mois, commémore l'admission de Hawaii au sein des États-Unis.

☆ Hawaiian Slack Key Guitar Festival

À la mi-août, O'ahu accueille des concerts en plein air gratuits de stars d'ukulélé et de la *slack-key guitar*, accompagnés d'une foire d'artisanat et de stands de nourriture.

Septembre

Début septembre, la rentrée scolaire américaine vide l'archipel de ses visiteurs. Le temps reste chaud et sec.

✥ Aloha Festivals

Cette fête culturelle hawaiienne, inaugurée en 1946, est une série quasi ininterrompue d'événements organisés sur les îles principales au cours du mois de septembre.

✥ Kaua'i Mokihana Festival

Le festival de la culture et des arts hawaiiens contemporains de Kaua'i à la mi-septembre comprend trois jours de compétition de *hula* de styles ancien et moderne.

Octobre

Le mois le moins touristique permet de faire des affaires sur les chambres d'hôtel et les vols. Le temps est toujours ensoleillé, mais souvent très humide.

✘ Hawaii Food & Wine Festival

Les chefs les plus en vue et les artisans-agriculteurs les plus respectés de Hawaii se réunissent pour cette fête culinaire du terroir de mi-octobre à début novembre.

✥ Halloween

À Lahaina, sur Maui, Halloween est l'occasion d'une grande fête de rue. L'ambiance est aussi à la fête le 31 octobre à Waikiki, sur O'ahu.

Novembre

Vers la fin du mois, les vacanciers (et les pluies intermittentes) sont de retour. Thanksgiving, le quatrième jeudi du mois, est une période de visite prisée (et chère).

🍷 Kona Coffee Cultural Festival

L'île de Hawai'i rend hommage au café de Kona pendant 10 jours début novembre, avec compétition de dégustation, concours de cueillette et de cuisine, visites des exploitations, expositions d'œuvres d'art, concerts, *hula*, etc.

☆ Triple Crown of Surfing

La North Shore d'O'ahu accueille la plus grande compétition de surf professionnel. Elle se déroule entre début novembre et mi-décembre, en fonction des vagues.

Décembre

La haute saison commence à la mi-décembre, lorsque les pluies torrentielles hivernales reprennent et les températures se refroidissent légèrement. Entre Noël et Nouvel An, l'affluence et les prix sont au plus haut.

🏃 Honolulu Marathon

La course à pied la plus importante et la plus prisée de Hawaii, organisée le deuxième dimanche de décembre.

Avant le départ
En avant-goût

Livres

Histoire des îles (Jack London, 2007). Publiées entre 1908 et 1919, ces nouvelles ont pour cadre l'archipel, où London a plusieurs fois séjourné.

Hotel Honolulu (Paul Theroux, 2001). Récit satirique sur un écrivain gérant un hôtel à Waikiki.

Les Feux de l'Eden (Dan Simmons, 1994). Quand le maître du fantastique choisit Hawaii et sa mythologie pour invoquer de terrifiants démons.

Jours barbares - Une vie de surf (William Finnegan, 2017). Les mémoires d'un Kerouac du surf devenu journaliste, écrivain et reporter de guerre.

The Maui Coast: Legacy of the King's Highway (Daniel Sullivan, 2015). Un livre de photos saisissant.

Films

The Descendants (2011). La vie contemporaine à Hawaii, avec ses joies et ses peines.

Amour et Amnésie (2004). Comédie romantique légère tournée sur les superbes plages de la Windward Coast d'O'ahu.

The North Shore (1987). Un super film de surfeur délicieusement ringard !

Sous le ciel bleu de Hawaii (1961). Comédie au bord de la piscine avec un Elvis jouant de l'ukulélé pendant l'essor du tourisme de masse à Hawaii.

Tant qu'il y aura des hommes (1953). Drame classique durant la Seconde Guerre mondiale, à la veille de l'attaque de Pearl Harbor.

Musique

E Walea (Kalani Pe'a, 2016). Un disque récompensé du Grammy Award du meilleur album de musique traditionnelle.

Tell U What (Brittni Paiva, 2012). Le dernier opus d'une virtuose d'ukulélé.

Legends of Hawaiian Slack Key Guitar: Live from Maui (2007). George Kahumoku Jr. a remporté le Grammy Awards de l'album de *slack-key guitar* de l'année.

Facing Forward (Israel Kamakawiwo'ole, 1993). L'album le plus vendu du musicien hawaiien de légende, Iz.

Memories of You (Diana Aki, 1990). L'"oiseau chanteur de Miloli'i", grande dame du chant traditionnel hawaiien.

Ci-dessus : sculptures *tiki*, O'ahu

Avant le départ

Avant le départ

Itinéraire : 5 jours

Hawai'i (Big Island) : de Hilo à Konato Kona

Déserts de lave arides, cratères immenses et lave en fusion... Pour apprécier la puissance de Pélé, la déesse du feu et des volcans, réservez un jour au Mauna Kea.

2

3

Mauna Kea (p. 234)
Faites l'excursion au sommet du Mauna Kea, avant d'admirer l'extraordinaire coucher du soleil, puis le magnifique ciel étoilé.

4

Hilo (p. 270)
Apprenez-en davantage sur les volcans au 'Imiloa Astronomy Center, puis pique-niquez au Lili'uokalani Park en profitant de la vue sur le Mauna Kea. 🚗 40 minutes jusqu'au Hawai'i Volcanoes National Park

1

2

3

Puna
Profitez des piscines naturelles d'eau chaude issues de l'activité volcanique et foulez le sable noir.
🚗 50 minutes jusqu'au Mauna Kea

Hawai'i Volcanoes National Park (p. 254)
Découvrez l'ardente caldeira et d'autres sites sur la route panoramique Crater Rim Drive. Consacrez une autre journée à la randonnée.
🚗 20 minutes jusqu'à Puna

De Maui à Lana'i

Vous avez du temps et de l'argent, et vous recherchez tant des aventures de plein air que des moments de détente. Cascades cachées et merveilles géologiques vous attendent au prix de quelques efforts, qui en valent largement la peine.

Lana'i (p. 204)
À la descente du ferry, visitez ana'i City, avant de pratiquer snorkeling à Hulopo'e Beach.
🚢 1 heure jusqu'à Lahaina, puis
🚌 45 minutes jusqu'à Wailea

Kihei (p. 194)
Deux jours ne seront pas de trop pour lézarder sur la plage, s'adonner au snorkeling, et se passionner pour les baleines à bosse.
🚌 1 heure 30 jusqu'au Haleakalā National Park

Haleakalā National Park (p. 208)
Contemplez le lever du soleil depuis le Haleakalā, puis randonnez dans le cratère. Campez dans le parc ou passez la nuit à Kula. 🚌 1 heure de Kula à Lahaina, puis 🚢 1 heure jusqu'à Lana'i

Wailea (p. 190)
Passez votre dernière journée sur la plage d'une station balnéaire et savourez un excellent dîner en profitant de la vue sur l'océan.

Avant le départ
Itinéraire : 10 jours

D'O'ahu à Kaua'i

Un itinéraire mêlant ville et campagne. Explorez les rues animées de Honolulu et séjournez dans la station balnéaire de Waikiki, puis abandonnez l'effervescence de la grande ville pour les petites localités de la verdoyante Kaua'i.

Waimea Canyon (p. 136)
Enfilez vos chaussures de marche pour quelques jours de randonnée dans le canyon et le Koke'e State Park.
🚗 2 heures jusqu'à Hanalei

Na Pali Coast (p. 106)
En été, parcourez 27 km en kayak le long des falaises mythiques de Kaua'i ou 18 km à pied jusqu'à Ke'e Beach. Quelle que soit l'option choisie, vous gardez le meilleur pour la fin.

Hanalei (p. 124)
Délassez-vous sur la côte nord de Kaua'i, avec au programme baignade et stand-up paddle à Hana avant de prendre la route du Ha'ena State Park.
🚗 25 minutes jusqu'au Na Coast Wilderness State Park

MNSTUDIO/SHUTTERSTOCK ©

Côte nord
Suivez la Windward Coast pour accéder à des sentiers de randonnée dans la jungle et d'anciens viviers aménagés dans des cuvettes volcaniques. Consacrez au moins un après-midi aux plages avant de retourner à Honolulu.
✈ 40 minutes jusqu'à Lihue, puis 🚗 1 heure jusqu'à Waimea

Waikiki (p. 76)
Paressez sur la plage ou apprenez à surfer sous les auspices de Duke Kahanamoku. Le soir, assistez au spectacle de *hula* et aux illuminations du Kuhio Beach Park.
🚗 20 minutes jusqu'à Hanauma Bay

Honolulu (p. 34)
Découvrez les musées et les sites historiques de la capitale, puis plongez dans l'animation de Chinatown.
🚗 20 minutes jusqu'à Waikiki Beach

Hanauma Bay
Consacrez une matinée au snorkeling dans la baie ou aux plages de Waimanalo. Puis direction Kailua Bay pour pratiquer le surf, le kayak, le windsurf ou le kitesurf.
🚗 20 minutes jusqu'à Turtle Bay, puis 🚗 5 minutes jusqu'à Waimea Bay

Avant le départ

Itinéraire : 1 semaine

Maui et Hawai'i

En quête d'aventures tropicales ? Gagnez Maui pour ses plages de carte postale, ses routes côtières et ses spots de surf tranquilles. Puis envolez-vous pour l'île de Hawai'i où vous attendent des sensations fortes : volcans en éruption, vallées mystérieuses et plages désertes.

Route panoramique de Hana (p. 170)
Depuis Huelo, parcourez la route côtoyant les falaises, et faites halte sur la plage de sable noir du Wai'anapanapa State Park.
🚗 3 heures jusqu'à Hana

Haleakala National Park (p. 208)
Passez une journée à randonner autour d'un volcan ancien et regardez le temps changer depuis le sommet. Campez ou passez la nuit à Kula. 🚗 35 minutes jusqu'à la route panoramique de Hana

Wailea (p. 190)
Flânez sur les plages impeccables, offrez-vous un massage au bord de la mer et profitez du dîner pour goûter aux spécialités de l'île.
🚗 1 heure 45 jusqu'au Haleakala National Park

Hana (p. 184)
Faites une balade à cheval, commandez votre déjeuner à un food-truck et profitez du soleil sur la splendide Hamoa Beach.
🚗 2 heures jusqu'à l'aéroport de Kahului, puis ✈ 45 minutes jusqu'à l'aéroport de Kona

Hilo (p. 270)
Longez le port pour découvrir les édifices historiques, les boutiques éclectiques et le centre astronomique de la ville. 🚗 40 minutes jusqu'au Hawai'i Volcanoes National Park

Kona (p. 248)
Avec Kona pour point de départ, visitez les superbes plages et les fermes de la région.
🚗 1 heure 30 jusqu'à Hilo

Hawai'i Volcanoes National Park (p. 254)
Consacrez une journée entière à ce parc pour randonner sur un volcan actif, parcouri en voiture la fantastique Chain of Craters Road et admirer de la lave en fusion rougeoyant dans la nuit.

Voyager en famille

D'une beauté naturelle extraordinaire, Hawaii plaît aux familles. Les enfants aimeront jouer sur les plages de sable, faire du snorkeling parmi les poissons tropicaux et arpenter les anciennes coulées de lave. Ils pourront s'abriter du soleil en visitant un musée, un aquarium ou un site historique.

Hawaii avec des enfants

Hawaii est une destination sans souci avec des enfants, à condition de les enduire d'écran solaire. Ici, les températures sur la côte sont rarement inférieures à 18°C, et les distances en voiture sont relativement courtes.

Où se restaurer

La plupart des restaurants sont heureux d'accueillir les enfants, à l'exception de certaines adresses haut de gamme. Menus adaptés, rehausseurs et chaises hautes sont généralement disponibles partout, mais avoir avec soi un siège bébé nomade peut s'avérer utile.

Pique-niquer dans un parc le long de la plage est l'un des grands plaisirs simples sur l'archipel. Achetez des provisions sur un marché fermier ou commandez des plats de déjeuner dans les restaurants drive-in.

Les enfants retrouveront leurs marques alimentaires préférées en épicerie et en supermarché. Néanmoins, la cuisine locale variée, les fruits colorés et les innombrables douceurs auront sûrement raison de leur réticence initiale.

Où sortir

Nombre d'adultes trouvent les *luau* (dîners-spectacles) commerciaux un peu ringards, mais la plupart des enfants aiment les danses exubérantes et les acrobaties de feu. Ils bénéficient généralement de tarifs réduits, voire même de l'entrée gratuite.

Pour les parents souhaitant passer une soirée en couple, le moyen le plus fiable de trouver un baby-sitter est de demander au concierge de votre hôtel, ou de contacter **Nannies Hawaii** (☎808-754-4931 ; nannieshawaii.com).

HIROYUKI SAITA/SHUTTERSTOCK ©

Activités culturelles

Waimea Valley (☑808-638-7766 ; www.
waimeavalley.net ; 59-864 Kamehameha Hwy ;
adulte/enfant 4-12 ans 16/8 $; ⊘9h-17h ; 👪
✐). Jardin botanique, sites archéologiques et
baignade dans une cascade sur la côte nord
d'O'ahu, pilonnage de taros pour fabriquer le *poi*,
fabrication de *lei* (collier végétal) et leçons
de danse *hula*.

Old Lahaina Luau (☑808-667-1998 ; www.
oldlahainaluau.com ; 1251 Front St ; adulte/enfant
120/79 $; ⊘17h15-20h15 oct-fév, 17h45-20h45
mars-mai et sept, 18h15-21h15 juin-août ; 👪).
Sur Maui, le *luau* le plus authentique de Hawaii
est empreint de l'esprit d'*aloha* (respect
du vivant et de la Terre) et propose musique,
danse et cochon entier rôti dans un *imu*
(four creusé dans la terre).

Pearl Harbor (p. 46). Faufilez-vous dans
un sous-marin de la Seconde Guerre mondiale,
parcourez un navire de guerre, ou devenez pilote
virtuel sur O'ahu.

Kamokila Hawaiian Village (☑808-823-0559 ;
villagekauai.com ; 5443 Kuamo'o Rd ; entrée

★ **Les 5 meilleures activités
avec des enfants**

Kuhio Beach (p. 80) à Waikiki, O'ahu

Les lagons de Ko Olina, O'ahu

'Anaeho'omalu Beach, Waikoloa
Resort Area, Hawai'i (Big Island)

Wailea Beach (p. 200), sud de Maui

Baby Beach à Po'ipu, sur Kaua'i

village adulte/enfant 3-12 ans 5/3 $, circuits
en pirogue adulte/enfant 30/20 $; ⊘9h-17h ; 👪).
Balades en pirogue à balancier, démonstrations
artisanales traditionnelles et répliques
d'anciennes maisons hawaïennes sur Kaua'i.

Hawai'i Volcanoes National Park (☑808-
985-6000 ; www.nps.gov/havo ; entrée véhicule
7 jours 10 $; 👪). Partez en randonnée
à la découverte de sites de pétroglyphes
ou assistez aux traditionnels chants et danses
de *hula kahiko* sur l'île de Hawaii (Big Island).

À gauche : enfants sur la plage au coucher du soleil ;
à droite : artistes de l'Old Lahaina Luau

HONOLULU (OʻAHU)

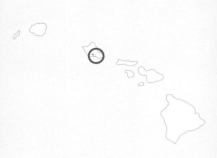

Honolulu (O'ahu)

Sur la côte sud d'O'ahu, la turbulente capitale hawaiienne offre un cocktail d'expériences. Savourez les délices asiatiques au fil des ruelles de Chinatown, jadis fréquentées par les baleiniers querelleurs et les ambitieux négociants immigrés. Admirez la mer depuis l'emblématique Aloha Tower, puis flânez entre les édifices en brique de l'ère victorienne.

Des brises océaniques font bruire les palmiers sur le front de mer, tandis que les sentiers forestiers qui parcourent les Ko'olau Range offrent une vue splendide sur la ville. Au crépuscule, faites une promenade idyllique sur Magic Island, puis profitez de la scène nocturne de Chinatown.

Honolulu en 2 jours

Visitez l'**'Iolani Palace** (p. 46). Après avoir déjeuné à l'**Artizen by MW** (p. 72), au sein du **Hawai'i State Art Museum** (p. 56), parcourez les collections du musée. Gagnez l'**Aloha Tower** (p. 61) à pied pour profiter de la vue, puis dînez au **Pig & the Lady** (p. 70), à Chinatown. Le lendemain, visitez le **Bishop Museum** (p. 52), puis déjeunez au **Helena's Hawaiian Food** (p. 70). Écumez les **marchés de Chinatown**, puis ralliez le **La Mariana Sailing Club** (p. 74), l'un des formidables bars polynésiens de Honolulu.

Honolulu en 4 jours

Débutez le troisième jour par le **Honolulu Museum of Art** (p. 63). Ralliez le **National Memorial Cemetery of the Pacific** par la route, puis parcourez la **Tantalus Round Top Scenic Drive** (p. 64). Dînez au **Sweet Home Café** (p. 71). Le quatrième jour, commandez un brunch au **Cafe Kaila** (p. 70), avant de visiter la Manoa Valley. Baignez-vous à l'**Ala Moana Beach Park** (p. 61), faites un peu de shopping à l'**Ala Moana Center** (p. 68), puis concluez par une bière fraîche au **Honolulu Beerworks** (p. 73).

Magic Island, avec les gratte-ciel de Honolulu en arrière-plan (p. 61)

Comment s'y rendre

Une fois à O'ahu, vous pourrez facilement rallier Honolulu en louant un véhicule ou en utilisant les transports publics TheBus, le système de transports publics. Les grandes agences de location sont présentes à l'aéroport international de Honolulu et à Waikiki. Au nord-ouest de Waikiki, l'Ala Moana Center est le point de convergence des services de TheBus. Plusieurs lignes de bus circulent entre Waikiki et les quartiers de Honolulu.

Où se loger

Honolulu n'est pas très riche en matière d'hébergements. La plupart des visiteurs logent près de la plage, à Waikiki, où les options sont nombreuses. Depuis ce quartier très proche du centre, les sites emblématiques de Honolulu sont aisément accessibles en voiture ou en bus. Il existe aussi quelques hébergements excentrés près de l'aéroport (déconseillé), ainsi qu'une poignée d'adresses aux abords de l'Ala Moana Center.

N 0 ⸺ 2 km

PEARL HARBOR

*Aéroport
international
de Honolulu*

Downtown
Le centre-ville
est le cœur battant
de Honolulu,
mais aussi le théâtre
des bouleversements
politiques de Hawaii.

*Mamala
Bay*

Ala Moana
Connu pour ses
immenses centres
commerciaux,
ce quartier possède
le plus grand parc
balnéaire d'O'ahu.

*OCÉAN
PACIFIQUE*

Honolulu
Watershed
Forest Reserve

**BISHOP
MUSEUM**

**MANOA FALLS
TRAIL**

**Hauteurs
de la Manoa Valley**
La ceinture verte
de Honolulu, avec
ses résidences chics
et ses paisibles
réserves forestières.

CHINATOWN

**'IOLANI
PALACE**

*Gare
routière
TheBus*

Quartier de l'Université
Ce quartier étudiant
situé sur les
contreforts
de la Manoa Valley
compte de nombreux
cafés et boutiques.

UNIVERSITY OF HAWAI'I MANOA

Plan de Downtown et Chinatown (p. 5
Plan d'Ala Moana et quartier de l'Université (p. 6

Hawaii Theater (p. 43)

1000 WORDS/SHUTTERSTOCK ©

Chinatown

À Chinatown, les effluves d'encens flottent sur les marchés animés, les dragons cracheurs de feu s'entortillent autour des piliers et le fumet des dim sum éveille le plus endormi des appétits.

Pour ceux qui aiment...

☑ **Ne ratez pas**

Les orchidées en fleur du Foster Botanical Garden, inscrites au Registre national des sites historiques.

L'emplacement de ce quartier commerçant ne tient nullement du hasard. C'est là, entre le dynamique port de commerce de Honolulu et la campagne d'alors, que surgirent des échoppes pourvoyant aux besoins des habitants et des équipages des navires de passage au XIXe siècle. Nombre d'entre elles furent créées par des ouvriers chinois restés sur place après la fin de leur contrat dans les plantations sucrières. La plupart des grandes familles d'entrepreneurs ayant connu le succès ont déménagé depuis, cédant la place à de nouvelles vagues d'immigrés, originaires d'Asie du Sud-Est en majorité.

Marchés de Chinatown

Le cœur commercial de **Chinatown** (www.chinatownnow.com ; ⏱8h-18h) s'articule autour de ses marchés et de ses échoppes

Statue au temple de Kuan Yin (p. 42)

gastronomiques. Les fabriques de nouilles, les pâtisseries et les étals de produits frais jalonnent les trottoirs étroits, peuplés de vieilles dames avec caddie et de familles faisant leurs emplettes. Institution datant de 1904, l'**O'ahu Market** vend tout ce dont a besoin un cuisinier chinois : racines de gingembre, poulpes, œufs de caille, riz au jasmin, pavés de thon, doliques asperges, méduses salées...

À l'entrée de l'artère piétonne voisine se trouve le **Kekaulike Market**, plus récent mais tout aussi passionnant. Tout au bout figure le **Maunakea Marketplace**, doté d'un *food court* très prisé.

Statue de Sun Yat-sen

Surnommé le "père de la nation" en République de Chine (l'actuel Taiwan) et le "précurseur de la révolution

ℹ Infos pratiques
On trouve des parkings payants dans tout le quartier.

✕ Une petite faim ?
Profitez d'une cuisine fusion vietnamienne au **Pig & the Lady** (p. 70).

★ Bon plan
Les galeries d'art de Chinatown fournissent un plan gratuit des quelque vingt lieux du quartier.

démocratique" en République démocratique de Chine, Sun Yat-sen se rendit à Hawaii en 1879, où il étudia à l'Iolani School et à l'O'ahu College (future Punahou School, fréquentée par Barack Obama). Après avoir exploré les grands idéaux des révolutions française et américaine, Sun Yat-sen devint président de la République de Chine en 1912.

Foster Botanical Garden

Créé en 1850, ce **jardin botanique** (☎808-522-7066 ; www.honolulu.gov/parks/hbg.html ; 180 N Vineyard Blvd ; adulte/enfant 5/1 $; ☺9h-16h, visites guidées généralement 13h lun-sam ; 🅿) 🌿 donne à admirer des plantes tropicales inouïes. Parmi les spécimens les plus rares figurent le palmier *loulu* (*Pritchardia hillebrandii*) et le *Gigasiphon macrosiphon,* originaire d'Afrique de l'Est,

deux variétés considérées comme disparues à l'état sauvage. Plusieurs des arbres présents ici sont parmi les plus imposants de leur espèce sur le territoire américain.

Citons également le *Couroupita guianensis* (arbre à boulets de canon), le *kigelia* (arbre à saucisses) et le cocotier de mer, dont la noix pèse jusqu'à 25 kg ! Humez le parfum des vanilliers et des cannelliers dans les jardins des épices et des herbes, avant de vous frayer un passage parmi les plantes toxiques et tinctoriales. Un plan, disponible gratuitement à l'entrée du jardin, permet de se repérer.

Temple de Kuan Yin

Avec son toit en céramique vert et ses piliers rouge vif, ce temple bouddhique

Marchands de fruits et légumes à Chinatown

chinois est le plus ancien de Honolulu. L'intérieur délicatement sculpté exsude une douce odeur d'encens. L'endroit est dédié à Kuan Yin, déesse de la Compassion, représentée par la statue la plus imposante de la salle de prière. Les fidèles y brûlent de faux billets pour s'attirer prospérité et chance, tandis que fleurs et fruits sont déposés devant l'autel. Les visiteurs – respectueux – sont les bienvenus.

Hawaii Theater

Ce bastion néoclassique fut inauguré en 1922, du temps où les films muets étaient accompagnés d'une musique jouée aux grandes orgues. Surnommé la "fierté du Pacifique", le cinéma diffusait des films en continu durant la Seconde Guerre mondiale, avant que la concurrence des établissements de Waikiki dans les années 1960 ne l'oblige à baisser rideau. Après une très coûteuse restauration, ce site classé a rouvert en grande pompe en 1996.

Izumo Taishakyo Mission

Ce sanctuaire shintō fut bâti par des immigrés japonais en 1906. Confisqué par la ville durant la Seconde Guerre mondiale, il ne fut restitué à la communauté qu'au début des années 1960. Pour ceux qui viennent prier, le fait de sonner la cloche à l'entrée du temple est considéré comme un acte de purification. Des milliers d'amulettes sont vendues ici, surtout le 1er janvier, où les fidèles viennent en masse chercher la bénédiction du Nouvel An. Le sanctuaire originel d'Izumo Taisha se trouve au Japon, dans la préfecture de Shimane.

Parade du Nouvel An chinois, Chinatown

Promenade dans Chinatown

Quartier le plus ancien de Honolulu, Chinatown est aussi le plus fréquenté par les piétons. Imprégnez-vous de son atmosphère avec cet itinéraire haut en couleur.

Départ Dr Sun Yat-sen Memorial Park
Distance 1,6 km
Durée 1-2 heures

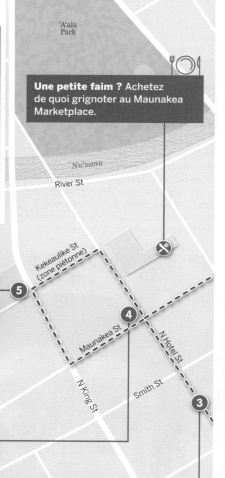

Une petite faim ? Achetez de quoi grignoter au Maunakea Marketplace.

'A'ala Park

Nu'uanu

River St

Kekeaulike St (zone piétonne)

Maunakea St

N King St

N Hotel St

Smith St

5 Dans King St, dépassez les piliers rouges entortillés de dragons puis visitez l'animé **Oʻahu Market** (1904).

4 À l'angle de Maunakea St, la façade richement décorée du **Wo Fat Building** évoque un temple chinois.

3 Prenez à droite dans **Hotel St**, une rue un peu louche ; l'ancien quartier chaud de Honolulu abrite désormais des établissements branchés.

7 La **statue de Sun Yat-sen**, le "père de la Chine moderne", monte la garde près du fleuve.

La photo à prendre
Le Wo Fat Building, aux allures de temple chinois.

ARRIVÉE **7**

N Beretania St

Maunakea St

CHINATOWN

6 En allant *mauka* (vers les montagnes), dans Maunakea St, vous verrez des **boutiques de *lei***.

Pau'ahi St

Nu'uanu Ave

2

2 Situé dans Nuuanu Ave, le **Pantheon Bar**, désormais fermé, était jadis l'un des repaires préférés des marins.

DÉPART **1**

Bethel St

1 Partez du **Dr Sun Yat-sen Memorial Park**, au niveau des statues de lions en pierre.

Bishop St

 0 ————— 100 m

Blason hawaiien à l'Iolani Palace

PASHACO/SHUTTERSTOCK ©

UA MAU KE EA O KA AINA I KA PONO

'Iolani Palace

Aucun endroit n'évoque mieux l'histoire poignante de Hawaii que ce palais érigé en 1882. Moderne et luxueux pour l'époque, il ne contribua toutefois guère à asseoir la souveraineté de l'archipel.

Pour ceux qui aiment...

☑ Ne ratez pas

L'énorme banian dans les jardins du palais, planté dit-on par la reine Kapiolani.

Histoire du palais

L'Iolani Palace fut bâti sous le règne de David Kalakaua en 1882, à une époque où la monarchie hawaiienne observait encore le protocole victorien. C'est ici que le souverain recevait les émissaires étrangers. Malgré sa modernité et son opulence, le palais ne contribua guère à asseoir la primauté de Hawaii face aux intérêts commerciaux américains, lesquels obtinrent le renversement du royaume en 1893.

Deux ans après le coup d'État, la reine Lili'uokalani, qui avait succédé à son frère David sur le trône, fut inculpée pour trahison et condamnée à neuf mois d'emprisonnement dans son ancienne résidence. Plus tard, le palais abrita le capitole de la République, du territoire et finalement de l'État de Hawaii. En 1969, le gouvernement emménagea dans l'actuel

Lei ornant une statue de la reine Lili'uokalani

❶ Infos pratiques

'Iolani Palace (📞808-522-0832 ; www.
iolanipalace.org ; 364 S King St ; jardins accès
gratuit, galeries 1er niv. adulte/enfant 7/3 \$,
visite avec audioguide 15/6 \$, visite guidée
22/6 \$; 🕙9h-16h lun-sam)

✕ Une petite soif ?
Sirotez un café issu de la plantation
de Kona et savourez la vue sur la ville
à la **Honolulu Coffee Company**.

★ Bon à savoir
Téléphonez pour vérifier les horaires
des visites et réservez en haute
saison.

on peut admirer des reliques royales,
des photos d'époque, ou encore la cuisine
et le bureau du chambellan reconstitués.

Jardins

Les jardins du palais sont accessibles
gratuitement en journée. L'ancienne
caserne des Royal Household Guards,
qui évoque curieusement la partie
supérieure d'une forteresse médiévale,
abrite aujourd'hui la billetterie.

Kiosque à musique

Jadis connu sous le nom de Coronation
Pavilion, l'**Iolani Palace Bandstand**
fut érigé devant le palais en 1883
pour le couronnement du roi Kalakaua.
En l'absence d'une autre personne digne
de cette royale mission, Kalakaua posa
lui-même la couronne sur sa tête. Le
pavillon rejoignit ensuite son emplacement
actuel afin de servir de kiosque à musique.
Aujourd'hui, le Royal Hawaiian Band se
produit gratuitement ici le vendredi, à midi.

capitole, laissant l'Iolani Palace en piteux
état. Après une décennie de rénovation
minutieuse, le site a rouvert sous la forme
d'un musée, même si nombre de reliques
royales ont été perdues ou volées avant
même le début des travaux.

Visites de l'intérieur

Pour découvrir le majestueux intérieur,
avec notamment la salle du trône et les
appartements reconstitués à l'étage, vous
devrez suivre un guide bénévole ou visiter
en indépendant avec un audioguide (enfants
autorisés à partir de 5 ans). Ce palais était
très moderne pour les critères de l'époque.
Chaque chambre possédait sa propre
salle de bains, avec eau chaude et toilettes
équipées d'une chasse d'eau, et l'édifice
fut doté de l'éclairage électrique avant
la Maison-Blanche. Au premier niveau,

USS Arizona Memorial (p. 51)

Pearl Harbor

Pearl Harbor a une signification particulière pour tous les Américains. Le site de l'attaque du 7 décembre 1941, qui provoqua l'entrée en guerre des États-Unis, est évocateur et émouvant.

Ford Island

Pacific Aviation Museum

USS Arizona Memorial

Battleship Missouri Memorial

USS Bowfin Submarine Museum & Park

Pearl Harbor

WWII Valor in the Pacific National Monument

Pour ceux qui aiment...

❶ Infos pratiques

WWII Valor in the Pacific National Monument (📱808-422-3399 ; www.nps. gov/valr ; 1 Arizona Memorial Pl ; ☺centre des visiteurs 7h-17h) GRATUIT

☑ **Ne ratez pas**

Une promenade au bord de l'eau, le long d'une série de panneaux illustrant le déroulement de l'attaque sur la base navale.

Une attaque surprise

Le 7 décembre 1941 – "un jour qui restera marqué du sceau de l'infamie", selon les mots du président Franklin D. Roosevelt –, à 7h55, une vague de 350 avions japonais apparut au-dessus des montagnes Ko'olau pour piquer sur Pearl Harbor, quartier général de la US Pacific Fleet. Touché d'emblée, le cuirassé USS *Arizona* coula en moins de neuf minutes, et la plupart des membres de l'équipage moururent dans l'explosion. La moyenne d'âge des 1 177 victimes était de 19 ans. Il fallut 15 minutes à l'unité antiaérienne américaine pour répliquer au bombardement. Vingt autres cuirassés furent coulés ou sérieusement endommagés, tandis que 347 avions américains étaient détruits au cours des deux heures d'assaut.

Le principal coût de l'attaque fut humain. Sur le plan matériel, hormis les trois navires envoyés par le fond – l'*Arizona*, le *USS Oklahoma* et le *USS Utah* – le reste de la flotte put être réparé et combattre durant la Seconde Guerre mondiale. Toutefois, les événements firent bientôt la démonstration du caractère obsolète de ces vaisseaux de guerre, car la bataille du Pacifique démontra l'importance majeure des porte-avions – dont aucun n'était présent à Pearl Harbor lors de l'attaque.

WWII Valor in the Pacific National Monument

Géré par le National Park Service, ce grand site américain de la Seconde Guerre mondiale relate l'histoire de l'attaque et honore la mémoire des victimes. Il est entièrement accessible aux personnes en fauteuil roulant. L'entrée principale dessert les autres parcs et musées de Pearl Harbor.

Les jardins sont bien plus qu'un simple quai permettant d'accéder au USS Arizona Memorial. Ne manquez pas les deux splendides musées, où des expositions multimédias et interactives ressuscitent le "sentier de la guerre" (Road to War) et "l'attaque et ses conséquences" (Attack and Aftermath) à travers des photos historiques, des films, des graphiques illustrés et des enregistrements audio de témoignages.

Intérieur du *USS Missouri*

BENNY MARTY/SHUTTERSTOCK ©

La librairie recèle quantité de livres et de films sur Pearl Harbor et la guerre du Pacifique, ainsi que des cartes illustrées de la bataille. Vous tomberez peut-être sur l'un des derniers vétérans (presque centenaires) de l'attaque, occupé à signer des autographes ou à répondre à des questions devant l'échoppe.

Plusieurs forfaits permettent d'accéder aux trois sites payants. Le plus intéressant donne accès à l'ensemble du site pendant sept jours. Les billets sont disponibles en ligne sur www.pearlharborhistoricsites.org, à la billetterie principale du monument, et sur chaque lieu de visite.

USS Arizona Memorial

Accessible par bateau, cet austère **mémorial** (☎808-422-3399 ; www.nps.gov/valr ; 1 Arizona Memorial Pl ; gratuit, réservation circuit en bateau 1,50 $; ◷7h-17h, circuit en bateau 7h30-15h) GRATUIT commémore l'attaque de Pearl Harbor et les victimes tuées au combat.

Construit au-dessus de l'épave du *USS Arizona*, ce monument se compose de trois espaces représentant la "défaite initiale, la victoire finale et la sérénité éternelle". Dans la dernière salle, les noms des victimes de l'attaque sont gravés dans un mur en marbre. Dans la partie centrale, des ouvertures permettent aux visiteurs d'apercevoir les entrailles du navire, dont continue de s'échapper près de 1 litre d'essence par jour. Dans sa hâte de réparer les dégâts et de préparer l'entrée en guerre, la US Navy exerça son droit à laisser à l'intérieur de l'épave les corps des soldats, qui reposent dans la coque immergée.

Circuits en bateau à destination du USS Arizona Memorial

Les bateaux partent toutes les 15 minutes pour le mémorial, entre 7h30 et 15h (quand le temps le permet). Pour ce circuit de 1 heure 15, qui comprend un documentaire de 23 minutes sur l'attaque, réservez (1,50 $ par billet) sur www.recreation.gov jusqu'à 60 jours à l'avance. La veille de la visite, un nombre très limité de billets est également mis en vente

sur le site à partir de 7h (heure de Hawaii). Mieux vaut réserver bien en avance.

Battleship Missouri Memorial

Dernier cuirassé construit par les États-Unis (mis en service en 1944), le **USS Missouri** (☎877-644-4896 ; www.ussmissouri. com ; 63 Cowpens St, Ford Island ; billet avec visite adulte/enfant à partir de 27/13 $; ◷8h-16h, 8h-17h juin-août) fut l'un des acteurs majeurs de la campagne américaine du Pacifique. Surnommé le "Mighty Mo", il participa aux batailles décisives d'Iwo Jima et d'Okinawa, à la fin de la Seconde Guerre mondiale.

USS Bowfin Submarine Museum & Park

Attenant au centre des visiteurs, ce **parc** (☎808-423-1341 ; www.bowfin.org ; 11 Arizona Memorial Dr ; musée adulte/enfant 6/3 $, avec visite non guidée du sous-marin 12/5 adulte/ enfant ; ◷7h-17h, dernière entrée 16h30) abrite le *USS Bowfin*, un sous-marin de la Seconde Guerre mondiale, et un musée retraçant l'évolution de ces engins, avec notamment des séquences filmées de patrouilles en temps de guerre. Le temps fort reste l'exploration de ce sous-marin historique.

Pacific Aviation Museum

Ce **musée de l'Aviation militaire** (☎808-441-1000 ; www.pacificaviationmuseum.org ; 319 Lexington Blvd, Ford Island ; adulte/enfant 25/12 $, avec visite guidée 35/12 $; ◷8h-17h, dernière entrée 16h) couvre les combats menés par les États-Unis, de 1941-1945 jusqu'aux guerres de Corée et du Vietnam. Le premier hangar illustre l'attaque de Pearl Harbor, le raid de Doolittle sur le territoire japonais en 1942 et la bataille de Midway, qui vit la guerre du Pacifique basculer en faveur des Alliés.

✗ Une petite faim ?

Prenez place au **Restaurant 604** (☎808-888-7616 ; www.restaurant604. com ; 57 Arizona Memorial Dr ; plat 12-25 $; ◷10h30-22h), sur le front de mer.

Projecteur du planétarium

CLEANFOTOS/SHUTTERSTOCK ©

Bishop Museum

Souvent considéré comme le meilleur musée anthropologique polynésien du monde, le Bishop Museum recèle des pièces remarquables dans les domaines culturel et naturel.

Pour ceux qui aiment...

☑ **Ne ratez pas**
La collection sur deux niveaux du Pacific Hall, consacrée aux cultures polynésienne, micronésienne et mélanésienne.

Équivalent local de la Smithsonian Institution de Washington, le Bishop Museum possède d'inestimables pièces dans les domaines culturel et naturel. Il est souvent considéré comme le meilleur musée anthropologique polynésien du monde. Fondé en 1889 en l'honneur de la princesse Bernice Pauahi Bishop, descendante des Kamehameha, il abritait uniquement des objets hawaiiens et royaux à l'origine. Aujourd'hui, il honore toute la culture polynésienne.

Hawaiian Hall

La galerie principale, appelée Hawaiian Hall, est logée dans un vénérable édifice victorien. Chaque niveau embarque les visiteurs pour un voyage dans un royaume hawaiien distinct. Kai Akea, au premier, représente les divinités, légendes

Statue hawaiienne

PRINT COLLECTOR / CONTRIBUTOR/GETTY IMAGES ©

Kamehameha Park

Lunalilo Fwy

Bishop Museum

Bernice St

Kalihi St

Kapalama Ave

❶ Infos pratiques

☎808-847-3511 ; www.bishopmuseum.org ; 1525 Bernice St ; adulte/enfant 23/15 $; ⏱9h-17h ; Ⓟ🚻🅿

✖ Une petite faim

Savourez du porc *kalua* ou un saumon *lomi-lomi* (salé et haché, avec des dés de tomate et d'oignon vert) au **Helena's Hawaiian Food** (p. 70).

> ★ **Bon à savoir**
>
> La boutique de souvenirs du musée recèle des livres sur le Pacifique que l'on ne trouve pas facilement ailleurs.

et croyances locales, ainsi que le monde hawaiien primitif ; Wao Kanaka, au deuxième, est axé sur l'importance de la terre et de la nature au quotidien ; Wao Lani, au dernier niveau, est la résidence des dieux.

Pacific Hall

Dans le Pacific Hall attenant, une fascinante collection sur deux niveaux couvre les multiples cultures polynésienne, micronésienne et mélanésienne. Illustrant le caractère distinct et indissociable des peuples d'Océanie, elle recèle de nombreuses pépites – canoës, tapis tissés, art contemporain, etc.

Planétarium

Le Bishop Museum abrite l'unique planétarium d'O'ahu, avec un choix de programmes constamment renouvelé, notamment sur les techniques de navigation astronomique des Polynésiens. Consultez le site du musée pour connaître le programme.

Autres espaces d'exposition

L'incroyable et ultramoderne **Science Adventure Center** a pour vocation de mieux faire comprendre l'environnement hawaiien. Vous pourrez y explorer les domaines scientifiques qui font la réputation internationale de Hawaii, notamment la volcanologie, l'océanographie et la biodiversité.

Le **Na Ulu Kaiwi'ula Native Hawaiian Garden** abrite des variétés fondamentales de la culture hawaiienne, qu'il s'agisse de végétaux endémiques ou de variétés importées, comme l'arbre à pain, introduit par les Polynésiens il y a des siècles.

Le Nu'uanu Valley Lookout

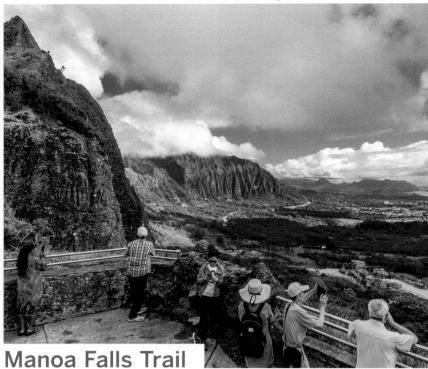

Manoa Falls Trail

*La balade la plus gratifiante
de la ville aboutit à une cascade
au cœur de la ceinture verte
de Honolulu.*

Pour ceux qui aiment...

☑ **Ne ratez pas**

Les plantes uniques et colorées
qui poussent près des chutes.

La randonnée

Cette courte boucle de 2,5 km domine le
lit rocailleux d'une rivière avant d'aboutir
à une jolie petite cascade. De hauts troncs
d'arbres jalonnent le sentier, souvent
boueux et glissant. Orchidées sauvages
et gingembre rouge poussent près
de la chute d'eau, laquelle se jette dans
un bassin peu profond 30 m plus bas.
Il est interdit de s'aventurer au-delà
de l'espace d'observation délimité.

Comment y aller

Prenez le bus n°5 Manoa Valley depuis l'Ala
Moana Center ou le quartier de l'Université
jusqu'au terminus ; de là, 800 m de
marche en montée vous séparent du point
de départ. En voiture, roulez quasiment
jusqu'au bout de Manoa Rd, où un parking
privé facture 5 $ par véhicule.

Sentiers de la Makiki Valley

ROSANNA U/GETTY IMAGES ©

ⓘ Infos pratiques

Pour plus d'infos sur le réseau de sentiers de l'île, consultez le site hawaiitrails.ehawaii.gov.

✕ Une petite faim ?

Après la randonnée, profitez du buffet-déjeuner du **Treetops Restaurant** (☏808-988-6839 ; manoatreetops.wixsite. com ; 3737 Manoa Rd, Manoa Valley ; buffet 15,95 $; ☺9h-16h lun-sam).

★ Bon à savoir

Des fourmis dans les mollets ? D'autres sentiers vous attendent près des Manoa Falls, dans la Watershed Forest Reserve de Honolulu.

Nu'uanu Valley Lookout

Juste avant les Manoa Falls (chutes d'eau de Manoa), l'Aihualama Trail, un sentier balisé, remonte vers la gauche et enjambe de gros rochers. Le chemin pénètre immédiatement dans une forêt de bambous, mêlés de vieux banians imposants, puis longe une crête offrant une vue dégagée sur la Manoa Valley.

Après 1,5 km de lacets, les randonneurs croisent le Pauoa Flats Trail, qui monte vers la droite sur plus de 800 m, pour parvenir finalement à un spectaculaire point de vue, le Nu'uanu Valley Lookout. Depuis les hauteurs du Ko'olau Range, d'où l'on voit les abruptes falaises (*pali*) d'O'ahu tout autour, une petite ouverture permet d'entrapercevoir la Windward Coast. Au total, la boucle entre les Manoa Falls et le Nu'uanu Valley Lookout couvre quelque

9 km. On peut également rallier le point de vue en empruntant des sentiers partant de la Makiki Valley et de Tantalus Dr.

Baignade à risque

Les risques d'éboulements et la leptospirose (une infection bactérienne transmise par l'eau) rendent la baignade dangereuse.

Sentiers de la Makiki Valley

Prisée des habitants de Honolulu, la Makiki Valley Loop relie trois sentiers dans le secteur du mont Tantalus. Ces parcours sont généralement boueux, d'où l'intérêt de prévoir des chaussures à crampons et un bâton de marche. Cette boucle de 4 km traverse une portion verdoyante de forêt tropicale, composée en majorité d'espèces non endémiques, introduites pour reboiser une zone touchée par le commerce de bois de santal (*'iliahi*) au XIXᵉ siècle.

⊙ À VOIR

Le petit centre-ville de Honolulu est
à deux pas du port. Non loin, les rues
bourdonnantes de Chinatown sont riches
en marchés d'alimentation, boutiques
d'antiquités, galeries d'art et bars
branchés. Entre Downtown et Waikiki,
Ala Moana recèle le plus grand centre
commercial de Hawaii et la plus belle
plage de la ville. Le campus de l'Université
donne accès à la Manoa Valley. Quelques
sites excentrés, dont le Bishop Museum,
méritent le détour.

⊙ Downtown (centre-ville)

Ce secteur fut le théâtre des intrigues
politiques et des révoltes sociales
qui changèrent la face de Hawaii
au XIXᵉ siècle. Des acteurs majeurs
de l'histoire locale y régnèrent, s'y
rebellèrent, y prièrent et y reposent.

Hawai'i State Art Museum   Musée
(📞808-586-0300 ; sfca.hawaii.gov ; 2ᵉ niv.,
N°1 Capitol District Bldg, 250 S Hotel St ;
🕙10h-16h mar-sam, également 18h-21h

1ᵉʳ ven du mois). 🏷 GRATUIT À travers ses
passionnantes collections, ce musée
public réunit les arts traditionnel et
contemporain des diverses communautés
ethniques de Hawaii. L'institution occupe
un majestueux bâtiment de 1928, de
style néocolonial hispanique, qui abritait
autrefois une YMCA avant d'être classé
monument historique. Le site abrite
également une charmante boutique de
souvenirs et un formidable café, l'Artizen
by MW (p. 72).

À l'étage figurent des expositions
thématiques de peinture, de sculpture,
d'art textile, de photographie et de
techniques mixtes abordant le patrimoine
polynésien de l'île, les questions sociales
d'aujourd'hui ou encore la beauté naturelle
du territoire terrestre et marin. Partout,
on retrouve un mélange d'influences
culturelles d'Asie, du Pacifique et
d'Europe, dont l'esthétique capture
l'âme des îles et le cœur des habitants.

Le premier vendredi du mois,
les galeries ouvrent de 18h à 21h
et programment des spectacles dans
une ambiance familiale. Venez le dernier

L'Ala Moana Beach Park (p. 61)

Ali'iolani Hale (p. 60)

mardi du mois, à midi, pour assister à des conférences "art/déjeuner", ou le deuxième samedi du mois, de 11h à 15h, pour participer à des ateliers d'art et d'artisanat hawaiiens, souvent conçus pour les enfants.

State Capitol   Édifice remarquable
(☎808-586-0178 ; 415 S Beretania St ; ◷7h45-16h30 lun-ven). GRATUIT Construit dans les années 1960, une période intéressante au plan architectural, le Capitole de l'État de Hawaii semble l'incarnation type du postmodernisme conceptuel – chambres législatives évoquant des cônes volcaniques avec leurs murs inclinés, colonnes en forme de cocotiers pour symboliser les huit îles principales, et un grand bassin circulaire qui représente l'océan Pacifique baignant Hawaii. Les visiteurs sont autorisés à se promener dans la rotonde à ciel ouvert et à jeter un coup d'œil par la fenêtre des deux chambres législatives. Pour vous repérer, procurez-vous une brochure gratuite dans la salle 415, au 4ᵉ niveau.

Statue de la reine
Lili'uokalani   Statue
Un bronze grandeur nature de la reine Lili'uokalani, l'ultime monarque de Hawaii, a été placé à dessein entre le capitole et l'Iolani Palace. La reine tient un exemplaire de la Constitution hawaiienne, rédigée de sa main en 1893 dans une tentative d'affirmer la souveraineté de l'archipel, "Aloha 'Oe", une chanson populaire composée par ses soins, et "Kumulipo", un chant traditionnel de la création.

Statue du père Damien   Statue
Devant le capitole se dresse une statue stylisée du père Damien. Ce missionnaire belge vécut et travailla avec les lépreux exilés sur l'île de Moloka'i, à la fin du XIXᵉ siècle, avant de succomber lui-même à cette maladie. En 2009, il fut canonisé par l'Église catholique, devenant ainsi le premier saint de Hawaii – un maître d'école de Honolulu, atteint d'un cancer, aurait guéri miraculeusement en 1988 après avoir prié sur la tombe originelle du religieux à Moloka'i.

Downtown et Chinatown

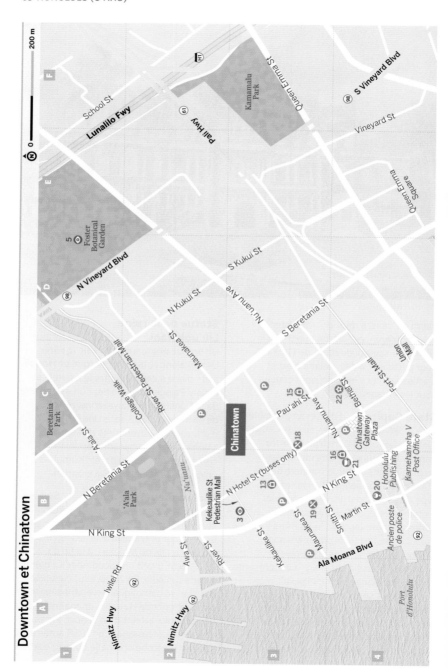

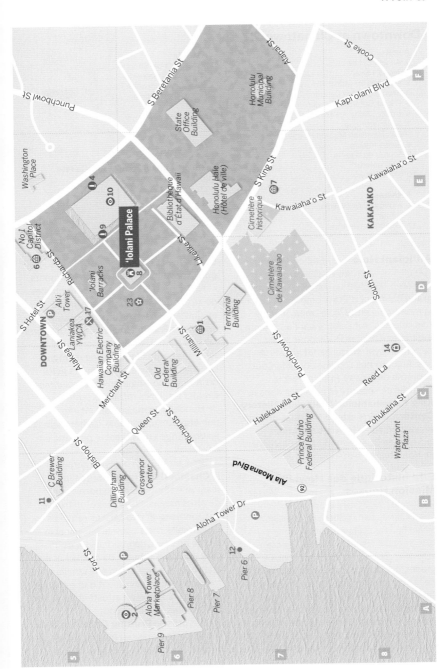

Downtown et Chinatown

Aliʻiolani Hale   Édifice historique
(☎808-539-4999 ; www.jhchawaii.net ; 417 S King St ; ☉8h-16h30 lun-ven). GRATUIT Premier grand bâtiment d'État commandé par la monarchie en 1874, la "maison des rois célestes" fut conçue par l'architecte australien Thomas Rowe pour servir de palais royal, ce qui ne fut jamais le cas. Aujourd'hui, l'édifice abrite la Cour suprême de Hawaii. Franchissez le contrôle de sécurité et pénétrez dans le **King Kamehameha V Judiciary History Center**, où vous attend une passionnante exposition sur la loi martiale durant la Seconde Guerre mondiale et le règne de Kamehameha Iᵉʳ.

Site historique des Hawaiian Mission Houses   Musée
(☎808-447-3910 ; www.missionhouses.org ; 553 S King St ; visite guidée 1 heure adulte/enfant 6-18 ans et étudiants munis d'une carte 10/6 $; ☉10h-16h mar-sam, visite guidée généralement 11h, 12h, 13h, 14h et 15h). Ce modeste musée occupe le siège originel de la mission des îles Sandwich (nom de l'archipel de Hawaii jusqu'en 1810), qui changea à jamais le cours de l'histoire de Hawaii. L'endroit est meublé dans un souci d'authenticité, avec des dessus-de-lit faits main et des marmites en fer dans les âtres en pierre. L'accès aux jardins est gratuit.

En revanche, la visite guidée est requise pour découvrir l'intérieur des bâtiments.

Notez que les premiers missionnaires ne se contentèrent pas d'une valise en quittant Boston – un préfabriqué en bois, la **Frame House**, les accompagna jusqu'à Hawaii, via le cap Horn. Avec ses petites fenêtres, davantage conçues pour résister aux vents gelés de la Nouvelle-Angleterre que pour faire circuler les alizés rafraîchissants de Honolulu, la maison devint vite une étuve insupportable. Ce bâtiment en bois érigé en 1821 est le plus ancien de Hawaii.

Bâtie en 1831 en blocs de corail, la **Chamberlain House** abritait la réserve – Honolulu ne disposait que de rares magasins. À l'étage, on trouve des tonneaux et des caisses remplies de vaisselle, mais aussi le bureau et la plume de Levi Chamberlain. Ce dernier était chargé d'acheter, de stocker et de distribuer les provisions aux familles des missionnaires, qui vivaient d'une maigre pension – comme en attestent les livres de comptes sur le bureau.

Tout près, le **Printing Office**, de 1841, renferme une presse typographique qui servit à imprimer la première bible en langue hawaiienne.

Le **Mission Social Hall and Cafe**, tenu par le chef Mark "Gooch" Noguchi, sert des pépites gastronomiques du mardi au samedi, de 11h à 14h.

Aloha Tower · Édifice remarquable

(www.alohatower.com ; 1 Aloha Tower Dr ; ⏰9h-17h ; 🅿️). ᴳᴿᴬᵀᵁᴵᵀ Bâtie en 1926, cette tour emblématique de 10 étages était autrefois la plus élevée de Hawaii. Durant l'âge d'or hawaiien, cette icône du front de mer accueillait tous les touristes arrivant par bateau, avec le mot "Aloha" inscrit sur ses quatre faces. Aujourd'hui, la Hawaii Pacific University a entrepris de revitaliser l'Aloha Tower Marketplace avec force magasins, restaurants et chambres universitaires. Prenez l'ascenseur jusqu'à la plateforme d'observation du dernier étage pour une vue à 360° sur Honolulu et son front de mer.

👁 Ala Moana et alentours

Ala Moana Blvd (Hwy 92) relie Waikiki à Honolulu par la côte. Ala Moana – qui se traduit par "sentier de la mer" – évoque un fameux centre commercial pour la plupart des gens. Pourtant, ce secteur offre une alternative bienvenue à la foule de Waikiki grâce à l'Ala Moana Beach Park, le plus grand parc en bordure de plage d'O'ahu.

Ala Moana Beach Park · Plage

(1201 Ala Moana Blvd ; 🅿️👤). Situé en face de l'Ala Moana Center, ce parc urbain comporte une large plage de sable doré de 1,5 km, protégée de la circulation par des arbres. Malgré sa popularité, c'est assez grand pour qu'on ne s'y sente pas gêné par la foule. C'est ici que les habitants de Honolulu viennent jouer au beach-volley, courir en fin de journée ou pique-niquer le week-end. Le parc compte de nombreux équipements, notamment des courts de tennis, des terrains de base-ball, des tables de pique-nique, des points d'eau potable, des toilettes, des douches extérieures et des guérites de maîtres nageurs.

La petite langue de terre qui s'avance dans la mer, au sud-est du parc, s'appelle **Magic Island**. Toute l'année, on peut s'y offrir une promenade idyllique au soleil

🏙 Le quartier natal de Barack Obama

Durant la campagne de 2008, à la question de Sarah Palin, la candidate républicaine à la vice-présidence – "Mais qui est donc ce Barack Obama ?"– Michelle, l'épouse du futur président américain, avait fini par rétorquer : "Il est impossible de comprendre Barack tant qu'on n'a pas compris Hawaii."

Barack Obama, qui a grandi dans le quartier de Makiki Heights, à Honolulu, a écrit au sujet de sa terre natale : "L'esprit de tolérance de Hawaii [...] est devenu une partie intégrante de ma perception du monde, et un fondement pour les valeurs qui me sont chères". Chez les médias locaux et les *kama'aina* (personnes nées et ayant grandi à Hawaii), nombreux sont ceux qui pensent que la dimension pluriculturelle du tissu social hawaiien a façonné le 44e président des États-Unis, propulsé par la fameuse "coalition arc-en-ciel" en 2008.

Obama a maintes fois rappelé que c'était à Hawaii qu'il aimait à se ressourcer. "À l'aube d'une dure journée de réunions ou de négociations, je laisse mon esprit retourner vers Sandy Beach, ou les Manoa Falls... Cela m'aide de savoir que ces lieux existent et que je pourrai toujours y retourner."

Manoa Falls Trail
BARRY WINIKER/GETTY IMAGES ©

couchant, à quelques encablures des voiliers qui transitent par l'Ala Wai Yacht Harbor voisin.

Ala Moana et quartier de l'Université

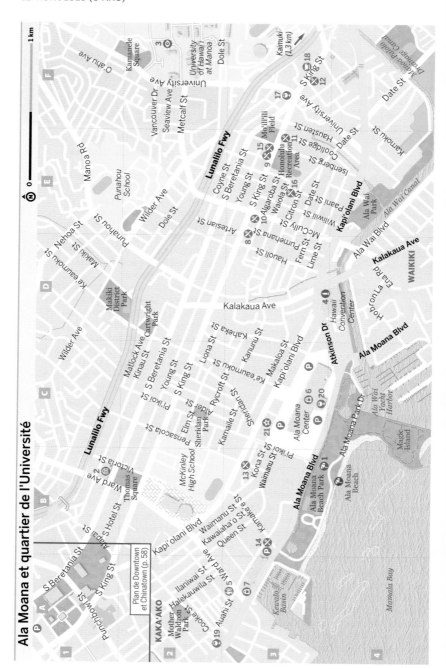

Plan de Downtown
et Chinatown (p. 58)

Ala Moana et quartier de l'Université

À voir

1 Ala Moana Beach Park B3
2 Honolulu Museum of Art B1
3 University of Hawai'i at Manoa F2
4 Water Giver Statue D3

Activités

Native Books/Nā Mea Hawaii ..... (voir 7)
5 Surf HNL Girls Who Surf A3

Achats

6 Ala Moana Center C3
Honolulu Museum of Art Shop ..... (voir 2)
7 Native Books/Nā Mea Hawaii A3

Où se restaurer

8 Alan Wong's E3
9 Aloha Vietnamese Food E3
10 Chef Mavro E3
Honolulu Museum of Art Cafe ..... (voir 2)
11 Kahai Street Kitchen E3
12 Kokua Market Natural Foods F3
13 Nanzan Girogiro B3
14 Nobu Honolulu B3
15 Sweet Home Café E3
16 Waiola Shave Ice E3

Où prendre un verre et faire la fête

17 Beer Lab HI F3
18 Glazers Coffee F3
19 Honolulu Beerworks A2
20 Mai Tai Bar C3

Où sortir

Doris Duke Theatre ..... (voir 2)
21 Republik C3

Honolulu Museum of Art — Musée

(☎808-532-8700 ; www.honolulumuseum.org ; 900 S Beretania St ; adulte/enfant 10 $/gratuit, 1er mer et 3e dim du mois gratuit ; ⏲10h-16h30 mar-sam, 13h-17h dim ; P 👪). Cet exceptionnel musée des beaux-arts pourrait bien être la belle surprise de votre séjour à O'ahu. Dotée d'une séduisante façade classique, la bâtisse de 1927 comporte plusieurs cours arborées avec fontaines, d'où partent les différentes galeries. Prévoyez d'y passer deux heures, en combinant éventuellement la visite avec un déjeuner au Honolulu Museum of Art Cafe (p. 72). Le billet permet d'accéder à la Spalding House (p. 65) le même jour.

Les pièces exposées, d'une beauté stupéfiante, reflètent les cultures qui composent l'archipel hawaiien d'aujourd'hui. On y trouve l'une des plus belles collections d'art asiatique du pays, avec des gravures sur bois japonaises de Hiroshige, des calligraphies chinoises de la dynastie Ming, des rouleaux peints, ainsi que des sculptures et des statues provenant de temples cambodgiens ou indiens. Citons aussi l'époustouflante aile contemporaine, avec des œuvres hawaiiennes à l'étage, et des chefs-d'œuvre modernes signés Henri Matisse ou Georgia O'Keeffe au rez-de-chaussée. Laissez-vous ensorceler par des objets témoignant de l'art d'Océanie et de Polynésie – masques cérémoniels, massues de guerre, parures corporelles, etc.

Consultez le site pour tout savoir de l'activité du musée – visites guidées, conférences d'art, projections de films, concerts au Doris Duke Theatre (p. 74), soirées ARTafterDARK (restauration sur place et spectacles) le dernier vendredi de certains mois, ou programmes culturels tournés vers les familles le troisième dimanche du mois.

L'accès au Honolulu Museum of Art Shop (p. 69), au café (p. 72) et à la Robert Allerton Art Library est gratuit.

Garez-vous au parking Linekona, situé à la diagonale du musée, au 1111 Victoria St (accès par Beretania St ou Young St), moyennant 5 $. Depuis Waikiki, prenez les bus n°2 ou n°13, ou encore le B City Express !

Water Giver Statue — Statue

(Hawaii Convention Center, 1801 Kalakaua Ave). Installée devant le Honolulu Convention Center, la magnifique statue dite du donneur d'eau salue la générosité et la gentillesse du peuple hawaiien à l'égard des arrivants. La statue *The Storyteller*, son pendant, est visible à Waikiki.

Tantalus-Round Top Scenic Drive

Cette route panoramique, qui offre une vue sur les gratte-ciel de Honolulu aux conducteurs et cyclistes, grimpe presque jusqu'au sommet du mont Tantalus (613 m), ou Pu'u 'Ohi'a. Les bambous, gingembres, taros et eucalyptus tissent un rideau tropical en bordure de route, tandis que les plantes grimpantes s'entortillent autour des poteaux téléphoniques. Cette boucle à deux voies de 17 km, dont le point de départ domine le centre de Honolulu et la H-1, s'appelle Tantalus Dr à l'ouest, et Round Top Dr à l'est. De nombreux sentiers de randonnée partent de ce circuit panoramique, qui passe près du splendide point de vue du Pu'u 'Ualaka'a State Wayside.

Gingembre rouge
PILIALOHA/SHUTTERSTOCK ©

Quartier de l'Université

Sur les contreforts de la Manoa Valley, le quartier qui entoure le campus de l'Université (UH Manoa) dégage une atmosphère juvénile, avec ses nombreux cafés, ses restaurants éclectiques et ses boutiques uniques. Le carrefour de University Ave et de S King St est particulièrement animé.

University of Hawai'i at Manoa
Université

(UH Manoa ; ☎808-956-8111 ; manoa.hawaii. edu ; 2500 Campus Rd ; P). Basée à environ 3,5 km au nord-est de Waikiki, l'Université de Hawaii est née trop tard pour souffrir

du style bourgeois-champêtre propre au reste des établissements américains. Aujourd'hui, son vaste campus ombragé par des arbres est fréquenté par une foule d'étudiants venus de toutes les îles polynésiennes et micronésiennes. Ils y bénéficient de solides cursus en astronomie, en océanographie et en biologie marine, mais aussi en études hawaiiennes, océaniennes et asiatiques.

Depuis Waikiki ou le centre-ville, prenez le bus n°4 ou n°13 ; depuis Ala Moana, prenez le bus n°6 ou n°18.

Hauteurs de la Manoa Valley, Tantalu et Makiki

Bienvenue dans la ceinture verte de Honolulu. Les routes qui s'enfoncent dans les hauteurs verdoyantes de la Manoa Valley serpentent au nord du campus de l'Université de Hawaii, passent devant des demeures résidentielles de luxe et traversent les zones forestières protégées qui dominent les gratte-ciel du centre-ville. Ici, les visiteurs peuvent essuyer une averse nourrie pendant que les amateurs de plage se prélassent au soleil à Waikiki. Plus à l'ouest s'étend Makiki Heights, le quartier où Barack Obama a passé une grande partie de son enfance.

Lyon Arboretum
Jardin

(☎808-988-0456 ; manoa.hawaii.edu/lyonarboretum ; 3860 Manoa Rd ; entrée sur don 5 $, visite guidée 10 $; ⊙8h-16h lun-ven, 9h-15h sam, visites généralement 10h lun-sam ; P ♿). ✔ De splendides sentiers sillonnent ce remarquable arboretum de 80 ha, géré par l'Université de Hawaii. Le site fut fondé en 1918 par un groupe de planteurs de canne à sucre, qui cultivaient des espèces locales et exotiques afin de restaurer la ligne de partage des eaux de Honolulu. Ne vous attendez pas à un jardin tropical taillé au millimètre, mais plutôt à un espace dense et boisé, où les végétaux poussent par affinités à l'état semi naturel. Pour toute visite guidée, téléphonez au moins 24 heures avant.

Parmi les vedettes de ce jardin ethnobotanique hawaiien figurent l'*'ulu* (arbre à pain), le *kalo* (taro) et le *ko* (canne à sucre), importés par les premiers colons polynésiens, le *kukui*, dont les noix donnaient de l'huile pour les lanternes, et le *ti*, qui servait jadis à des fins médicinales puis à la fabrication d'alcool de contrebande à l'arrivée des Occidentaux. De là, une brève promenade permet de rejoindre **Inspiration Point** ; sinon, continuez à monter sur 1,5 km le long d'une piste, puis empruntez un étroit chemin jalonné de racines pour rallier les **'Aihualama Falls**, une cascade saisonnière à flanc de falaise.

Pu'u 'Ualaka'a State Wayside

Point de vue

(www.hawaiistateparks.org ; ⊘7h-19h45 avr à 1er lun de sept, 7h-18h45 1er mar de sept à mars ; P). Dans ce parc à flanc de colline, on jouit d'une vue dégagée sur Diamond Head, à gauche, sur Waikiki et le centre de Honolulu, et sur le Waianae Range, à droite. On reconnaît aisément le campus de l'Université à son stade. Sur la côte,

notez l'aéroport et, plus loin, Pearl Harbor. Depuis Makiki St, remontez Round Top Dr sur un peu moins de 4 km pour rejoindre l'entrée du parc ; de là, 800 m de route vous séparent du point de vue (prendre à gauche à l'embranchement).

Spalding House

Musée

(☎808-237-5225 ; www.honoluluacademy. org ; 2411 Makiki Heights Dr ; adulte/enfant 10 \$/gratuit, 1er mer du mois gratuit ; ⊘10h-16h mar-sam, 12h-16h dim ; P). Encadré par deux jardins tropicaux ornés de sculptures, ce musée d'art occupe une demeure construite en 1925 pour Anna Rice Cooke, descendante de missionnaires et riche mécène née à O'ahu. Les galeries principales accueillent des expositions d'artistes étrangers, hawaiiens et îliens, dans les domaines de la peinture, de la sculpture et de diverses disciplines contemporaines, sur une période allant des années 1940 jusqu'à nos jours. Il y a un petit café et une boutique de souvenirs. Le billet permet d'accéder au Honolulu Museum of Art (p. 63) le même jour.

Waikiki Trolley, Kalakaua Ave

Depuis Waikiki, prenez le bus n°2, n°13 ou le B CityExpress! vers le centre de Honolulu et descendez à l'angle de Beretania St et d'Alapa'i St ; parcourez quelques dizaines de mètres sur Alapa'i St en direction de la mer (*makai*) et prenez le bus n°15 vers Pacific Heights : il s'arrête devant la Spalding House.

✈ ACTIVITÉS

Dans la dynamique ville de Honolulu, il y a toujours quelque chose à faire – surf, bodyboard, paddle et baignades côté mer ; randonnées au cœur des montagnes voisines. Par ailleurs, les courts de tennis (éclairés gratuitement) et les parcours de golf ne manquent pas, en ville et en périphérie respectivement. Un vrai paradis pour les amateurs d'activités de plein air.

Atlantis
Adventures Observation des baleines
(☎800-381-0237 ; atlantisadventures.com/waikiki/whale-watch-cruise ; Pier 6, Aloha Tower Dr ; circuit 2 heures 30 adulte/enfant 7-12 ans à partir de 87/50 $). De la mi-décembre à la mi-avril, Atlantis propose d'observer des baleines depuis un bateau ultraperfectionné qui limite le roulis. Les circuits sont programmés chaque jour à 11h30, avec un naturaliste à bord. La réservation est impérative ; guettez les promotions sur le site, ou les coupons de réduction dans les magazines gratuits pour les touristes. À noter : la "garantie d'apercevoir des baleines" et les transferts depuis certains hôtels chics de Waikiki.

Blue Hawaiian
Helicopters Vols panoramiques
(☎808-831-8800 ; www.bluehawaiian.com ; 99 Kaulele Pl ; vol 45 min 240 $/pers). Voilà qui pourrait bien être le moment le plus excitant de votre séjour à O'ahu. Le vol en hélicoptère "Blue Skies of O'ahu", d'une durée de 45 minutes, inclut Honolulu, Waikiki, Diamond Head, Hanauma Bay et l'ensemble de la Windward Coast, sans oublier la North Shore, le centre d'O'ahu et Pearl Harbor. Vous trouverez toutes les infos, notamment des vidéos, sur le site Internet. Réservez tôt.

De gauche à droite : van de surfeurs, Ala Moana Beach ; *banh mi*, Pig & the Lady (p. 70)

Sentiers de la Makiki Valley et de Manoa Cliff
Randonnée

(hawaiitrails.org). Prisée des habitants, la Makiki Valley Loop relie trois sentiers dans le secteur du mont Tantalus. Ces parcours sont généralement boueux, d'où l'intérêt des chaussures à crampons et du bâton de marche. Cette boucle de 4 km traverse une portion verdoyante de forêt tropicale, composée pour l'essentiel d'espèces non endémiques, introduites pour reboiser une zone touchée par le commerce de bois de santal (*iliahi*) au XIXe siècle.

Le **Maunalaha Trail** franchit un petit cours d'eau, passe devant des champs de taro et escalade la crête orientale de la Makiki Valley, permettant d'admirer au passage des pins de Norfolk, des banians, des bambous et une vue dégagée. Guettez les murs de pierre hawaiiens en ruine et les vestiges d'une vénérable plantation de café. Après 1,1 km de marche, on parvient à un carrefour à quatre branches. Remontez le **Makiki Valley Trail** (1,7 km), qui franchit ravins et cours d'eau, bordés de gingembres et de goyaviers, tout en offrant quelques aperçus de la ville en contrebas. Le **Kanealole Trail** (1,1 km) débute à l'endroit où l'on franchit le Kanealole Stream, un cours d'eau qu'on longe ensuite à travers un champ d'herbe à chapelets – une herbe haute dont les faux fruits aux allures de perles servent parfois à composer des *lei* – pour regagner le camp de base.

Un parcours plus exigeant (10 km) permet d'admirer un point de vue splendide sur la vallée et l'océan. Le **Manoa Cliff Circuit**, ou "Big Loop" (grande boucle), part du même endroit que le Maunalaha Trail puis emprunte le **Moleka Trail** en direction de la **Manoa Cliff**, du **Kalawahine Trail** et du **Nahuina Trail**. Lorsque vous croisez le Kalawahine Trail, vous pouvez bifurquer vers le **Pauoa Flats Trail** pour rallier le **Nu'uanu Valley Lookout** (hawaiitrails.org). Depuis ce belvédère, regagnez le Kalawahine Trail puis prenez le Nahuina Trail et le Kanealole Trail, qui redescend vers le camp de base.

Le point de départ de ces deux boucles est la Makiki Forest Recreation Area. Depuis Makiki St. Park, remontez Makiki Heights Dr sur moins de 800 m jusqu'au "*car park for hikers*" (parking pour les randonneurs), puis suivez les panneaux et empruntez le sentier à flanc de colline vers les principaux points de départ à proximité du **Hawai'i Nature Center** (☎808-955-0100 ; hawaiinaturecenter.org ; 2131 Makiki Heights Dr ; programme pédagogique à partir de 10 $; 👪). Ce centre propose des randonnées conçues pour les familles et des itinéraires pédagogiques.

Native Books/ Nā Mea Hawaii
Arts et culture

(☎808-596-8885 ; www.nameahawaii.com ; Ward Warehouse, 1050 Ala Moana Blvd). ⭐ GRATUIT
Fortement recommandée, cette librairie-galerie d'art-boutique de souvenirs organise gratuitement des cours, des ateliers et des démonstrations pour apprendre à danser le hula, à parler le hawaiien, à fabriquer des *lei* de plumes traditionnels, à faire des *lauhala* (objets en feuilles tressées) ou à jouer de l'ukulélé. Consultez le site Internet pour connaître les horaires et savoir s'il est nécessaire de se préinscrire. Au moins un cours de découverte culturelle par jour.

Surf HNL Girls Who Surf
Surf et paddle

(☎808-772-4583 ; surfhnl.com ; 210 Ward Ave #329 ; cours 2 heures à partir de 99 $, location paddle par heure/jour 20/50 $; ⏰8h-18h). Ce prestataire réputé propose des cours de surf et de stand-up paddle (SUP) à l'Ala Moana Beach Park et à Ko Olina. Transport gratuit depuis/vers votre hôtel de Waikiki pour le site d'Ala Moana. La livraison des surfs, bodyboards et paddles coûte 15 $ pour Ala Moana Beach, et 40 $ pour Ko Olina.

Wa'ahila Ridge Trail
Randonnée

(hawaiitrails.org). Prisé des randonneurs, même novices, ce sentier jalonné de gros rochers offre une escapade rafraîchissante parmi les pins de Norfolk et les plantes endémiques, avec une vue aérienne sur Honolulu et Waikiki depuis la crête. Cette boucle de 7,7 km, qui monte et descend au fil de petites collines avant d'atteindre une clairière herbeuse, est l'occasion d'un délicieux après-midi de marche.

Guettez le panneau indiquant le départ du parcours de Na Ala Hele, derrière les tables de pique-nique de la Wa'ahila Ridge State Recreation Area, tout au fond de St Louis Heights, à l'est de la Manoa Valley.

Si vous êtes en voiture, quittez Wai'alae Ave pour prendre à gauche dans St Louis Dr au feu. En montant, tournez trois fois à gauche, dans Bertram St, Peter St et Ruth Pl, cette dernière se prolongeant vers l'ouest jusque dans le parc. Depuis Waikiki, le bus n°14 St Louis Heights s'arrête à l'angle de Peter St et Ruth St, à environ 800 m à pied du départ de l'itinéraire.

⊕ CIRCUITS ORGANISÉS

À l'ouest de l'Ala Moana Regional Park, au départ du Kewalo Basin, des prestataires proposent quotidiennement des sorties en bateau de pêche, des balades en voilier au crépuscule, des croisières avec dîner ou des circuits festifs. Certains circuits, plus coûteux, comprennent parfois le transport depuis/vers Waikiki – guettez les promotions dans les magazines touristiques gratuits pour les touristes, disponibles à l'aéroport et en ville. Sachez enfin que de nombreuses prestations, comme les sorties en hélicoptère ou les circuits gastronomiques, sont plus abordables quand on les réserve en ligne.

Architectural Walking Tour   Promenade guidée
(☎808-628-7243 ; www.aiahonolulu. org ; 828 Fort Street Mall ; circuit 15 $; ⊗généralement 9h-11h30 sam). Emmenés par des architectes, ces circuits pédestres à connotation historique changeront votre perspective du quartier du capitole, dans le centre de Honolulu. Le cœur commercial et financier abrite également quelques-uns des trésors architecturaux les plus précieux de Hawaii. Réservation

requise ; consultez le calendrier et inscrivez-vous en ligne.

Hawaii Food Tours   Gastronomie
(☎808-926-3663 ; www.hawaiifoodtours. com ; circuit à partir de 139 $). Ce prestataire propose deux circuits extrêmement populaires. Le "Hole-in-the-Wall" (5 heures) emprunte toutes sortes d'adresses de Honolulu – restaurants de Chinatown, établissements à *plate lunch* (plateau-repas typiquement hawaiien), pâtisseries, boutiques de *crack seed* (friandises de fruits secs sucrés et épicés), etc. Le "North Shore Food Tour" (7-8 heures) rallie l'autre côté de l'île. Nourriture, divertissements, transport et taxes sont compris dans les deux formules. Réservation impérative.

🛍 ACHATS

Sans être un paradis de la marque comme Waikiki, Honolulu compte néanmoins des adresses uniques et nombre de galeries marchandes au parfum local : stands de *lei* traditionnels, échoppes d'ukulélé, mais aussi boutiques de souvenirs hawaiiens, de mode îlienne d'aujourd'hui et d'objets anciens ou rétros. À lui seul, l'Ala Moana Centre, le plus grand centre commercial à ciel ouvert du monde, compte plus de 340 magasins et restaurants.

Cindy's Lei Shoppe   Artisanat
(☎808-536-6538 ; www.cindysleishoppe.com ; 1034 Maunakea St, Chinatown ; ⊗généralement 6h-18h lun-sam, 6h-17h dim). Dans cette chaleureuse boutique, véritable institution de Chinatown, de vieilles dames confectionnent des *lei* artisanaux à base d'orchidées, de fleurs de frangipanier, de *maile* (liane), d'*'ilima* (arbuste rampant à fleurs orangées) et de gingembre. Dans le même quartier, plusieurs autres boutiques vous permettront de faire provision de colliers à fleurs. Si le stationnement pose problème, commandez en ligne et faites-vous livrer sur le trottoir.

Honolulu Museum
of Art Shop
Artisanat

(☎808-532-8701 ; shop.honolulumuseum.org ; 900 S Beretania St ; ◎10h-16h30 mar-sam, 13h-17h dim). La boutique du musée d'art de Honolulu invite à acheter de l'art ou de l'artisanat hawaïien, tout en aidant la communauté locale – tous les bénéfices sont reversés aux programmes du musée. Outre les publications, la papeterie, les reproductions et les affiches, l'endroit vend des œuvres d'artisans et de designers hawaïiens introuvables hors de l'archipel.

Kamaka Hawaii
Musiques

(☎808-531-3165 ; www.kamakahawaii.com ; 550 South St, Kaka'ako ; ◎8h-16h lun-ven). ✐ Fondé en 1916, ce lieu fabrique de splendides ukulélés à la main moyennant 1 000 $ environ. Téléphonez pour visiter gratuitement la fabrique (30 minutes), généralement à 10h30 du mardi au vendredi. Pas de vente au détail sur place, mais on vous indiquera où acheter des instruments neufs ou d'occasion à proximité.

Madre Chocolate
Gastronomie

(☎808-377-6440 ; madrechocolate.com ; 8 N Pau'ahi St, Chinatown ; ◎11h-18h lun-sam). Installé à Chinatown, le représentant de cette chocolaterie de Kailua affirme produire la meilleure barre chocolatée de Hawaii. Un must pour les amateurs... peu regardants à la dépense. Possibilité de concocter sa propre barre chocolatée ou d'associer le chocolat avec du vin ou du whisky. Voir le site pour plus de détails.

Native Books/
Nā Mea Hawaii
Livres et cadeaux

(☎808-596-8885 ; www.nameahawaii. com ; Ward Warehouse, 1050 Ala Moana Blvd, Kaka'ako ; ◎10h-21h lun-sam, 10h-18h dim). Bien plus qu'une simple librairie proposant des ouvrages, des CD et des DVD relatifs à Hawaii, ce carrefour culturel vend également de magnifiques sérigraphies, des bols en bois de koa, des dessus-de-lit hawaïiens, des bijoux

à base d'hameçons et des accessoires pour le hula. Téléphoner ou consulter le site pour voir la programmation du lieu, avec lectures, concerts de musique locale et cours de découverte culturelle (au moins un par jour).

Tin Can
Mailman
Objets anciens et livres

(☎808-524-3009 ; tincanmailman.net ; 1026 Nu'uanu Ave, Chinatown ; ◎11h-17h lun-ven, 11h-16h sam). Si vous aimez les objets polynésiens et les ouvrages du XXᵉ siècle sur la culture hawaïenne, vous tomberez en pâmoison devant cette petite boutique de Chinatown. Parmi les trésors patiemment amassés, citons les bijoux, les ukulélés, les chemises hawaïennes en soie, les meubles en bois tropical, les disques vinyles, les reproductions rares et les brochures touristiques datant du boom touristique de l'après-1945. Photos interdites. Amateurs de la culture hawaïenne d'autrefois, prévoyez d'y passer du temps.

⊗ OÙ SE RESTAURER

Les restaurants se bousculent au moindre coin de rue de la multiethnique O'ahu, de l'établissement haut de gamme à l'adresse bon marché. Durant le festival **Restaurant Week Hawaii** (www.restaurantweekhawaii. com), à la mi-novembre, quantité de tables locales proposent une carte à prix réduit et reversent une partie des bénéfices au Culinary Institute of the Pacific, à Diamond Head.

Alan Wong's
Hawaïen $$$

(☎808-949-2526 ; www.alanwongs.com ; 1857 S King St, Ala Moana et environs ; plat à partir de 35 $; ◎17h-22h). ✐ Alan Wong, l'un des grands cordons-bleus d'O'ahu, propose d'inventives réinterprétations des spécialités de Hawaii avec une carte inspirée par les diverses ethnies de l'archipel. L'accent est mis sur les produits de la mer et les produits locaux frais. Commandez les classiques maison, comme l'*onaga* (vivaneau rouge) en croûte de gingembre, le bol de crustacés cuits à la vapeur ou les *kalbi* (côtelettes cuites à la coréenne) cuits à deux reprises. Réservez plusieurs semaines à l'avance.

Cafe Julia
Café $$

(☎808-533-3334 ; www.cafejuliahawaii.net ; 1040 Richards St, Downtown ; plat à partir de 10 $; ☺11h-14h lun-ven). Un petit bijou logé à la place de l'ancien YWCA Laniakea, dans un charmant bâtiment en face de l'Iolani Palace. Baptisé en l'honneur de Julia Morgan, l'une des premières architectes américaines (et conceptrice de l'édifice), l'endroit offre une cuisine et un service excellents dans un cadre en plein air. Idéal pour des tacos de *poke* (salade de poisson cru) ou un *ahi* à l'ail le midi.

Cafe Kaila
Café $

(☎808-732-3330 ; www.cafe-kaila-hawaii.com ; 2919 Kapi'olani Blvd, Market City Shopping Center, Kaimuki ; plat à partir de 8 $; ☺7h-20h mer-ven, 7h-15h30 sam-dim, 7h-15h lun-mar). Situé tout en haut du Kapi'olani Blvd, cet établissement accumule les récompenses locales avec ses petits déjeuners. L'endroit a tellement de succès qu'il a ouvert deux succursales... au Japon ! Attendez-vous donc à faire la queue pour profiter de la légendaire carte maison, avec ses spécialités matinales fabuleusement présentées. Bonne nouvelle : le Kaila ouvre désormais du mercredi au vendredi pour le dîner.

Ethel's Grill
Fusion $

(☎808-847-6467 ; www.facebook.com/pages/Ethels-Grill/117864404905639 ; 232 Kalihi St, agglomération de Honolulu ; plat à partir de 8 $; ☺5h30-14h lun-sam). Rendez-vous dans ce minuscule et formidable restaurant de Honolulu, qui conjugue cuisine savoureuse et ambiance accueillante. Très animé et vite complet, l'endroit compte seulement 24 places assises et six emplacements de parking. Parmi les options savoureuses et incroyablement bon marché, citons l'*ahi* à l'ail, le poulet *mochiko*, la soupe de pieds de porc, les queues de dinde (champignons) frites et la soupe de queue de bœuf. Espèces uniquement.

Helena's Hawaiian Food
Hawaiien $

(☎808-845-8044 ; helenashawaiianfood.com ; 1240 N School St, agglomération de Honolulu ; plats à partir de 3 $; ☺10h-19h30 mar-ven). ✒ Franchir le seuil de cette institution de 1946 revient à remonter le cours du temps. Helena Chock, l'emblématique propriétaire, est décédée depuis longtemps mais sa famille continue d'œuvrer en cuisine. Situé à quelques pâtés de maisons au sud-est du Bishop Museum, le lieu a reçu le James Beard Award au titre de "classique américain". Espèces uniquement.

Kokua Market Natural Foods
Supermarché $

(☎808-941-1922 ; www.kokua.coop ; 2643 S King St, quartier de l'Université ; ☺8h-21h ; ✐). ✒ Installé près de l'UH, l'unique coopérative hawaiienne de produits alimentaires bios propose des prix très intéressants, des plats chauds ou froids et des salades, et dispose d'un traiteur vendant des mets végétariens et véganes. Divers parfums de kombucha sont servis à la pression (3 $ la tasse). Profitez du stationnement gratuit et des tables de pique-nique derrière le magasin, près de Kahuna Lane, pour savourer vos achats.

Lucky Belly
Asiatique et fusion $

(☎808-531-1888 ; www.luckybelly.com ; 50 N Hotel St, Chinatown ; plat à partir de 10 $; ☺11h-14h et 17h-minuit lun-sam). Aux élégantes tables de bistrot de cet établissement dédié aux nouilles, situé dans le quartier des arts, on est souvent coude à coude. L'endroit sert une cuisine fusion asiatique à base de plats chauds et épicés, des salades monumentales à partager avec le reste de la table, et d'incroyables cocktails artisanaux. Le "Belly Bowl" – un bol de soupe de *ramen* coiffé de poitrine de porc fondante, de bacon fumé et de saucisse – ravira les carnivores.

Pig & the Lady
Asiatique et fusion $$

(☎808-585-8255 ; thepigandthelady.com ; 83 N King St, Chinatown ; plat à partir de 10 $;

⊘10h30-14h lun-sam, 17h30-22h mar-sam).
Ce restaurant spécialisé dans la cuisine
fusion vietnamienne est l'une des
adresses les plus en vue de l'île. Le midi :
sandwichs inventifs avec chips de crevette
ou bouillon *pho* ; le soir : poulet frit laotien
et autres délicatesses. Le Pig & the Lady
fait aussi à emporter et s'invite parfois
sur les marchés fermiers. Réservez pour
le dîner.

Sweet Home Café   Taïwanais $

(☎808-947-3707 ; 2334 S King St, quartier de
l'Université ; plats à partager 2-15 $; ⊘16h-23h).
Attendez-vous à voir les habitants faire
la queue devant ce restaurant. Choisissez
votre bouillon fumant sur les grandes
tables en bois, puis sélectionnez dans les
réfrigérateurs ce que vous voulez y faire
cuire. Grande variété de légumes, tofu,
agneau, poulet et langue de bœuf tendre.
Cuisine et ambiance de premier ordre,
plus *shave ice* (glace pilée aromatisée)
gratuite en dessert.

Tamura's Poke   Produits de la mer $

(☎808-735-7100 ; www.tamurasfinewine.com/
pokepage.html ; 3496 Wai'alae Ave, Kaimuki ;
⊘11h-20h45 lun-ven, 9h30-20h45 sam,
9h30-19h45 dim ; P.). Dans Wai'alae Ave,
à l'intérieur du Tamura's Fine Wines &
Liquors, d'apparence banale, vous attend
peut-être le meilleur *poke* (salade de
poisson cru) de l'île. Tournez à droite
en entrant, rejoignez le comptoir dédié
et admirez le spectacle. Le "*spicy ahi*"
(*ahi* pimenté) et le marlin fumé sont
à tomber. Demandez à goûter avant
d'acheter à emporter.

Waiola Shave Ice   Desserts $

(☎808-949-2269 ; www.facebook.com/
WaiolaShaveIce ; 2135 Waiola St, quartier de
l'Université ; en-cas 2-6 $; ⊘9h30-18h30).
Ce magasin des années 1940, en plein
essor, compte aussi des succursales
très populaires près de Kapahulu Ave
et à Kakaako. Waiola excelle dans la glace
pilée (*shave ice*) à l'ancienne,

Front de mer, Honolulu

MF/ADOBE STOCK ©

avec quelques options originales. Testez les haricots azuki, le *mochi* (gâteau japonais au riz gluant), le sirop d'*iliko'i* (fruits de la passion) ou le lait condensé.

12th Avenue Grill   Américain moderne $$$

(☎808-732-9469 ; 12thavegrill.com ; 1120 12th Ave, Kaimuki ; plat à partir de 27 $; ☺17h30-22h dim-jeu, 17h30-23h ven-sam). Niché dans une ruelle à proximité de Waialae Ave, ce restaurant de grillades de Kaimuki collectionne les récompenses culinaires. S'appuyant sur le travail d'une équipe impressionnante et privilégiant les produits locaux, l'endroit fait se pâmer les habitants. La hampe de bœuf grillée au kimchi mariné (32 $) appelle les superlatifs !

Artizen by MW   Hawaiien $

(☎808-524-0499 ; www.artizenbymw.com ; 250 S Hotel St, Downtown ; bento à partir de 8 $; ☺7h30-14h30 lun-ven). L'impressionnant café du Hawaii State Art Museum est parfait pour un petit déjeuner, un déjeuner ou un simple café après la visite. Installez-vous pour goûter une soupe aux haricots à la portugaise avec kimchi (6 $), un bol de porc épicé à la coréenne (10 $), ou un sandwich de dinde chaud avec sauce (13 $). Sinon, commandez un bento à emporter.

Chef Mavro   Fusion $$$

(☎808-944-4714 ; www.chefmavro.com ; 1969 S King St, Ala Moana et environs ; menus dégustation à partir de 105 $; ☺18h-21h mer-dim). L'inventif George Mavrothalassitis, chef (français !) du restaurant le plus avant-gardiste de Honolulu, crée des plats conceptuels accompagnés de vins de la Vieille Europe et du Nouveau Monde. Une cuisine de haut vol qui mêle les influences hawaiiennes et provençales ("Chef Mavro" est originaire de Provence). Optez pour un menu à quatre ou six plats. Réservez absolument… et n'oubliez pas votre porte-monnaie.

Honolulu Museum of Art Cafe   Américain moderne $$

(☎808-532-8734 ; honolulumuseum.org ; Honolulu Museum of Art, 900 S Beretania St, Ala Moana et environs ; plat à partir de 15 $; ☺11h30-13h30 mar-sam). Après avoir célébré les arts, vous aurez bien mérité une pause roborative. Au menu : salades fraîches du marché et sandwichs à base d'ingrédients d'O'ahu, sélection correcte de vins au verre et desserts aux influences tropicales. Profitez du cadre romantique, avec vue sur la cour, la fontaine et les spectaculaires sculptures de Jun Kaneko. Réservation conseillée ; dernier service à 13h30. À noter qu'il est possible de déjeuner ici sans avoir à payer l'entrée du musée.

Aloha Vietnamese Food   Vietnamien $

(☎808-941-1170 ; 2320 S King St, quartier de l'Université ; plat à moins de 12 $; ☺14h-minuit mar-dim, 16h-23h lun). Ce restaurant vietnamien excelle dans le genre simple et tenu en famille. L'endroit est prisé des habitants – ne vous laissez pas intimider par la file d'attente ou la décoration spartiate. La carte est fournie, le service agréable et la cuisine excellente. Goûtez le *pho* à la poitrine de bœuf et à l'aloyau. Possibilité de se garer devant et fermeture tardive.

Andy's Sandwiches & Smoothies   Sandwichs $

(☎808-988-6161 ; www.andyssandwiches. com ; 2904 E Manoa Rd, Manoa Valley ; plats à partir de 4 $; ☺7h-17h lun-jeu, 7h-16h ven, 7h-14h30 dim). Tenu en famille, ce petit bijou logé sur les hauteurs de la Manoa Valley (à côté du Starbucks, en face du Manoa Marketplace) n'est guère fréquenté par les touristes. Il y a parfois foule mais cet endroit prisé des étudiants de l'UH vaut le détour. Les sandwichs, smoothies, bols d'*açai* et salades (notamment la *bird's-nest*) sont tous excellents.

Kahai Street Kitchen   Hawaiien $

(☎808-845-0320 ; www.kahaistreet-kitchen. com ; 946 Coolidge St, quartier de l'Université ;

plate lunch à partir de 9 $; ☉10h30-19h30 mar-sam). Ce minuscule endroit logé dans un bâtiment d'angle sur deux niveaux est très prisé des habitants (files d'attente au comptoir). Profitez des quatre grandes tables en terrasse dans Coolidge St, ou installez-vous à l'intérieur via l'entrée de King St. Au menu : *plate lunch*, salades et sandwiches gourmands.

Nanzan Girogiro   Japonais $$$

(☎808-521-0141 ; www.guiloguilo.com ; 560 Pensacola St, Ala Moana et environs ; menu dégustation du chef à partir de 50 $; ☉18h-minuit jeu-lun). Cuisine *kaiseki ryōri* (petits plats de saison) à base de fruits et de légumes cultivés à Hawaii, fruits de mer frais et féerie sont ici au programme. Assis au comptoir qui entoure la cuisine ouverte, vous aurez l'impression de déguster de petites œuvres d'art dans une galerie. Des tortues en céramique dissimulent une savoureuse crème renversée, tandis que des bols en terre cuite recèlent du riz gorgé de thé et du poisson délicatement poché. Réservation impérative.

Nobu Honolulu   Asiatique $$$

(☎808-237-6999 ; www.noburestaurants.com ; Waiea Tower, 1118 Ala Moana Blvd, Kaka'ako ; plats à partager à partir de 7 $, plat à partir de 25 $; ☉restaurant 17h-22h dim-jeu, 17h-22h30 ven-sam, lounge 17h-fermeture restaurant tlj). Ce mythique restaurant de cuisine fusion japonaise a quitté Waikiki pour la nouvelle Waiea Tower, dans le Ward Village. La bonne nouvelle, c'est que les plats emblématiques de Nobu Matsuhisa (morue charbonnière au miso, sériole au piment jalapeno), ont suivi le mouvement. Avec son cadre impeccable, son bar à sushis et son service remarquable, cette nouvelle adresse rencontre un franc succès.

🍷 OÙ PRENDRE UN VERRE ET FAIRE LA FÊTE

À Honolulu, tout bar qui se respecte possède une carte de *pupu* pour accompagner les boissons, certains établissements étant aussi réputés pour ces amuse-bouche que pour leur ambiance festive. Retenez l'expression *pau hana* (littéralement, "arrêt travail"), l'équivalent en pidgin local de l'happy hour. Le soir, la scène branchée de Chinatown s'articule autour de N Hotel St, l'ancien quartier chaud. Enfin, des gastropubs ne cessent d'ouvrir en ville.

Beer Lab HI   Brasserie

(☎808-888-0913 ; www.beerlabhi.com ; 1010 University Ave, quartier de l'Université ; ☉16h-22h mar-jeu, 16h-minuit ven, 15h-minuit sam). Il était une fois trois ingénieurs nucléaires employés à Pearl Harbor qui faisaient de la bière durant leur temps libre ; ils décidèrent d'ouvrir un bar ; comme ils n'étaient guère portés sur la cuisine, ils optèrent pour la version BYOF (*Bring Your Own Food* – apportez votre nourriture) ! En face, un food truck LaLa Land fournit de quoi manger. L'endroit a beau évoquer l'antre d'un scientifique dément, le "laboratoire à bière de Hawaii" est une réussite et propose des bières très originales.

Glazers Coffee   Café

(☎808-391-6548 ; www.glazerscoffee.com ; 2700 S King St, quartier de l'Université ; ☉7h-22h lun-jeu, 7h-21h ven, 8h-22h sam-dim ; 📶). Ici, on ne plaisante pas avec les boissons à base d'expresso et la torréfaction artisanale. Dans ce repaire d'étudiants de l'UH, on peut se détendre dans des canapés en admirant les œuvres d'art jazzy. Les nombreuses prises, le Wi-Fi rapide et la climatisation musclée expliquent pourquoi ce café charmant ne désemplit pas.

Honolulu Beerworks   Microbrasserie

(☎808-589-2337 ; www.honolulubeerworks. com ; 328 Cooke St, Kaka'ako ; ☉11h-22h lun-jeu, 11h-minuit ven-sam). Avec ses dix bières à la pression, cette microbrasserie logée dans un entrepôt affiche une clientèle toujours plus nombreuse. Difficile de passer à côté de la Point Panic Pale Ale, qui tape aussi fort que le break hawaiien éponyme. Carte des plats limitée mais parfaite pour accompagner une bière.

La Mariana Sailing Club — Bar

(☎808-848-2800 ; www.lamarianasailingclub. com ; 50 Sand Island Access Rd, agglomération de Honolulu ; ☺11h-21h). Tous les grands *tiki bars* d'autrefois n'ont pas disparu. Tout en irrévérence et en kitsch, cet établissement des années 1950, près du lagon, est rempli de passionnés de voile et d'habitués. Excellent *Mai Tai* (à base de rhum) et autres breuvages tropicaux, avec touillettes tiki et parasols. Installez-vous au bord de l'eau et rêvez de voguer vers Tahiti.

Morning Glass Coffee — Café

(☎808-673-0065 ; www.morningglasscoffee. com ; 2955 E Manoa Rd, Manoa Valley ; café à partir de 3,75 $; ☺7h-16h lun-ven, 7h30-16h sam). Un petit endroit à la réputation énorme. Juste après le Manoa Marketplace, sur les hauteurs de la Manoa Valley, le Morning Glass séduit par son café, ses petits déjeuners et ses déjeuners servis en plein air. Au petit déjeuner, goûtez les pancakes aux macaronis et au fromage (10 $). Possibilité de stationner.

Murphy's Bar and Grill — Pub irlandais

(☎808-531-0422 ; murphyshawaii.com ; 2 Merchant St, Chinatown ; ☺11h-2h lun-ven, 16h-2h sam-dim). Installé dans un vénérable bâtiment en brique de Merchant St, ce pub irlandais à l'ancienne fait le bonheur des marins, des hommes d'affaires et des habitants depuis 1891. Outre les classiques Guinness et Kilkenny à la pression, la savoureuse carte (midi et soir) pourrait bien vous surprendre. Testez la *shepherd's pie* (17,50 $).

Tea at 1024 — Maison de thé

(☎808-521-9596 ; www.teaat1024.net ; 1024 Nu'uanu Ave, Chinatown ; ☺11h-14h mar-ven, 11h-15h sam-dim). Cet établissement permet de remonter le cours du temps. Détendez-vous devant le thé de votre choix, servi avec sandwichs, scones et gâteaux délicats, tandis que la foule de Chinatown défile par la fenêtre. Vous pouvez même revêtir un chapeau ancien pour renforcer l'ambiance. Menus à partir de 22,95 $ par personne ; réservation conseillée.

⊘ OÙ SORTIR

Pour connaître le programme du soir, des concerts aux sets de DJ en passant par les pièces et les films, consultez la section TGIF du *Honolulu Star-Advertiser's TGIF* (www.staradvertiser.com/tgif), le vendredi, et le *Honolulu Weekly* (honoluluweekly.com), un gratuit alternatif publié le mercredi. Citons aussi les sites Internet du *Honolulu Now* (www.hnlnow. com) et du populaire et mensuel *Honolulu Magazine* (www.honolulumagazine.com).

Doris Duke Theatre — Cinéma

(☎808-532-8768 ; www.honolulumuseum.org ; Honolulu Museum of Art, 900 S Beretania St ; ticket 10 $). Logé dans le Honolulu Museum of Art, le Doris Duke Theatre propose une incroyable sélection de films expérimentaux, de classiques et de films d'art et d'essai, sans oublier les documentaires novateurs. Il accueille également des conférences, des spectacles et des concerts. Le musée, qui programme des films depuis les années 1930, a longtemps projeté des classiques dans la Central Courtyard, avant d'investir le cinéma actuel en 1977.

Hawaii Theater — Arts vivants

(☎808-528-0506 ; www.hawaiitheatre. com ; 1130 Bethel St, Chinatown). Magnifiquement restauré, ce bastion de l'art dramatique d'O'ahu est l'une des principales scènes locales en matière de danse, de musique et de théâtre. Y sont programmés de prestigieux musiciens hawaiiens et de grands artistes internationaux, mais aussi du théâtre contemporain et des festivals du film. Le lieu, inscrit aux registres local et national des monuments historiques,

accueille également chaque année
le concours de chant Ka Himeni Ana,
dans le style traditionnel *nahenahe*.

Republik
Concerts

(☎808-941-7469 ; jointherepublik.com ;
1349 Kapi'olani Blvd, Ala Moana et environs ;
⊗lounge 18h-2h mar-sam, horaires de
concert variables). La salle de concert
la plus intimiste de Honolulu accueille
des groupes d'ici ou d'ailleurs – rock
indé, groupes de punk ou de metal,
joueurs d'ukulélé – dans une ambiance
psychédélique, avec graffitis et murs noirs
rétro-éclairés. Consultez le programme
et réservez en ligne pour être sûr d'entrer
et d'économiser quelques dollars.

Royal Hawaiian Band
Concerts

(☎808-922-5331 ; www.rhb-music.com).
Fondé en 1836 par le roi Kamehameha III,
le Royal Hawaiian Band est le seul orchestre
municipal des États-Unis employé à plein
temps. Cet ensemble royal se produit
partout à O'ahu (voir le programme en ligne)
et joue gratuitement chaque vendredi
à midi à l'Iolani Palace (p. 46).

ⓘ DEPUIS/VERS HONOLULU

Une fois à O'ahu, on peut facilement rallier
Honolulu en louant un véhicule ou en utilisant
TheBus, le système de transports publics.

ⓘ COMMENT CIRCULER

Au nord-ouest de Waikiki, l'Ala Moana Center
est le point de convergence des services
de transport public TheBus. Plusieurs lignes
de bus circulent entre Waikiki et les quartiers
de Honolulu.

Les principales agences de location
sont présentes à l'aéroport international
de Honolulu et à Waikiki.

La circulation se densifie aux heures
de pointe, soit de 7h à 9h et de 15h à 18h
en semaine. Attendez-vous à des bouchons
dans les deux sens sur la H-1 Freeway, ainsi
que sur la Pali Highway et la Likelike Highway
en direction de Honolulu le matin, et dans
l'autre sens en fin d'après-midi. Parfois,
des voies sont ajoutées dans les directions
les plus fréquentées au moyen de cônes
de signalisation.

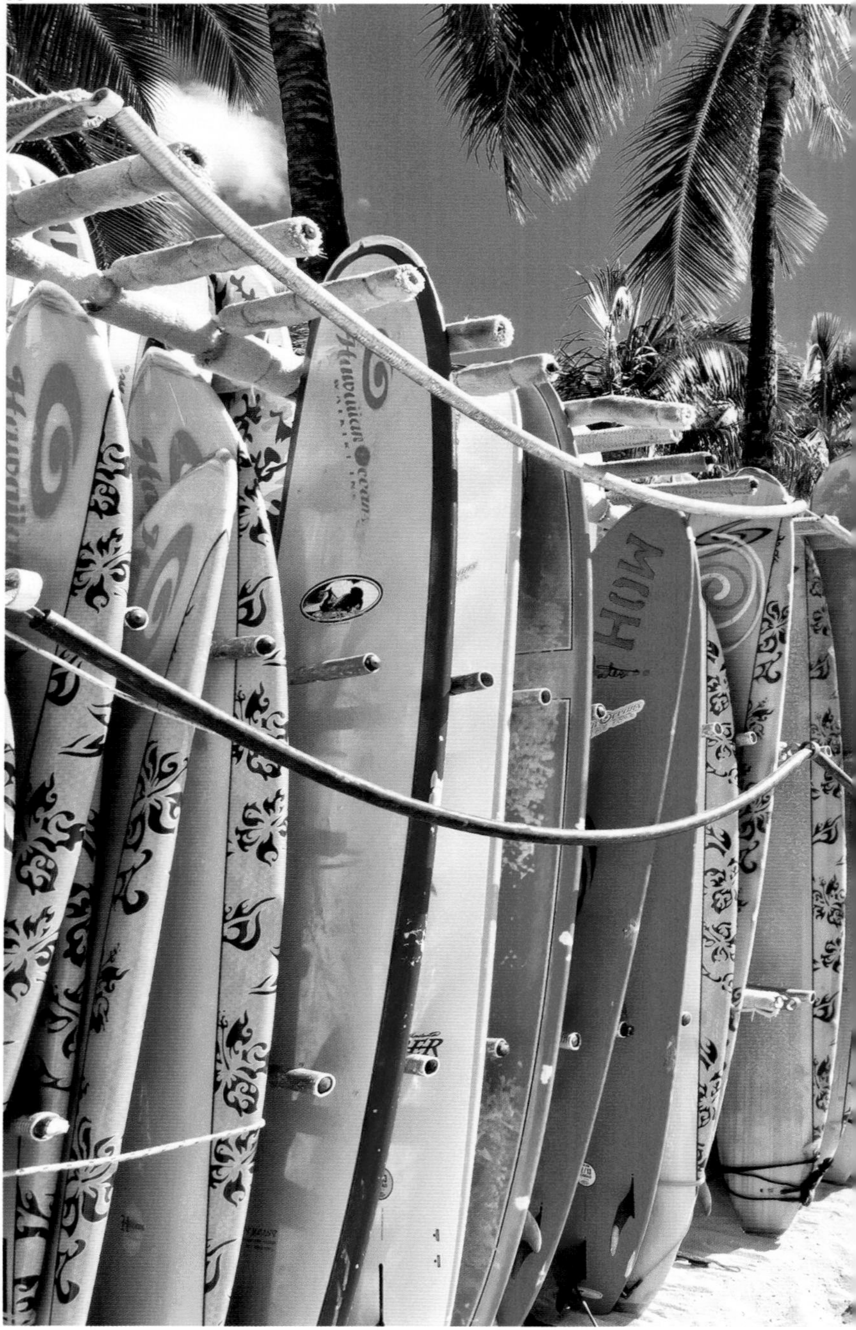

EDDY GALEOTTI/SHUTTERSTOCK ©

WAIKIKI (O'AHU)

Waikiki (O'ahu)

Ancien lieu de villégiature de la royauté hawaiienne, Waikiki accueille aujourd'hui un tourisme de masse. Sa fameuse plage de sable vibre au son de la musique des îles émanant des grands hôtels du front de mer. Dans cette jungle trépidante et moderne se font encore entendre les murmures du passé à travers les spectacles de hula à Kuhio Beach.

Les distractions ne manquent pas : leçons de surf, bronzette, sorties en catamaran à destination de Diamond Head... Le soir, sirotez un mai tai en appréciant les harmonies cadencées d'une guitare hawaiienne.

Waikiki en 1 jour

Commencez par une balade jusqu'au **Kuhio Beach Park** (p. 80) et recueillez-vous devant la **statue de Duke Kahanamoku** (p. 82). Faites du snorkeling au large du **Kapi'olani Beach Park** (p. 91). Savourez ensuite un déjeuner hawaiien typique en ville au **Rainbow Drive-In** (p. 98), puis filez à travers la baie à bord du **catamaran Na Hoku II** (p. 93). À votre retour sur la terre ferme, musique et danses *hula* authentiques vous attendent à **Kuhio Beach** (p. 81).

Waikiki en 2 jours

Le lendemain, traversez les pelouses du **Kapi'olani Regional Park** (p. 89), puis rejoignez les plages de **Kahaloa Beach et Ulukou Beach** (p. 91) pour une leçon de surf à l'endroit où naquit ce sport. Régalez-vous au buffet du restaurant **Orchids** (p. 97), puis profitez de la tranquillité de **Fort DeRussy Beach** (p. 103). Allez écouter les mélodies du **House Without a Key** (p. 103) au coucher du soleil, et dînez à la **Hy's Steakhouse** (p. 100).

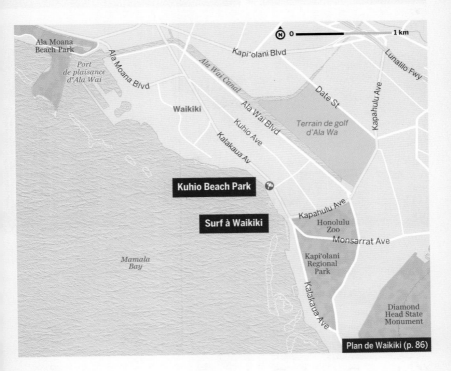

Ala Moana
Beach Park

Port
de plaisance
d'Ala Wai

Ala Moana Blvd

Kapi'olani Blvd

Ala Wai Canal

Lunalilo Fwy

Waikiki

Ala Wai Blvd

Date St

Kapahulu Ave

Kuhio Ave

Terrain de golf
d'Ala Wa

Kalakaua Av

Kuhio Beach Park

Surf à Waikiki

Kapahulu Ave

Honolulu
Zoo

Monsarrat Ave

Mamala
Bay

Kapi'olani
Regional
Park

Kalakaua Ave

Diamond
Head State
Monument

Plan de Waikiki (p. 86)

Comment s'y rendre

Aéroport international de Honolulu
À environ 14,5 km au nord-ouest
de Waikiki.
Express Shuttle Navette porte-à-porte
opérant 24h/24 entre l'aéroport
et les hôtels de Waikiki.
Vous pouvez aussi emprunter les lignes
TheBus n°s19 et 20. Les bus circulent
chaque jour toutes les 20 minutes
entre 5h30 et 23h30.
L'itinéraire le plus agréable pour
se rendre à Waikiki emprunte la **Nimitz
Highway (Hwy 92)**.

Où se loger

La partie centrale du front de mer
de Waikiki, le long de Kalakaua Ave,
est bordée d'hôtels et de vastes
complexes. Plus en retrait des plages,
vous trouverez des petits hôtels
conviviaux dans les rues calmes
– beaucoup restent abordables toute
l'année. Des centaines d'appartements
plus ou moins luxueux sont à louer sur
les sites Internet Airbnb et HomeAway.
Pour des informations concernant
l'hébergement, voir p. 105.

DAVID MADISON/GETTY IMAGES ©

Kuhio Beach Park

La plage de Kuhio a tout pour plaire : la baignade est protégée, on peut se balader en pirogue à balanciers, et assister à un spectacle gratuit de hula et de musique hawaiienne au coucher du soleil.

Pour ceux qui aiment...

☑ **Ne ratez pas**

La statue du prince Kuhio commémore le "prince du peuple".

Kapahulu Groin

À la limite est de la plage s'étend vers l'océan la jetée de Kapahulu Groin, un exutoire d'eaux pluviales bordé de murs et surmonté d'une promenade. Un brise-lames bas en pierre, appelé the Wall, part de Kapahulu Groin et se prolonge parallèlement à la plage. Construit pour protéger le littoral sableux, vulnérable à l'érosion, il a aussi créé deux bassins presque fermés.

Le bassin le plus proche de Kapahulu Groin est le plus propice à la baignade ; néanmoins, le manque de brassage peut engendrer des eaux troubles. Kapahulu Groin est aussi l'un des spots de bodyboard préférés de Waikiki. Si le ressac est favorable, plusieurs dizaines d'adeptes surfent ainsi les vagues. Très expérimentés, ces jeunes se dirigent tout

ⓘ Infos pratiques

Le Waikiki Beach Center compte des toilettes, des douches extérieures, un snack-bar et un stand de location d'équipements de plage.

✕ Une petite faim ?

Commandez des sushis et admirez le coucher de soleil au **Sansei Seafood Restaurant & Sushi Bar** (p. 99).

★ Bon à savoir

Ne laissez jamais vos articles de valeur sans surveillance sur la plage.

Consigne de planches de surf de Kuhio Beach

Là où la plupart des villes proposent des râteliers à vélos ou d'immenses parkings, Waikiki offre un équipement public illustrant parfaitement l'esprit de la plage : une immense consigne de planches de surf tout près du sable, où les surfeurs locaux stockent des centaines de planches entre deux séances sur l'eau. Située près du poste de police annexe, cette consigne emblématique est l'occasion de faire une belle photo insolite.

Pirogues à balancier

Certains prestataires de surf proposent des balades mouvementées en pirogue à balancier (110 $ pour 4 pers) au départ de la plage – les enfants adorent.

droit vers le mur de la jetée avant de se détourner au dernier moment devant les touristes impressionnés arpentant la petite jetée.

Illumination de Kuhio Beach et spectacle de hula

Juste après le coucher du soleil, près de la statue de Duke Kahanamoku, l'allumage de torches et l'appel de la conque signalent le début d'un spectacle très authentique de musique et de danse hawaiiennes. Installez-vous sur votre serviette de plage près de la scène légèrement surélevée pour y assister. L'endroit n'attire pas que les touristes, car des artistes renommés s'y produisent régulièrement, notamment les experts reconnus du *hula* de l'université de Hawaii.

Waikiki Beach

MATT MUNRO/LONELY PLANET ©

Le surf

Waikiki est une bonne destination de surf toute l'année, même si les rouleaux les plus impressionnants se forment en hiver. Les déferlantes estivales, plus sages, sont parfaites pour débuter.

Pour ceux qui aiment...

☑ **Ne ratez pas**

La statue de Duke Kahanamoku au Kuhio Beach Park (près de Kalakaua Ave).

Duke Kahanamoku

"The Duke" est un véritable héros hawaiien. Titulaire de nombreuses médailles olympiques de natation, il battit le record mondial du 100 m nage libre lors de sa première compétition. Considéré comme le père du surf moderne, il fut le précurseur des Beach Boys de Waikiki, qui enseignaient le surf aux touristes. Sa statue sur Kalakaua Ave est toujours ornée de *lei* (colliers de fleurs) colorés.

Diamond Head Surfboards

C'est l'un des meilleurs magasins de Waikiki pour louer des planches de toutes sortes. Outre la location de planches de surf, de stand-up paddle (SUP) et de bodyboard à l'heure, par jour ou par semaine, il propose d'excellentes leçons de surf personnalisées.

Statue de Duke Kahanamoku (ci-dessous), de l'artiste Jan Gordon Fisher

THEODORE TRIMMER/SHUTTERSTOCK ©

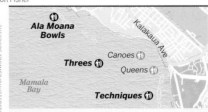

ⓘ Infos pratiques

La **Waikiki Police Substation**
(annexe du poste de police ; ☎808-723-8566 ;
www.honolulupd.org ; 2425 Kalakaua Ave ;
⊙24h/24), près du Kuhio Beach Park,
peut vous aider pour les situations
non urgentes.

✕ Une petite soif ?

Profitez du *happy hour* quotidien
de 15h à 17h dans un bar festif,
le **Lulu's Waikiki** (p. 102).

★ Bon à savoir

Les échoppes proposant des leçons
de surf et les loueurs de planches se
succèdent le long de la plage au Kuhio
Beach Park, près de Kapahulu Groin.

Spots de surf pour débutants

Canoes est l'un des spots les plus célèbres,
et de nombreux cours de surf s'y tiennent.
Il mêle gauches et droites faciles où les
surfeurs du monde entier y enchaînent de
longues glisses. Une fois à l'aise à Canoes,
essayez Queens, spot excellent à tout point
de vue, mais généralement surpeuplé car
de nombreuses compétitions s'y déroulent.

Spot de Threes

Très fiable à marée basse, Threes est parfait
dans presque toutes les conditions – il peut
même s'y former des barrels (tubes). Le spot
est à 800 m au large, soyez prêt à ramer.

Spot d'Ala Moana Bowls

Ce spot est connu pour ses vagues
parfaites – bowls et barrels qui vous

permettront de réaliser des tubes si
les conditions sont bonnes. Il se trouve
près de l'entrée du port d'Ala Wai et
offre une puissante gauche tubulaire.
Généralement fréquenté par les très
bons surfeurs locaux.

Spot de Techniques

Le nom de ce spot remonte aux
années 1930, lorsque des surfeurs ont
développé des planches évidées (*hollow
boards*) afin d'exécuter les manœuvres
nécessaires pour surfer ces déferlantes.

Où s'équiper

Les prestataires répartis le long de la plage
du Kuhio Beach Park, près du célèbre
spot de bodyboard de Kapahulu Groin,
proposent la location de planches de surf,
de SUP et de bodyboard et des cours
de surf.

◉ À VOIR

On vient à Waikiki pour la plage, mais le quartier compte aussi des hôtels historiques, des œuvres d'art public évocatrices, d'étonnants artefacts illustrant l'histoire de Hawaii, et même un zoo et un aquarium.

Wizard Stones of Kapaemahu
Blocs de roche

(Kuhio Beach Park, près de Kalakaua Ave).
Les quatre blocs rocheux d'allure ordinaire se dressant près du poste de police annexe du Waikiki Beach Center sont en fait les légendaires Pierres des sorciers de Kapaemahu. Elles renfermeraient le *mana* (essence spirituelle) de quatre sorciers venus de Tahiti vers l'an 400. Selon la légende, ils aidèrent les habitants en soulageant leurs douleurs, et leur réputation se répandit. Lorsqu'ils repartirent, les îliens érigèrent en leur honneur quatre blocs de roche là où ils avaient vécu. L'ensemble pèse 7 tonnes ; on ignore encore comment les habitants de l'époque les transportèrent depuis la carrière située à 3,2 km à l'est de Diamond Head.

The Royal Hawaiian
Hôtel, édifice historique

(☎808-923-7311 ; www.royal-hawaiian.com ; 2259 Kalakaua Ave ; ☺visite 13h mar et jeu). GRATUIT
Avec ses tourelles et ses arches de style mauresque, ce remarquable édifice Art déco de 1927 magnifiquement restauré, surnommé le "Palais rose", évoque l'époque où Rudolph Valentino était l'idole des femmes et où l'on allait à Hawaii en paquebot de luxe. Son livre d'or est un véritable bottin mondain, des membres de familles royales aux Rockefeller, sans oublier des célébrités comme Charlie Chaplin. Des visites permettent de découvrir l'architecture et la petite histoire de ce superbe édifice.

Ne manquez pas la vue exceptionnelle de Hawaii peinte à même le mur par Ernest Clegg pour l'inauguration de l'hôtel, près des ascenseurs.

Statue du roi David Kalakaua
Statue

(près de Kalakaua Ave). Né en 1836, le roi Kalakaua régna sur Hawaii de 1874 à sa mort, en 1891 ; il parcourut le monde

Bodyboardeur à Waikiki

Promenade du front de mer

en compagnie de son épouse, la reine Kapi'olani. Imaginée par un artiste natif de Hawaii, Sean Browne, sa statue accueille les visiteurs arrivant à Waikiki. Elle fut offerte en 1985 par la communauté américano-japonaise de Hawaii pour marquer le centenaire de l'immigration japonaise sur l'archipel. Kalakaua contribua à la signature de la Convention de travail entre le Japon et Hawaii, qui permit l'immigration de 200 000 Japonais à Hawaii entre 1885 et 1924.

Aquarium de Waikiki Aquarium
(☎808-923-9741 ; www.waikikiaquarium.org ; 2777 Kalakaua Ave ; adulte/enfant 12/5 $; ◷9h-17h, dernière entrée 16h30 ; ⛟). ✐
Une promenade agréable de 15 minutes vers le sud-est, le long de la principale plage de Waikiki, permet de rejoindre cet aquarium sous l'égide de l'université, qui recrée différents habitats des récifs tropicaux du Pacifique. On y voit des poissons d'espèces rares provenant des îles du nord-ouest de Hawaii, ainsi que d'hypnotiques méduses bleue et des poissons-phares porteurs de bactéries

Waikiki est le lieu idéal de toutes les distractions tropicales, ou tout simplement pour se prélasser

bioluminescentes. Les nautiles sont particulièrement fascinants avec leur coquille spiralée unique – c'est le premier aquarium au monde à avoir réussi à assurer la reproduction en captivité de ces créatures menacées, une réussite exceptionnelle.

Un bassin extérieur accueille les phoques moines de Hawaii, une espèce menacée d'extinction. Une visite autoguidée permet de découvrir le nouveau jardin de plantes hawaiiennes endémiques. Consultez le site Internet ou appelez pour réserver des animations en famille et des ateliers pour enfants, telles les aventures "Aquarium After Dark" (visites nocturnes).

Hôtel Moana Surfrider Édifice historique
(☎808-922-3111 ; www.moana-surfrider.com ; 2365 Kalakaua Ave ; ◷visites 11h lun, mer et ven). GRATUIT Baptisé le Moana Hotel à son ouverture

Waikiki

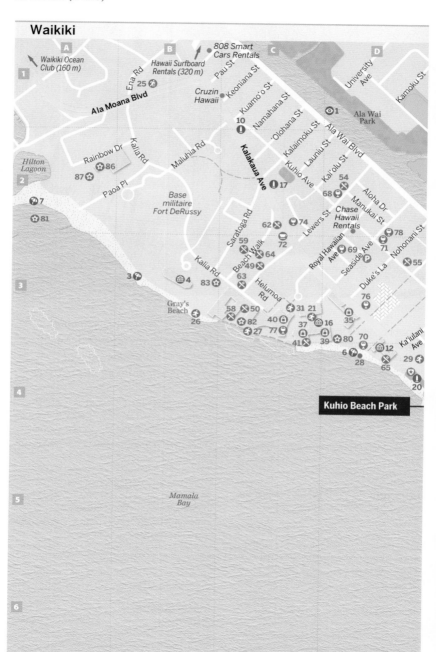

Waikiki Ocean Club (160 m)

808 Smart Cars Rentals

Hawaii Surfboard Rentals (320 m)

Cruzin Hawaii

Erna Rd

Pau St

Keoniana St

Ala Moana Blvd

25

Kuamo'o St

Namahana St

Olohana St

Kalaimoku St

Launiu St

Kai'olu St

10

1

Ala Wai Park

University Ave

Kamoku St

Ala Wai Blvd

Rainbow Dr

Kalia Rd

Maluhia Rd

Kuhio Ave

Kalakaua Ave

17

54

68

Aloha Dr

Manukai St

Hilton Lagoon

87 86

Paoa Pl

Base militaire Fort DeRussy

Saratoga Rd

62

74

Chase Hawaii Rentals

Royal Hawaiian Ave

78

71

7

81

59

Beach Walk

72

Lewers St

69

Seaside Ave

Nohonani St

55

3

4

83

49

64

63

Kalia Rd

Helumoa Rd

Duke's La

76

Gray's Beach

26

58 50

82

27 77

40

31 21

37 16

35

41

39

80

70

12

Ka'iulani Ave

29

6

28

65

20

Kuhio Beach Park

Mamala Bay

Waikiki

À voir

1 Canal Ala Wai D1
2 Duke Kahanamoku Statue E4
3 Fort DeRussy Beach B3
4 Hawaii Army Museum B3
5 Zoo de Honolulu F5
6 Kahaloa Beach et Ulukou Beach D4
7 Kahanamoku Beach A2
8 Kapi'olani Regional Park F6
9 Kapi'olani Beach Park E6
10 Statue du roi David Kalakaua C2
11 Kuhio Beach Park E4
12 Moana Surfrider Hotel D4
13 Statue de la princesse Kaiulani E3
14 Statue de la reine Kapi'olani F6
15 Queen's Surf Beach E5
16 Royal Hawaiian Hotel C3
17 Statue *The Storyteller* C2
18 Statue du *Surfer on a Wave* E5
19 Aquarium de Waikiki F6
20 Wizard Stones of Kapaemahu D4

Activités

21 Abhasa Spa C3
22 Ala Wai Golf Course F3
23 AquaZone E5
24 Diamond Head Surfboards H3
25 Hiking Hawaii B1
26 Holokai Catamaran B3
27 Maita'i Catamaran C3
28 Na Hoku II Catamaran D4
29 Na Ho'ola Spa D4
30 Snorkel Bob's H3
31 Spa Khakara C3

Achats

32 Angels by the Sea E4
33 Art on the Zoo Fence F5
34 Bailey's Antiques & Aloha Shirts G4
35 Fighting Eel D3
36 Island Paddler G3
37 Malie Organics C3
38 Na Lima Mili Hulu No'eau G2
39 Rebecca Beach D3
40 Ukulele PuaPua C3

Où se restaurer

41 Azure C4
42 Blue Ocean E4
43 Da Hawaiian Poke Company H2
44 Diamond Head Market & Grill H5
45 Haili's Hawaiian Foods G2
46 Hawaii Sushi H6
47 Hawaii's Favorite Kitchens G4
48 Hy's Steakhouse E4
49 Kaiwa C3
50 La Mer C3
51 Leonard's H1
52 Lovin' Oven E3
53 MAC 24/7 .... E4
54 Mahina & Sun's D2
55 Marukame Udon D3
56 Musubi Cafe Iyasume E4
57 Ono Seafood H2
58 Orchids C3
59 Pau Hana Market C3
60 Pioneer Saloon H6
61 Rainbow Drive-In G4
62 Ramen Nakamura C2
63 Roy's Waikiki C3
Sansei Seafood Restaurant & Sushi Bar .... (voir 23)
64 Tonkatsu Ginza Bairin C3
65 Veranda D4
66 Wada H3
67 Waiola Shave Ice H2

Où prendre un verre et faire la fête

68 Bacchus Waikiki D2
Beach Bar .... (voir 65)
69 Cuckoo Coconuts D3
70 Duke's Waikiki D4
71 Fusion Waikiki D3
72 Gorilla in the Cafe C3
73 Hula's Bar & Lei Stand E5
74 In Between C2
75 Lulu's Waikiki E5
76 Maui Brewing Co D3
77 RumFire C3
78 Tapa's Restaurant & Lanai Bar D2
79 Wang Chung's E4

Où sortir

80 'Aha 'Aina D3
Beach Bar .... (voir 65)
81 Hilton Hawaiian Village Fireworks A2
82 House Without a Key C3
83 Kani Ka Pila Grille B3
84 Kuhio Beach Torchlighting & Hula Show E4
85 Royal Hawaiian Band F6
86 Tapa Bar A2
87 Waikiki Starlight Luau A2

en 1901, ce bâtiment de style Beaux-Arts aux allures de manoir de plantation fut jadis la coqueluche des stars hollywoodiennes, des aristocrates et des magnats de l'industrie.

Cet hôtel historique dispose d'un jardin en bord de mer orné de grands banians et ceint d'une véranda ; le soir, des musiciens de l'île et des danseurs de *hula* s'y produisent.

Au-dessus du hall d'entrée, des objets exposés rappellent les premiers temps de l'hôtel, tels ces scripts de la célèbre émission radio Hawaii Calls, diffusée en direct depuis la véranda de 1935 à 1975, des costumes de bain en laine, des photos d'époque et un court-métrage montrant Waikiki à l'époque où le Moana était le seul hôtel du front de mer.

Statue de la princesse Kaiulani
Statue

(près de Kuhio Ave). La princesse Kaiulani était l'héritière du trône lorsque le royaume de Hawaii fut renversé en 1893. Inaugurée en 1999 à l'occasion du 124e anniversaire de sa naissance, cette statue de la princesse nourrissant ses paons adorés se dresse dans le Kaiulani Triangle Park. Connue pour sa beauté, son intelligence et sa détermination, la princesse rendit visite au président Cleveland à Washington après le coup d'État, mais ne put empêcher l'annexion de Hawaii par les États-Unis. Elle mourut à 23 ans.

Kapi'olani Regional Park
Parc

(☎808-768-4623 ; près de Kalakaua Ave et Paki Ave). À l'origine, ce parc de Waikiki était célèbre pour ses courses de chevaux et ses concerts. L'hippodrome n'est plus depuis longtemps, mais le parc de la reine Kapi'olani reste un lieu très prisé des habitants pour les concerts, les marchés de produits fermiers et d'artisanat, diverses festivités et des matchs de rugby. Le kiosque à musique ombragé est idéal pour écouter un concert du vénéré Royal Hawaiian Band (p. 103), qui y joue le dimanche après-midi.

Statue de la reine Kapi'olani
Statue

(Kapi'olani Regional Park, près de Kalakaua Ave). Cette statue de bronze représente la reine Kapi'olani, épouse du roi David Kalakaua – dont la statue accueille les visiteurs à l'autre bout de Waikiki. Philanthrope très aimée, connue pour son amour des enfants, elle fonda entre autres un

🔭 Cratère de Diamond Head

Le cratère du volcan éteint de Diamond Head est classé monument national. Spectaculaire, le sentier de randonnée qui mène à son sommet (environ 232 m) a été aménagé en 1908 comme voie d'accès aux stations militaires d'observation situées au bord du cratère.

À l'intérieur du cratère, on trouve des panneaux d'information relatant notamment son histoire, mais aussi des toilettes, des fontaines d'eau potable et des tables de pique-nique. Depuis Waikiki, prenez le bus n° 23 ou 24, puis comptez 20 minutes de marche entre l'arrêt le plus proche et le départ du sentier. En voiture, prenez Monsarrat Ave jusqu'à Diamond Head Rd et tournez à droite juste après le Kapi'olani Community College (KCC). L'entrée dans le parc se fait par le Kahala Tunnel.

Depuis le belvédère **Diamond Head Lookout**, belle vue sur le Kuilei Cliffs Beach Park et le long de la côte en direction de Kahala. À l'est du parking, cherchez des yeux la plaque érigée en l'honneur d'Amelia Earhart, qui rallia Hawaii en avion depuis la Californie en 1935. On y accède après une agréable balade d'environ 2,2 km depuis Kaimana Beach, à Waikiki.

foyer de maternité pour les Hawaiiennes défavorisées en 1890. Un hôpital, une grande artère et un lycée professionnel portent également son nom.

Hawaii Army Museum — Musée

(☎808-955-9552 ; www.hiarmymuseumsoc.org ; 2161 Kalia Rd ; dons appréciés, visite avec audioguide 5 $; ⊘9h-17h mar-sam, dernière entrée 16h15 ; Ⓟ). GRATUIT À Fort DeRussy, ce musée présente un assortiment pléthorique d'objets militaires liés à l'histoire de Hawaii, à commencer par les massues à dents de requin utilisées par Kamehameha le Grand pour gagner le contrôle de l'île il y a plus de deux siècles. Des récits historiques et de vieilles photos aident à comprendre l'influence de la présence militaire des États-Unis à Hawaii. Le musée présente aussi le 442e régiment d'infanterie américano-japonais, qui fut l'unité la plus décorée de la Seconde Guerre mondiale, et accorde une place à Eric Shinseki, un général à la retraite né à Kaua'i qui dénonça l'invasion de l'Irak par les États-Unis et fut ministre aux Anciens Combattants.

Surfer on a Wave — Statue

(près de Kalakaua Ave). En face de l'entrée du zoo de Honolulu et directement sur la plage, la statue *Surfer on a Wave* célèbre le surf et sa place majeure dans la culture de Waikiki. Coulée dans le bronze par Robert Pashby, elle fut inaugurée en 2003.

The Storyteller — Statue

(près de Kalakaua Ave). Cette statue en bronze juste en retrait de Kalakaua Ave représente les conteuses (*Storytellers*), gardiennes de la culture hawaiienne. Pendant des siècles, les conteuses ont joué le premier rôle dans la transmission orale, préservant l'identité de leur peuple et de leur terre en récitant poèmes, chansons, psalmodies et généalogies. Le pendant de cette statue, *The Water Giver* (Le Donneur d'eau), se dresse au Hawaiian Convention Center.

🏖 PLAGES

Queen's Surf Beach — Plage

(Wall's ; Kapi'olani Beach Park, près de Kalakaua Ave ; 🚻). Juste au sud de Kuhio Beach, la plage portant le nom du célèbre spot de surf est idéale pour les familles, car les vagues sont rarement grosses lorsqu'elles atteignent le rivage, mais suffisamment pour faire du bodyboard, ce qui permet

aux enfants plus grands de s'amuser pendant des heures. À l'extrémité sud de la plage, l'aire devant le pavillon est prisée de la communauté gay.

Kahanamoku Beach
Plage

(Paoa Pl ;). En face du Hilton Hawaiian Village, Kahanamoku Beach est la plage la plus occidentale de Waikiki. Elle porte le nom de Duke Kahanamoku (1890-1968), le légendaire surfeur de Waikiki dont la famille était jadis propriétaire des terres où se dresse désormais le complexe hôtelier. C'est ici que le champion de surf de Hawaii, médaille d'or de natation aux Jeux olympiques, apprit à nager. Eaux calmes pour la baignade et fond rocailleux en pente douce. Accès au bout de Paoa Pl, près de Kalia Rd, et depuis Holomoana St (où il est facile de se garer).

En retrait de la plage, le **Duke Kahanamoku Lagoon** offre des eaux placides idéales avec des enfants, et des rives sablonneuses.

Kaimana Beach
Plage

(Sans Souci Beach). À la limite de Waikiki côté Diamond Head, Kaimana est une belle plage de sable éloignée de l'agitation des secteurs plus touristiques. Elle est souvent appelée Sans Souci Beach, du nom de l'hôtel qui autrefois se dressait à la place du New Otani Kaimana Beach Hotel. Les résidents viennent souvent s'y baigner. Un récif peu profond et proche du rivage forme un bassin d'eaux calmes et protégées ; bonnes possibilités de snorkeling.

Kahaloa Beach et Ulukou Beach
Plage

La bande de sable entre les hôtels Royal Hawaiian et Moana Surfrider est la plus fréquentée de Waikiki. Elle est essentiellement bordée d'eaux peu profondes et le fond est en pente douce. Seul inconvénient pour les baigneurs : sa popularité auprès des surfeurs débutants, et un catamaran abordant le rivage de temps à autre. Queens et Canoes, les spots de surf les plus connus, se trouvent juste au large. Au-delà, traversez un lagon en ramant pour rejoindre Populars ("Pops"), le spot préféré des amateurs de longboard.

Kapi'olani Beach Park
Plage

(Kapi'olani Regional Park, près de Kalakaua Ave). Ici, point de touristes. De Kapahulu Groin à Natatorium, plus au sud, cette section

La statue Surfer on a Wave *célèbre le surf et sa place majeure dans la culture de Waikiki.*

De gauche à droite : vacanciers sur la plage à Waikiki ; Royal Hawaiian (p. 84) ; *Surfer on a Wave* (2003), de Robert Pashby

paisible de la plage sur fond de végétation offre un endroit relaxant, bien loin des plages encombrées devant le boulevard où s'alignent les hôtels. Toilettes et douches extérieures. Kapi'olani Beach est prisée des habitants pour pique-niquer ; les enfants se précipitent dans l'océan pendant que les adultes allument le barbecue.

À l'extrémité nord, la partie la plus large de Kapi'olani Beach est surnommée Queen's Surf Beach (p. 90). Certains soirs d'été, des films classiques sont projetés gratuitement sur un écran extérieur géant (www.sunsetonthebeach.net).

🏃 ACTIVITÉS

Baignade, bodyboard, surf, voile et autres sports nautiques se pratiquent presque toute l'année à Waikiki. De mai à septembre, la houle estivale rend les eaux un peu agitées pour nager, mais parfaites pour le surf. Vous trouverez postes de sauveteurs, toilettes et douches extérieures le long des plages.

On peut pratiquer la course à pied, le tennis et le golf en retrait de la plage.

🌊 SPORTS NAUTIQUES

Hawaii Surfboard Rentals   Location de matériel
(☎808-689-8989 ; www.hawaiisurfboardrentals.com ; 1901 Kapi'olani Blvd ; location planche de surf min 2 jours à partir de 45 $; ⊙9h30-14h). Choix considérable de planches à louer. Livraison et ramassage gratuits des planches de surf et de SUP, des bodyboards et des porte-planches dans Waikiki. Tarifs très avantageux à la semaine.

🤿 SNORKELING ET PLONGÉE SOUS-MARINE

Les plages centrales encombrées de Waikiki ne conviennent pas vraiment au snorkeling. Nos deux endroits préférés sont Kaimana Beach (p. 91) et Queen's Surf Beach (p. 90), où vous trouverez des coraux vivants et une bonne variété de poissons tropicaux. Mais pour admirer des fonds réellement magnifiques – avec jardins de coraux,

raies mantas et poissons plus exotiques – il faut aller plus loin. On trouve facilement du matériel de snorkeling et de plongée à louer ; il est aussi possible de réserver une sortie de plongée en bateau ou une formation PADI de plongée sous-marine.

Snorkel Bob's   Snorkeling
(☎808-735-7944 ; www.snorkelbob.com ; 700 Kapahulu Ave ; location de matériel à partir de 9 $/sem ; ⊙8h-17h). Un excellent endroit où s'équiper. Les tarifs varient selon la qualité du matériel et les accessoires fournis, mais d'excellentes réductions sont disponibles à la semaine et il est possible de réserver en ligne. Vous pouvez même louer votre matériel ici, puis le rendre dans une agence Snorkel Bob sur une autre île.

O'ahu Diving   Plongée
(☎808-721-4210 ; www.oahudiving.com ; sortie pour débutants avec 2 plongées 130 $). Spécialisé dans les baptêmes de plongée ainsi que dans les sorties de plongée sous-marine en eaux profondes et dans les cours de remise à niveau PADI (si vous possédez déjà cette certification et avez déjà effectué des plongées). Départ en bateau depuis plusieurs mouillages près de Waikiki.

AquaZone   Plongée, snorkeling
(☎808-923-3483 ; www.aquazonescuba.com ; 2552 Kalakaua Ave, Waikiki Beach Marriott Resort ; plongeurs débutants 1 bouteille 120 $; ⊙8h-17h). Magasin de plongée organisant aussi des sorties, situé devant le Waikiki Beach Marriott. Réservez un baptême de plongée en piscine et une plongée en bateau, un circuit de snorkeling pour voir les tortues marines ou une sortie matinale de plongée en eaux profondes – notamment pour voir des épaves de la Seconde Guerre mondiale. Location de matériel de snorkeling et de plongée sous-marine.

🥾 RANDONNÉES

Hiking Hawaii   Randonnée
(☎855-808-4453 ; hikinghawaii808.com ; 1956 Ala Moana Blvd ; à partir de 45 $/pers). Ce prestataire propose un choix de randonnées quotidiennes sur toute l'île

d'O'ahu, de la balade jusqu'au phare de Makap'u à la randonnée aux chutes de Manoa ou à une excursion d'une journée jusqu'au littoral nord. Options consultables en ligne. Ramassage dans les hôtels de Waikiki, transport et guide compris. Randonnées sur mesure possibles (50 $/heure).

GOLF

Ala Wai Golf Course Golf

(☎ réservations 808-733-7387 ; www.honolulu. gov/des/golf/alawai.html ; 404 Kapahulu Ave ; *green fees* 19-55 $; ☺6h-17h30). Ce parcours plat de 18 trous (par 70), avec vue sur Diamond Head et le massif de Ko'olau, serait le plus fréquenté au monde. Les golfeurs locaux ont le droit de réserver jusqu'à sept jours à l'avance et s'octroient la plupart des départs, ce qui en laisse peu pour les visiteurs (réservation jusqu'à trois jours à l'avance).

Si vous arrivez tôt le matin et joignez la liste d'attente – et à condition que vous et tous vos partenaires de jeu attendiez sur place –, il vous sera probablement possible de jouer. Practice et location de clubs.

COURSE À PIED

Si vous aimez courir, vous ne serez pas seul : on estime que Honolulu compte plus de coureurs par tête que toute autre ville de la planète. Deux des meilleurs endroits où étrenner vos chaussures à Waikiki, tôt le matin ou en fin d'après-midi, sont le long du **canal Ala Wai** et autour du Kapi'olani Regional Park (p. 89).

SPAS

Abhasa Spa Spa

(☎808-922-8200 ; www.abhasa.com ; 2259 Kalakaua Ave, Royal Hawaiian Hotel ; massage 50 min à partir de 150 $; ☺9h-21h). Soins d'inspiration locale, dont le traditionnel massage hawaiien *lomilomi* et le massage *pohaku* aux pierres chaudes, les gommages au sel de mer et les soins pour le corps à l'huile de *kukui* (noix de bancoulier), de coco et de café. Autre établissement associé : le **Spa Khakara** (☎808-685-7600 ; www.khakara.com ;

2255 Kalakaua Ave, Sheraton Waikiki ; massage 50 min à partir de 135 $; ☺9h-21h).

Na Ho'ola Spa Spa

(☎808-237-6330 ; www.nahoolaspawaikiki. com ; 2424 Kalakaua Ave, Hyatt Regency Waikiki ; massage 50 min à partir de 160 $; ☺8h30-21h). Dans ce spa sur deux niveaux avec vue divine sur l'océan, les enveloppements de *limu* (algues) détoxifient, ceux de *kele-kele* (boue) délassent les muscles endoloris, et ceux de feuilles de ti réparent les peaux abîmées par le soleil. Gommages à l'huile de noix de macadamia et à l'ananas frais.

TENNIS

Si vous avez votre propre raquette, le Diamond Head Tennis Center, dans le Kapi'olani Regional Park (côté Diamond Head) compte 10 courts à louer. Pour jouer le soir, rendez-vous aux Kapi'olani Regional Park Tennis Courts, en face de l'aquarium (4 courts éclairés). Tous ces courts publics sont gratuits et alloués au fur et à mesure des arrivées.

CIRCUITS ORGANISÉS

Plusieurs croisières en catamaran partent directement de la plage de Waikiki – il suffit d'entrer dans l'eau et de grimper à bord. Croisière d'1 heure 30 avec boissons alcoolisées illimitées proposée. Réservation recommandée pour les sorties au coucher du soleil, qui affichent vite complet.

Na Hoku II Catamaran Croisière

(☎808-554-5990 ; www.nahokuii.com ; près d'Outrigger Waikiki Beach Resort ; sorties en catamaran d'1 heure 30 40-45 $). Reconnaissable à ses voiles rayées rouge et jaune, ce catamaran propose des croisières avec boissons alcoolisées incluses dans le prix, quatre fois par jour ; départ devant le bar Duke's Waikiki (p. 102). Les croisières au coucher du soleil sont prises d'assaut, réservez donc bien à l'avance.

Maita'i Catamaran Croisière

(☎808-922-5665 ; www.leahi.com ; sur le rivage, près de Kalakaua Ave ; adulte/enfant à partir de 34/17 $; 🚶). Ce catamaran blanc aux voiles vertes part du rivage entre les hôtels **Halekulani** (199 Kalia Rd) et **Sheraton Waikiki** (2255 Kalakaua Ave). Grand choix d'excursions en mer. Réservez une croisière "alcoolisée" d'1 heure 30 en journée ou au soleil couchant (enfants autorisés) ou une sortie au clair de lune le vendredi pour admirer le feu d'artifice du Hilton Hawaiian Village. Les excursions de snorkeling sur les récifs sont bien adaptées aux familles (pique-nique à bord inclus).

🔒 ACHATS

Les centres commerciaux et les complexes hôteliers haut de gamme de Waikiki ne manquent pas de magasins de marque, mais vous trouverez aussi d'excellentes boutiques locales proposant des créations hawaiiennes.

Pour les achats de tous les jours, on trouve partout des **ABC Stores**, une chaîne bon marché où trouver des articles essentiels : nattes de plage, écran solaire, en-cas, boissons fraîches, confiseries, sans oublier les danseuses de *hula* motorisées à fixer sur le panneau de bord de votre voiture.

Bailey's Antiques and Aloha Shirts   Mode, vintage
(☎808-734-7628 ; alohashirts.com ; 517 Kapahulu Ave ; ⊙10h-18h). Bailey's possède sans nul doute la plus belle collection de chemises hawaiiennes d'O'ahu, voire même du monde ! Les portants débordent de milliers de chemises hawaiiennes vintage qui feraient la joie des collectionneurs, dans tous les coloris et les styles, des chemises classiques des années 1920 en soie jusqu'à celles en polyester des années 1970 et aux créations modernes. La fourchette de prix est impressionnante – de dix à plusieurs milliers de dollars.

Fighting Eel   Mode
(☎808-738-9295 ; www.fightingeel.com ; 2233 Kalakaua Ave, Royal Hawaiian Center, B-116 ; ⊙10h-22h). Cet ensemble impressionnant de quatre boutiques de deux créateurs

locaux, Rona Bennett and Lan Chung, propose des vêtements fabriqués à Hawaii, ainsi que des maillots de bain, des modèles pour enfants, des bijoux et des accessoires.

Malie Organics   Cosmétiques
(☎808-922-2216 ; www.malie.com ; 2259 Kalakaua Ave, Royal Hawaiian Resort, A2 ; ⊙9h-21h). Boutique aussi jolie qu'odorante vendant huiles, crèmes, parfums et autres cosmétiques. Tout est fabriqué localement à base d'ingrédients bio et naturels, la plupart issus de la flore endémique.

Angels by the Sea   Mode
(☎808-922-9747 ; angelsbytheseahawaii. com ; 2552 Kalakaua Ave, 1er ét, Waikiki Beach Marriott Resort ; ⊙8h-22h). Installée dans un immense hôtel de chaîne, cette boutique spacieuse appartenant à une créatrice vietnamienne (une ancienne Miss Waikiki) est difficile à trouver. Vos efforts seront récompensés à la vue des bijoux fait main en perles tissées et des sacs bohèmes, des jolies robes fluides de style croisière, des tuniques et des chemises hawaiiennes à motifs tropicaux en lin et en soie. Autre boutique au Sheraton Waikiki (p. 94).

Island Paddler   Mode
(☎808-737-4854 ; www.islandpaddlerhawaii. com ; 716 Kapahulu Ave ; ⊙10h-18h). En plus d'un excellent choix de pagaies et de matériel pour pirogues, ce magasin accueillant et décontracté propose des T-shirts, des chemises hawaiiennes, des vêtements de plage, et tout ce dont vous pourriez avoir besoin pour une journée au bord de l'eau.

Art on the Zoo Fence   Art et artisanat
(www.artonthezoofence.com ; Monsarrat Ave, en face du Kapi'olani Regional Park ; ⊙9h-16h sam-dim). Le week-end, des dizaines d'artistes accrochent leurs œuvres le long de la clôture sud du **zoo de Honolulu** (☎808-971-7171 ; www.honoluluzoo.org ; angle Kapahulu Ave et Kalakaua Ave ; adulte/enfant 14/6 $; ⊙9h-16h30 ; 🅿🚶) si la météo le permet. Admirez les peintures contemporaines (aquarelles, acryliques, huiles) et les photos colorées de l'île tout en discutant avec les artistes.

Na Lima Mili Hulu
No'eau
Art et artisanat

(☎808-732-0865 ; www.featherlegacy.com ; 762 Kapahulu Ave ; ⊙généralement 9h-16h lun-sam). ✐ La fille et la petite-fille de la défunte "Aunty" Mary Louise Kaleonahenahe Kekuewa perpétuent l'art ancestral des *lei* (collier) de plumes dans cette petite boutique dont le nom signifie "les mains adroites qui touchent les plumes". La fabrication d'un seul de ces *lei* prend des jours, et leur travail fait le bonheur des collectionneurs. Appelez avant pour vérifier les heures d'ouverture, ou prenez rendez-vous pour un cours personnalisé.

Rebecca Beach
Mode

(☎808-931-7722 ; www.rebeccabeach.com ; 2259 Kalakaua Ave, Royal Hawaiian Resort, #7 ; ⊙9h-21h). Boutique haut de gamme proposant maillots de bain, mode décontractée et modèles plus habillés pour le soir.

Ukulele
PuaPua
Instruments de musique

(☎808-923-9977 ; gcea.com ; 2255 Kalakaua Ave #13, Sheraton Waikiki ; ⊙8h-22h30). Évitez les ukulélés peu solides des boutiques de souvenirs et venez dénicher ici un instrument authentique. Les propriétaires passionnés offrent tous les jours des cours collectifs gratuits pour débutants. Le mercredi à 15h, concert du personnel.

✖ OÙ SE RESTAURER

Waikiki compte de nombreux restaurants destinés au tourisme de masse ; mais parmi ces établissements souvent chers et banals, on trouve de véritables trésors à la cuisine savoureuse, parfois même dotés d'une jolie vue.

⊗ Waikiki Beach

On peut bien manger tout en jouissant de la vue le long de Waikiki Beach. Le choix d'établissements convenables est encore plus vaste un peu en retrait de la plage. Sur Kalakaua Ave, les restaurants de chaîne

L'observateur mystère de Waikiki

Personne ne connaît son nom, mais sur Instagram, **@misterver** est très suivi grâce à son flux régulier d'excellentes photos prises à l'improviste dans les rues et sur les plages de Waikiki. Pas de clichés glamour destinés aux touristes, mais des photos de résidents de longue date, dans un quartier plus connu pour ses hordes de visiteurs. Vous y découvrirez des chiens, des immeubles décrépits, des instants volés et des individus singuliers, capturés au vol et anonymement.

débordent de touristes affamés peu enclins à changer leurs habitudes.

Pau Hana Market
Food truck $

(☎808-591-1981 ; pauhanawaikiki.com ; 234 Beach Walk ; la plupart des plats moins de 15 $; ⊙11h-22h). Un certain nombre de food trucks sont installés tous les jours à cet endroit. Ce ne sont pas les mêmes d'une semaine sur l'autre, mais il y en a généralement quelques-uns spécialisés dans la cuisine asiatique ou végétarienne, les sandwichs, les produits de la mer et plus encore. Chefs créatifs, prix bas et tables de pique-nique bien pratiques. Il y a toujours un marchand de bière et de vin.

Mahina & Sun's
Américain $$

(☎808-924-5810 ; surfjack.com/eat-shop ; 412 Lewers St, Surfjack Hotel & Swim Club ; plats 12-32 $; ⊙6h30-22h dim-jeu, jusqu'à minuit ven-sam). ✐ Ce bistrot en plein air donne sur l'élégante piscine du Surfjack Hotel. Il propose une belle carte facile et informelle de classiques : hamburgers, salades, pizzas, produits de la mer (toujours issus de la pêche durable). La plupart des ingrédients sont bio. Bar créatif ouvert tard le soir. Les lève-tôt pourront goûter le cake à la banane ou la tartine grillée à l'avocat au petit-déjeuner.

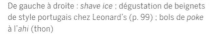

De gauche à droite : *shave ice* ; dégustation de beignets de style portugais chez Leonard's (p. 99) ; bols de *poke* à l'*ahi* (thon)

Tonkatsu Ginza Bairin Japonais $$

(☎808-926-8082 ; www.pj-partners.com/bairin ; 255 Beach Walk ; plats 18-24 $; ⏰11h-21h30 dim-jeu, jusqu'à minuit ven-sam). Pourquoi aller à Tokyo pour un délicieux porc *tonkatsu* lorsque vous pouvez vous délecter de ces morceaux frits délicatement panés à Waikiki ? Depuis 1927, la même famille sert du porc *tonkatsu* à Ginza, dans la capitale japonaise. Cette annexe hawaiienne à des milliers de kilomètres de là est tout aussi excellente. On y trouve aussi de délicieux sushis, bols de riz, et plus encore.

Azure Produits de la mer $$$

(☎808-921-4600 ; www.azurewaikiki.com ; 2259 Kalakaua Ave, Royal Hawaiian Resort ; plats à partir de 38 $, menu dégustation 5 plats 85 $; ⏰5h30-21h). ✒ Azure est le restaurant emblématique du Royal Hawaiian Resort. Les poissons et fruits de mer frais du marché, tels les *kona* (coquillages), le rouget et l'*ono* (maquereau), sont préparés à l'hawaiienne de façon exquise. Plats du jour souvent exceptionnels. La carte des vins, des bières et des cocktails est un

enchantement. Vous pouvez dîner tout près du sable sous un auvent rose et blanc.

Roy's Waikiki Hawaiien $$$

(☎808-923-7697 ; www.royshawaii.com ; 226 Lewers St ; plats 24-53 $; ⏰9h-21h30 lun-jeu, jusqu'à 22h ven-dim). Cette adresse du célèbre Roy Yamaguchi est parfaite pour un rendez-vous amoureux ou simplement pour se régaler. Les extraordinaires plats signature du chef – butterfish *misoyaki* (poisson grillé au miso), *ahi* (thon) noirci et *mahimahi* (dorade coryphène) en croûte de noix de macadamia – figurent toujours au menu. Au dessert, le célèbre soufflé au chocolat est un must. Le bar propose d'excellents cocktails et on peut s'installer dehors sous des torches hawaiiennes.

Kaiwa Japonais $$$

(☎808-924-1555 ; kai-wa.com ; 226 Lewers St, 1er ét., Waikiki Beach Walk ; plats 15-36 $; ⏰11h30-14h et 17h-22h). Les tables en terrasse de cet excellent établissement japonais surplombent la promenade de Waikiki Beacha. La salle à manger ne manque pas d'allure avec ses boiseries sombres et ses banquettes à haut dossier.

La Mer
Français $$$

(☎808-923-2311 ; www.halekulani.com ; 2199 Kalia Rd, Halekulani ; dîner prix fixe 3/4 plats 110/145 $; ⊗18h-22h ; Ⓟ). Au sein du luxueux Halekulani Resort, La Mer est considéré par les gourmets comme la meilleure adresse gastronomique de Waikiki. La carte française néoclassique met à l'honneur une cuisine provençale additionnée d'ingrédients hawaiiens frais : homard en gelée aux oursins, tartare de thon obèse... Les accords mets-vins sont parfaits. Veste obligatoire pour les hommes. Vue superbe sur la plage ; voiturier gratuit.

Orchids
Buffet $$$

(☎808-923-2311 ; www.halekulani.com ; 2199 Kalia Rd, Halekulani ; buffet brunch dominical 68 $, plats aux autres moments 12-60 $; ⊗7h30-22h lun-sam, 9h30-14h30 dim). Le buffet du brunch dominical le plus élégant d'O'ahu propose de tout : omelettes préparées devant vous, assortiment de *poke* (poissons crus marinés), sushis, sashimis et salades, et un bar à desserts somptueux avec tarte à la noix de coco et glace maison au café

Kona. Les autres jours, le restaurant sert un menu complet toute la journée.

La vue superbe sur l'océan, les fleurs tropicales et la musique désuète créent une atmosphère de lune de miel. Tenue balnéaire chic recommandée. Réservez bien à l'avance.

Veranda
Café $$$

(☎808-921-4600 ; www.moana-surfrider. com ; 2365 Kalakaua Ave, Moana Surfrider ; afternoon tea à partir de 34 $; ⊗6h-11h, 12h-15h et 17h30-21h30 ; Ⓟ). Servi dans une ambiance coloniale, l'*afternoon tea* fait revivre les traditions touristiques du début du XXᵉ siècle. Il comprend des sandwichs miniatures, des scones garnis de crème épaisse du Devon et des pâtisseries aux saveurs tropicales. La situation face à l'océan et les mélanges de thé maison sont mémorables. C'est aussi un lieu agréable pour le petit-déjeuner. Pensez à réserver.

✖ Kapahulu Avenue

À la périphérie de Waikiki, Kapahulu Ave vaut toujours le détour pour son nombre croissant de bistrots et de cafés créatifs.

Ne manquez pas les excellents drive-in, cantines et boulangeries du quartier aux influences culinaires variées, des plats traditionnels hawaiiens à la cuisine campagnarde japonaise.

Rainbow Drive-In   Hawaiien $

(☎808-737-0177 ; www.rainbowdrivein.com ; 3308 Kanaina Ave ; repas 4-9 $; ⊘7h-21h ; 🚻). Si vous ne devez goûter qu'une fois un classique *plate lunch* hawaiien (sorte de repas complet dans une assiette), allez ici. Avec sa façade multicolore et son enseigne arc-en-ciel au néon, ce célèbre drive-in semble inchangé depuis les années 1960. Ouvriers du bâtiment, surfeurs et ados commandent au comptoir leurs plats préférés : *mixed plate lunches*, hamburgers, *loco moco* (riz, steak haché et œuf) et brioche portugaise façon pain perdu.

Le restaurant a été créé par un cuisinier de l'armée américaine natif d'O'ahu après la Seconde Guerre mondiale, et un certain Barack Obama l'a fréquenté dans sa jeunesse. La famille propriétaire reverse une partie des bénéfices aux écoles et aux associations caritatives locales.

Waiola Shave Ice   Desserts $

(☎808-949-2269 ; www.facebook.com/WaiolaShaveIce ; 3113 Mokihana St ; shave ice 2-5 $; ⊘11h-17h30 ; 🅿🚻). Cet établissement élabore la même glace finement pilée depuis 1940, et elle est parfaite. Plus de 20 sirops parfumés sont proposés et les garnitures sont nombreuses : haricots azuki sucrés, crème au *liliko'i* (fruit de la passion), lait concentré sucré, sirop au chocolat Hershey's ou *li hing mui* (prunes séchées et épicées). L'établissement est situé un peu après le début de Mokihana St depuis Kapahulu Ave.

Haili's Hawaiian Foods   Hawaiien $

(☎808-735-8019 ; hailishawaiianfood.com ; 760 Palani Ave ; repas 11-16 $; ⊘10h-19h mar-sam, jusqu'à 14h dim ; 🚻). 🍽 Haili's sert des plats hawaiiens à base de produits locaux depuis 1950. Les résidents se glissent dans les banquettes étroites pour déguster des assiettes copieuses de porc *kalua* (cuit dans un four creusé dans la terre), de saumon *lomilomi* (salé et haché, avec dés de tomate et oignon nouveau) et de *laulau* (viande

Sashimi

cuite à l'étouffée dans des feuilles de ti), assortis de *poi* (purée de taro) ou de riz.

Pour varier les plaisirs, goûtez l'assiette d'*ahi* (thon) grillé, un bol de ragoût de tripes ou de *poke* (poisson cru mariné), ou des *wraps* (tortillas roulées) bien garnis.

Hawaii's Favorite Kitchens   Hawaiien $

(☎808-744-0465 ; hawaiisfavoritekitchens. com ; 3111 Castle St ; plats 4-12 $; ◷10h-19h). Inutile de parcourir toute l'île pour goûter les spécialités locales : beaucoup sont en vente ici, dans ce restaurant lumineux appartenant à l'emblématique Rainbow Drive-In (p. ci-contre). On y trouve des plats des établissements **Mike's Huli Chicken** (☎808-277-6720 ; sites.google.com/site/ mikeshulihulichicken ; 47-525 Kamahameha Hwy, Kahalu'u ; repas 7-12 $; ◷10h30-19h), **Poke Stop** (☎808-676-8100 ; poke-stop.com ; 94-050 Farrington Hwy, Waipahu Town Center ; plats 8-14 $; ◷10h-20h lun-sam, jusqu'à 17h dim), Shimazu Shave Ice, et d'autres encore.

Ono Seafood   Produits de la mer $

(☎808-732-4806 ; 747 Kapahulu Ave ; plats 7-12 $; ◷9h-18h lun et mer-sam, 10h-15h dim). Vous ne pourrez plus vous passer des délicieux *poke* élaborés sur commande dans cette échoppe. Arrivez tôt avant que la maison n'épuise ses stocks de poisson frais mariné dans du *shōyu* (sauce soja), de *tako* (poulpe) fumé maison, de bols de riz à l'*ahi* (thon) épicé ou de cacahuètes bouillies à l'anis étoilé. Les habitués adorent l'*ahi* au *shōyu*. Petit parking gratuit, et quelques modestes tables devant l'entrée.

Leonard's   Boulangerie $

(☎808-737-5591 ; www.leonardshawaii. com ; 933 Kapahulu Ave ; en-cas à partir d'1 $; ◷5h30-22h dim-jeu, jusqu'à 23h ven-sam ; 👪). Il est presque impossible de passer devant Leonard's et sa jolie enseigne néon des années 1950 sans y apercevoir une foule de touristes. Cette boulangerie est célèbre pour ses *malasadas (*beignets ronds roulés dans le sucre) de style portugais. Choisissez-les fourrés à l'*haupia* (crème

de coco) ou au *liliko'i* (fruit de la passion) pour plus de saveur. Assurez-vous que votre beignet sort tout droit de la friteuse.

Sansei Seafood Restaurant & Sushi Bar   Japonais $$

(☎808-931-6286 ; www.sanseihawaii.com ; 2552 Kalakaua Ave, 2ᵉ ét., Waikiki Beach Marriott Resort ; assiettes à partager 5-20 $, plats 16-35 $; ◷17h30-22h dim-jeu, jusqu'à 1h ven-sam). L'un des meilleurs chefs de Hawaii, D. K. Kodama, concocte une carte inspirée des cuisines du pourtour du Pacifique : sushis et sashimis, nouilles ramen au crabe de Dungeness, bouillon aux truffes noires... Les tables disposées sous la véranda offrent une vue superbe au soleil couchant.

Da Hawaiian Poke Company   Hawaiien $$

(☎808-425-4954 ; www. dahawaiianpokecompany.com ; 870 Kapahulu Ave ; plats 9-20 $; ◷10h-21h lun-sam, jusqu'à 18h dim). Faites abstraction de l'environnement – un restaurant informel donnant sur le parking d'un centre commercial Safeway – pour vous concentrer sur les délicieux *poke* proposés. Choisissez parmi les poissons et fruits de mer issus de la pêche durable, puis votre saveur (wasabi et ail au miso sont particulièrement bonnes), et enfin vos garnitures. C'est très frais et bien préparé.

Wada   Japonais $$

(☎808-737-0125 ; www.restaurantwada.com ; 611 Kapahulu Ave ; plats 11-30 $; ◷16h-23h). Fabuleuse cuisine japonaise présentée de façon créative dans un décor épuré, loin des paillettes habituelles de Waikiki. La clientèle, principalement locale, vient savourer cette cuisine authentique dans les grandes occasions. Accords mets-vins ou sakés possibles avec les menus dégustation, régulièrement renouvelés.

🍴 Kuhio Avenue et alentours

Le long de Kuhio Ave et dans les nombreuses rues et allées voisines, on trouve des petits établissements très divers, souvent fréquentés par les résidents.

Marukame Udon   Japonais $

(☎808-931-6000 ; www.facebook.com/
marukameudon ; 2310 Kuhio Ave ; plats 2-8 $;
⊙7h-22h ; 🍴). Tout le monde aime cette
échoppe de nouilles japonaises, d'où
la fréquente file d'attente. La pâte des
épaisses nouilles udon (de froment) est
roulée, coupée et mise à bouillir sous vos
yeux. Empilez sur votre plateau les mini-
assiettes de tempura géants et de *musubi*
(blocs de riz) garnis de saumon ou d'une
prune salée, le tout arrosé d'un thé d'orge
glacé ou d'un thé vert (pas d'alcool).

Blue Ocean   Produits de la mer $

(☎808-542-5587 ; 2449 Kuhio Ave ; plats
9-17 $; ⊙10h30-22h). Les crevettes sont les
stars de ce dynamique food truck bleu. Le
spicy garlic shrimp po' boy (sandwich aux
crevettes épicées et à l'ail) est un délice.
Excellents plats de saumon. Quelques
sièges spartiates sont proposés, sinon,
achetez à emporter. Personnel charmant.

Musubi Cafe Iyasume   Japonais $

(☎808-921-0168 ; www.tonsuke.com/
eomusubiya.html ; 2427 Kuhio Ave, Pacific
Monarch Hotel ; plats 5-9 $; ⊙6h30-20h). Cette
petite cantine confectionne des *onigiri*
(boulettes de riz) frais fourrés aux algues,
aux œufs de saumon et à la prune salée.
On compte parmi les autres spécialités
le bol de riz aux œufs de saumon,
le curry japonais et le poulet frit *mochiko*.
Si vous êtes pressé, optez pour un bento
à emporter. Quant au musubi de l'enseigne,
il s'agit d'un bloc de riz blanc enveloppé
dans une feuille de nori (algue) et surmonté
de jambon en boite SPAM grillé.

Lovin' Oven   Pizzas $$

(☎808-866-6489 ; www.lovinoven-hawaii.com ;
2425 Kuhio Ave, Aqua Bamboo ; pizzas 25-30 $;
⊙16h-22h mer-lun). Éclairé par des torches
hawaiiennes, ce simple café au bord d'une
piscine d'hôtel élabore des pizzas à la pâte,
fine et croustillante parmi les meilleures
de Waikiki. Vous pouvez même choisir vos
garnitures. Il faut apporter ses boissons
(magasin ABC non loin). Vous pouvez aussi
acheter à emporter ou vous faire livrer.

MAC 24/7   Américain $$

(☎808-921-5564 ; mac247waikiki.com ; 2500
Kuhio Ave, Hilton Waikiki Beach ; plats 9-25 $;
⊙24h/24). Vous vous sentez affamé
à 3 heures du matin ? Rendez-vous
au meilleur *diner* ouvert toute la nuit
de Waikiki. Le cadre vitaminé vous tiendra
suffisamment éveillé pour examiner
le menu. De jour, on peut apprécier la vue
sur le charmant jardin. Cuisine de qualité
supérieure, d'où les prix. Les pancakes
sont la véritable spécialité du lieu.

Hy's Steakhouse   Viandes $$$

(☎808-922-5555 ; hyswaikiki.com ;
2440 Kuhio Ave ; plats 30-80 $; ⊙18h-22h).
Avec ses boiseries et ses sièges en cuir
intemporels, Hy's est une steakhouse
traditionnelle à l'élégance surannée.
Dans la cuisine séparée de la salle par
une vitre, le chef préposé aux viandes
cuit de délicieux morceaux de bœuf.
Nombreux accompagnements et salades
proposés – tout est très bon –, mais mieux
vaut privilégier les viandes. Steak à l'ail
particulièrement recommandé.

🔵 Monsarrat Avenue

Une fois passés le zoo et la Waikiki
School, vous trouverez de bons bistrots et
restaurants de quartier sur Monsarrat Ave.

Pioneer Saloon   Fusion $

(☎808-732-4001 ; www.pioneer-saloon.net ;
3046 Monsarrat Ave ; plats 9-14 $; ⊙11h-20h).
Les habitants du quartier adorent les
assiettes de cuisine fusion japonaise
servies le midi : ahi (thon) grillé, petits
poulpes frits, *yakisoba* (nouilles sautées),
etc. Le poulet sauce à l'ail et le poulet frit
au piment sont excellents. Côté cadre, jolies
plantes en pot à l'extérieur et décor plein
de fantaisie à l'intérieur. Goûter la *shave ice*.

Diamond Head Market
& Grill   Hawaiien $

(☎808-732-0077 ; www.diamondheadmarket.
com ; 3158 Monsarrat Ave ; repas 9-18 $;
⊙6h30-21h ; 🍴). Ce traiteur du marché local
propose des plats gourmands, comme
le carré de porc rôti et la salade de jicama

Waikiki Beach au soleil couchant

(un tubercule) aux agrumes, parfaits pour un pique-nique. Dehors, au guichet à emporter, surfeurs et familles commandent des pancakes aux fruits tropicaux pour le petit-déjeuner, des assiettes de *char siu* (porc au barbecue chinois) au déjeuner, ou des hamburgers aux champignons Portobello. Tables à l'extérieur. Il faut absolument goûter les scones aux myrtilles.

Hawaii Sushi   Sushis $
(☎808-734-6370 ; 3045 Monsarrat Ave, Suite 1 ; plats 6-10 $; ☺10h-20h). Un must pour les sushis frais de style hawaiien, les rolls et les bols comme le Spicy Ahi Bowl (bol au thon épicé). On y sert le poisson le plus frais de Waikiki ; les plats du jour sont excellents et changent quotidiennement. Quelques tables à l'intérieur. Parking.

OÙ PRENDRE UN VERRE ET FAIRE LA FÊTE

Si vous aimez boire une bière bien glacée ou un cocktail fruité après une journée à la plage, Waikiki a tout ce qu'il faut.

Sirotez un *mai tai* au coucher du soleil et laissez-vous bercer par les accords de guitare hawaiienne, puis mêlez-vous aux résidents qui viennent aussi y faire la fête.

Beach Bar   Bar
(☎808-922-3111 ; www.moana-surfrider.com ; 2365 Kalakaua Ave, Moana Surfrider ; ☺10h30-23h30). À l'ombre de son immense banian, le bar de plage du Moana Surfrider, un hôtel historique, offre un cadre splendide pour observer l'activité de la plage. Les cocktails sont splendides. L'endroit est très fréquenté mais on obtient rapidement une table. De la musique hawaiienne (p. 103) y est jouée une bonne partie de la journée.

Cuckoo Coconuts   Bar lounge
(☎808-926-1620 ; www.cuckoococonutswaikiki. com ; 333 Royal Hawaiian Ave ; ☺11h-minuit). Les tables branlantes dépareillées sous une marquise en toile, les parasols défraîchis et un assortiment disparate de plantes tropicales en pot font tout le charme de ce bar à l'ambiance décontractée. Excellente affiche tous les soirs, avec des musiciens baratineurs jouant de grands classiques du

Le Waikiki des LGBT

La communauté LGBT de Waikiki, très soudée, est pleine d'*aloha* pour les visiteurs. Rendez-vous au **Hula's Bar & Lei Stand** (ci-contre), un bar en plein air convivial avec vue sur l'océan près de Diamond Head, pour prendre un verre, faire une partie de billard et danser. Plus chic et épuré, le **Bacchus Waikiki** (☑808-926-4167 ; www.bacchus-waikiki. com ; 408 Lewers St, 1ᵉʳ ét. ; ⊙12h-2h) est un bar à vins/bar à cocktails intimiste, avec happy hour, barmen torse nu et fêtes le dimanche après-midi sur la terrasse. Si chanter est dans vos cordes, rendez-vous au petit bar karaoké **Wang Chung's** (☑808-921-9176 ; wangchungs.com ; 2424 Koa Ave, Stay Waikiki ; ⊙17h-2h ; 🛜).

Plus grand et décoré sur un thème polynésien, le **Tapa's Restaurant & Lanai Bar** (☑808-921-2288 ; www. tapaswaikiki.com ; 407 Seaside Ave, 1ᵉʳ ét. ; ⊙14h-2h lun-ven, à partir de 9h sam-dim ; 🛜) invite aussi à la détente. Barmen joviaux, billards, juke-box et soirées karaoké. Niché dans une ruelle, le bar **In Between** (☑808-926-7060 ; www. inbetweenwaikiki.com ; 2155 Lau'ula St ; ⊙12h-2h) attire une clientèle plus âgée pour "le plus heureux des happy hour".

---

son lounge. Installez-vous confortablement, grignotez un en-cas frit, sirotez un verre à peu de frais et laissez-vous transporter.

Gorilla in the Cafe Café
(☑808-922-2055 ; www.facebook.com/ gorillahawaii ; 2155 Kalakaua Ave ; ⊙6h30-22h lun-ven, à partir de 7h sam-dim). Propriété de la star coréenne du petit écran Bae Yong Joon, ce café-bar concocte la plus vaste sélection de cafés à base de grains 100% hawaiiens, issus de plantations indépendantes. Les excellents cafés filtre valent l'attente ; sinon, prenez un expresso, plus rapide, ou un café glacé crémeux à la banane.

Hula's Bar & Lei Stand Gay
(☑808-923-0669 ; www.hulas.com ; 134 Kapahulu Ave, 1ᵉʳ ét., Waikiki Grand Hotel ; ⊙10h-2h ; 🛜). Ce bar convivial est un lieu gay légendaire à Waikiki et un excellent endroit où se faire des amis, danser et boire un verre. Faites un billard ou admirez la vue spectaculaire sur Diamond Head. Situé à l'étage, le bar profite de la brise et donne sur Queen's Surf Beach, destination de choix des membres de la communauté LGBT avides de soleil.

Lulu's Waikiki Bar à cocktails
(☑808-926-5222 ; www.luluswaikiki.com ; 2586 Kalakaua Ave, Park Shore Waikiki ; ⊙7h-14h). Après avoir profité de Kuhio Beach, traversez Kalakaua Ave pour vous rafraîchir dans ce bar-grill avec vue sur l'océan et Diamond Head depuis le balcon du 1ᵉʳ étage. Sirotez un cocktail pendant le happy hour (15h-17h tlj) ou au soleil couchant. Concerts acoustiques et groupes locaux (18h-21h) presque tous les soirs. DJ le samedi après 22h.

Maui Brewing Co Brasserie
(☑808-843-2739 ; mauibrewingco.com ; 2300 Kalakaua Ave, 1ᵉʳ ét., Holiday Inn Resort Waikiki Beachcomber ; ⊙11h-23h). Ouvert en 2017, le plus grand bar de Hawaii propose plus d'une vingtaine de bières artisanales Maui Brewing. Vous savourerez des classiques comme la lager Bikini Blonde, l'IPA Big Swell et la bière de froment Pineapple Mana dans une vaste salle. La grande terrasse extérieure a vue sur le paysage urbain de Waikiki, ponctué de complexes hôteliers.

Duke's Waikiki Bar
(☑808-922-2268 ; www.dukeswaikiki.com ; 2335 Kalakaua Ave, Outrigger Waikiki Beach Resort ; ⊙7h-minuit). C'est le thème du surf qui domine dans ce lieu emblématique et trépidant, où les concerts du week-end débordent sur la plage. À l'étage, la véranda éclairée par les torches du Hula Grill offre une ambiance sonore hawaiienne plus douce entre 19h et 21h presque tous les soirs. Oubliez la cuisine.

RumFire   Bar

(www.rumfirewaikiki.com ; 2255 Kalakaua Ave, Sheraton Waikiki ; ⏰11h30-minuit dim-jeu, jusqu'à 1h30 ven-sam). Laissez-vous tenter par la collection de rhums vintage de cet immense bar d'hôtel animé. La terrasse à braseros donne sur la plage et des concerts de musique hawaiienne contemporaine ou de jazz y sont régulièrement donnés. L'Edge of Waikiki Bar, cabanon situé dans le même complexe, offre une vue époustouflante, des cocktails créatifs et de la musique pop-rock au bord d'une piscine.

⭐ OÙ SORTIR

Waikiki est l'endroit idéal pour des concerts de musique hawaiienne et des spectacles de *hula* de qualité. Chaque soir, vous pouvez voir des artistes de premier rang gratuitement ou pour le prix d'un verre. Programme à retrouver dans le *Honolulu Weekly* (www.honoluluweekly.com ; chaque mercredi).

⭐ Musique hawaiienne et hula

House Without a Key   Concerts

(☎808-923-2311 ; www.halekulani.com ; 2199 Kalia Rd, Halekulani ; ⏰7h-21h). Baptisé du nom d'un roman policier de 1925, *La Maison sans clé,* ce bar d'hôtel raffiné est installé en plein air, sous un arbre centenaire. La clientèle chic vient y prendre un verre au soleil couchant, écouter de l'excellente musique hawaiienne et voir d'anciennes Miss Hawaii danser le *hula* en solo. La vue panoramique sur l'océan est aussi enivrante que les cocktails tropicaux.

Hilton Hawaiian Village
Fireworks   Feux d'artifice

(Kahanamoku Beach ; ⏰19h45 ven). GRATUIT Chaque vendredi soir, le Hilton Hawaiian Village offre un feu d'artifice d'une dizaine de minutes. Bien qu'il prenne place dans le cadre d'un *luau* (dîner-spectacle) organisé au bord de l'une des piscines, il est tiré depuis le large, face à la plage, et peut être admiré depuis tout Waikiki. Joignez-vous aux habitants et aux touristes à **Fort DeRussy Beach** (près de Kalia Rd) pour la meilleure vue.

Beach Bar   Concerts

(☎808-922-3111 ; www.moana-surfrider.com ; 2365 Kalakaua Ave, Moana Surfrider ; ⏰10h30-23h30). Bar d'hôtel historique sur la plage, où vous pourrez vous imprégner de musique hawaiienne classique et contemporaine jouée par des artistes sous le vieux banian. La programmation varie, mais des danseurs solistes de *hula* se produisent presque tous les soirs (18h-20h). Ambiance musicale douce au déjeuner et en soirée.

Kani Ka Pila Grille   Concerts

(☎808-924-4990 ; www.outriggerreef.com ; 2169 Kalia Rd, Outrigger Reef Waikiki Beach Resort ; ⏰11h-22h, musique live 18h-21h). Après le happy hour, le bar situé dans l'entrée du complexe hôtelier Outrigger Reef accueille l'un des meilleurs spectacles musicaux donnés dans les hôtels bordant la plage de Waikiki.

Royal Hawaiian Band   Concerts

(☎808-922-5331 ; www.rhb-music.com ; Kapi'olani Regional Park). Dans le kiosque à musique du Kapi'olani Park, à l'ombre des arbres, ce vénérable orchestre joue des classiques de l'ère monarchique hawaiienne presque tous les dimanches après-midi, lors d'événements spéciaux ou de fêtes. Ces concerts atteignent leur apogée lorsque les spectateurs entonnent *Aloha 'Oe*, un chant composé par la reine Lili'uokalani. Consultez le site Internet pour connaître les dates de concerts.

Tapa Bar   Concerts

(☎808-949-4321 ; www.hiltonhawaiianvillage.com ; rdc Tapa Tower, 2005 Kalia Rd, Hilton Hawaiian Village ; ⏰10h-23h, musique live 19h30-20h). GRATUIT Ce bar en plein air à thème polynésien est niché dans le gigantesque complexe hôtelier Hilton : on y voit certains des meilleurs groupes de musique hawaiienne traditionnelle et contemporaine d'O'ahu. Le trio acoustique populaire Olomana se produit le vendredi et le samedi soir. Le Tropics Cafe de l'hôtel propose aussi de nombreux spectacles en soirée.

⭐ Luau et dîners-spectacles

'Aha 'Aina — Luau

(☎808-921-4600 ; royal-hawaiianluau.com ;
Royal Hawaiian Resort, 2259 Kalakaua Ave ;
adulte/enfant 5-12 ans à partir de 188/106 $;
☺17h-20h lun). Ce dîner-spectacle musical
face à l'océan relate en trois actes l'histoire
des *mele* (chants) et *hula* hawaiiens.
Le buffet offre de bons plats traditionnels
hawaiiens et polynésiens et les boissons
sont illimitées. Point fort du *luau* : sa danse
du feu. Les convives sont assis à de longues
tables ; demandez à être près de la scène
lorsque vous réservez.

Waikiki Starlight Luau — Luau

(☎808-947-2607 ; www.hiltonhawaiianvillage.
com/luau ; 2005 Kalia Rd, Hilton Hawaiian Village ;
adulte/enfant 4-11 ans à partir de 109/65 $;
☺17h30-20h dim-jeu, suivant la météo ; 👪).
Spectacle pan-polynésien avec buffet,
tables dressées sur un toit-terrasse, danse
du feu des îles Samoa et *hula hapa haole*
(chanté partiellement en anglais).

ℹ DEPUIS/VERS WAIKIKI

L'aéroport international de Honolulu (p. 325)
se trouve à environ 14,5 km au nord-ouest de Waikiki.

BUS

Les services nᵒˢ19 et 20 de la compagnie
TheBus (☎808-848-5555 ; www.thebus.org ;
adulte 2,50 $, forfait visiteur 4 jours 35 $; ☺info
téléphonique 5h30-22h) vont à Waikiki toutes
les 20 minutes de 5h30 à 23h30 (tlj). Seuls
les bagages pouvant être tenus sur les genoux
ou glissés sous le siège sont acceptés.
Les deux lignes parcourent Kuhio Ave.

NAVETTE AÉROPORT

Express Shuttle (☎808-539-9400 ;
www.airportwaikikishuttle.com ; aller simple/
aller-retour aéroport-Waikiki 16/32 $), de la
compagnie Roberts Hawaii, propose un service
de navette porte-à-porte 24h/24 entre l'aéroport
et les hôtels de Waikiki ; départ toutes les

20 à 60 minutes. Le temps de trajet dépend
du nombre d'arrêts. Vélos, planches de surf,
clubs de golf et bagages surnuméraires en
supplément. La réservation n'est pas forcément
nécessaire au départ de l'aéroport. Pour le trajet
inverse, réservez au moins 48 heures à l'avance.

VOITURE

De l'aéroport, l'itinéraire le plus facile et le plus
agréable pour se rendre à Waikiki emprunte la
Nimitz Hwy (Hwy 92), qui devient l'Ala Moana
Blvd. Sinon, prenez la H-1 (Lunalilo) Fwy
en direction de l'est, puis suivez les panneaux
pour Waikiki. Environ 30 minutes si la circulation
est fluide, et au moins 45 minutes aux heures
de pointe en semaine.

TAXI

La course entre l'aéroport et Waikiki coûte
de 35 à 45 $.

ℹ COMMENT CIRCULER

VOITURE ET MOTO

La plupart des principaux loueurs ont des
agences à Waikiki.

808 Smart Cars Rentals (☎808-735-5000 ;
www.hawaiismartcarrentals.com ; 444 Niu
St ; à partir de 85 $/jour ; ☺9h-17h). ✏ Assez
cher. Propose à la location des voitures Smart
décapotables, plus faciles à garer vu leur taille.

Chase Hawaii Rentals (☎808-942-4273 ; www.
chasehawaiirentals.com ; 355 Royal Hawaiian Ave ;
location 10h/24h à partir de 90/110 $; ☺8h-18h).
Location de motos Harley-Davidson, Kawasaki
et Honda et de scooters Vespa (il faut avoir plus
de 21 ans et un permis moto en règle ; carte de
crédit uniquement).

Cruzin Hawaii (☎877-945-9595, 808-945-
9595 ; cruzinhawaii.com ; 1980 Kalakaua Ave ;
location 8h/24h à partir de 100/120 $). Location
de motos Harley-Davidson essentiellement
(pour les plus de 21 ans, permis moto en règle,
carte de crédit uniquement), ainsi que des
cyclomoteurs et des vélos.

🧳 Où se loger

La section principale du front de mer de Waikiki, le long de Kalakaua Ave, est bordée d'hôtels et de vastes complexes. Certains, réellement magnifiques, possèdent une ambiance historique ou un hôtel de charme ; mais la plupart sont sans attrait.

Quartier	Ambiance
Waikiki Beach	De grands complexes hôteliers bordent Waikiki Beach et l'artère parallèle Kalakaua Ave. Certains sont historiques, d'autres, luxueux (voire les deux), et d'autres encore, axés sur le tourisme de masse. Bien sûr, les meilleurs donnent directement sur la plage.
Kuhio Avenue	Le secteur de Waikiki à l'est de Kalakaua Ave compte de plus en plus de grands hôtels, mais on trouve encore de nombreux établissements moins récents et plus petits dans les rues donnant sur Kuhio Ave ; beaucoup débordent d'un charme sans apprêt. Ici, vous côtoierez quantité d'adeptes de la plage d'âge indéterminé.
Kaimana Beach	Dans le secteur au sud du Kapi'olani Regional Park, les hôtels et immeubles d'appartements élevés datant des années 1960 bénéficient d'une vue superbe, loin du tourbillon de Waikiki.

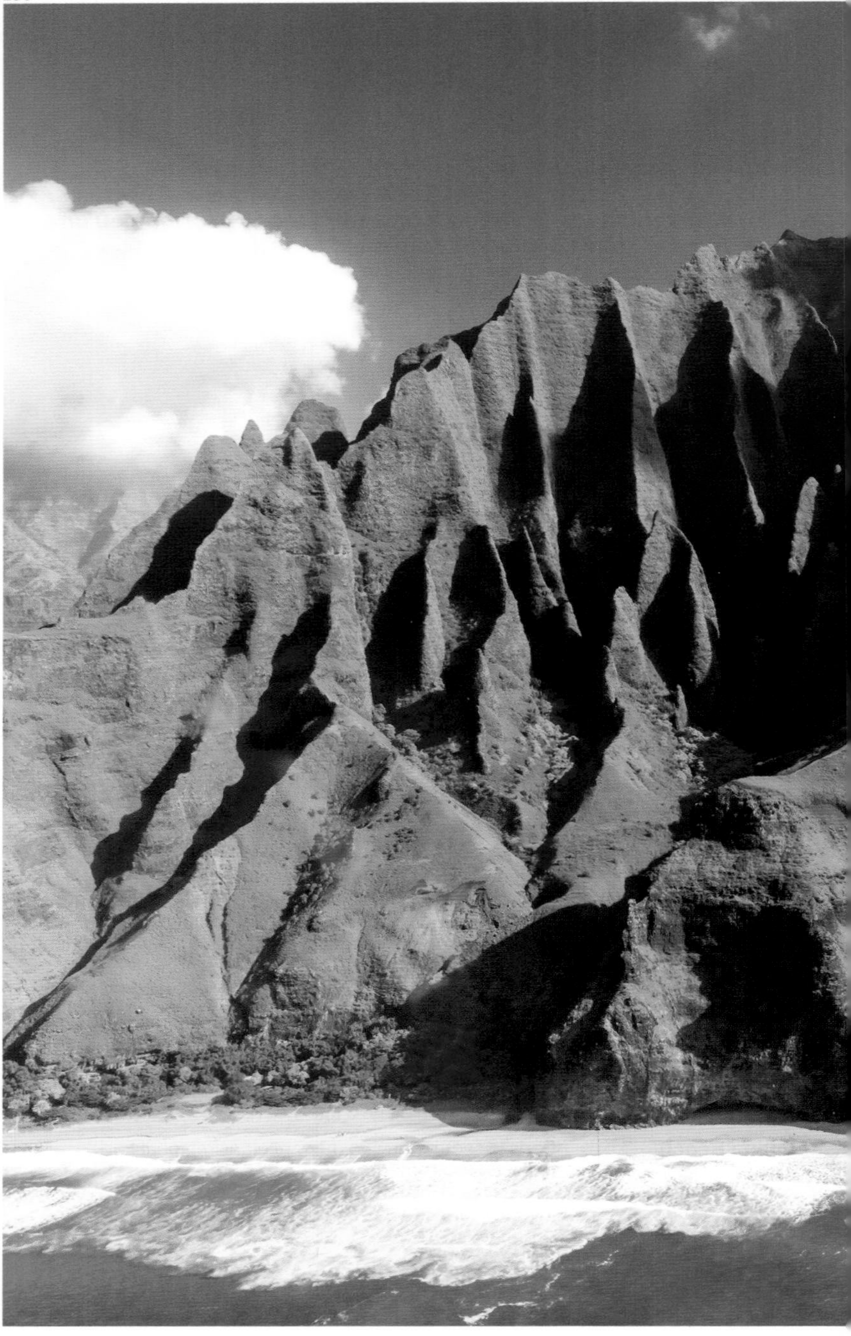

NA PALI COAST (KAUA'I)

Dans ce chapitre

Na Pali Coast (Kaua'i)

*Dépourvue de route, préservée, et d'une beauté envoûtante,
cette étendue de 26 km de long de falaises brutes, de plages
de sable blanc, de criques turquoise et de cascades relie les côtes
nord et ouest de Kaua'i. C'est probablement le site naturel le plus beau
de l'île. Si les randonneurs s'attaquent au sentier exposé, ondoyant
et glissant entre Ha'ena et Kalalau Valley, il est également possible
de découvrir le littoral en kayak, raft ou catamaran. Kalalau, Honopu,
Awa'awapuhi, Nu'alolo et Miloli'i, les cinq grandes vallées qui bordent
la côte, sont toutes plus remarquables les unes que les autres.*

La Na Pali Coast en 1 jour

Parcourez l'étape du **Kalalau Trail**
(p. 114) qui relie Hanakapi'ai Beach aux
chutes de Hanakapi'ai Falls (Hanakapi'ai
Falls). Cette randonnée d'une journée
offre une vue panoramique sur la Na Pali
Coast. Pour vous rafraîchir après l'effort,
baignez-vous à **Ke'e Beach** (p. 118). Avec
le bon timing, vous y serez à temps pour
le spectaculaire coucher du soleil.

La Na Pali Coast en 2 jours

Faites une **excursion en kayak, rafting
ou catamaran** (p. 110) pour admirer la
côte depuis l'autre côté. Selon le temps
à votre disposition, arrêtez-vous à
Ha'ena pour visiter le **Limahuli Garden**
(p. 122) ou, si vous surfez, chevauchez
les vagues à **Makua (Tunnels) Beach**
(p. 122).

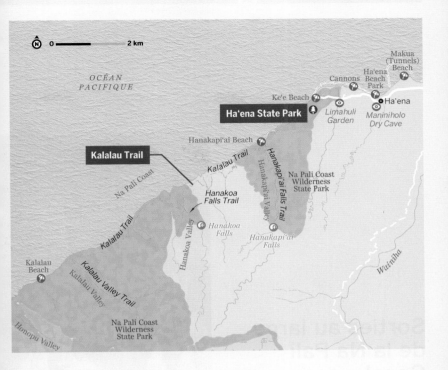

Comment s'y rendre

Le parking le plus proche du départ du Kalalau Trail, à Ke'e Beach, est plutôt grand mais se remplit rapidement. Il est souvent complet pendant les mois d'été et dès le milieu de la matinée le reste de l'année. Si vous randonnez sur deux jours, envisagez de vous garer à Ha'ena Beach Park (gratuit, mais non surveillé) ou alors au camping privé **YMCA Camp Naue** (☎808-826-6419 ; campnaue@yahoo.com ; Kuhio Hwy ; empl tente 15 $/nuit). On peut aussi prendre la navette **North Shore Shuttle** (p. 123) pour Ke'e Beach à Hanalei.

Où se loger

Dans le parc, le camping est autorisé à Hanakoa Valley (une nuit maximum) et à Kalalau Valley. Les permis pour Kalalau sont écoulés jusqu'à une année à l'avance.

Ha'ena Beach Park est un beau site de camping prisé (fermé le lundi soir), et une base pour l'exploration de la North Shore (côte Nord), notamment la Na Pali Coast. Un permis de camping doit être demandé à l'avance auprès du comté. Les locations de vacances ne manquent pas à Ha'ena.

La Na Pali Coast vu depuis la mer

Sorties au large de la Na Pali Coast

Découvrir la Na Pali Coast depuis la mer est une expérience inoubliable. À vous de choisir le programme : kayak, catamaran, snorkeling, ou simplement farniente, en profitant de l'un des plus beaux panoramas du monde.

Pour ceux qui aiment...

❶ Infos pratiques

Vérifiez les prévisions météo et les conditions océaniques sur plusieurs jours avant de partir, car la houle ou le mauvais temps peuvent entraîner des annulations.

☑ **Ne ratez pas**

La vue sur les falaises ondulées
et verdoyantes qui dominent la côte.

Kayak

Les plus sportifs choisiront de découvrir la Na Pali Coast en kayak. Les embarcations sont de type "sit-on-top" (non ponté), avec sièges à dossier et gouvernail à pédales. Il n'est pas nécessaire d'être expert en kayak pour les manœuvrer, mais mieux vaut être en excellente forme physique ; l'excursion peut durer 12 heures et s'étend sur 27 km.

Cette aventure indubitablement épique est aussi ardue et dangereuse. Ne partez pas seul et si vous n'avez pas une certaine expérience du kayak sur l'océan, faites-vous accompagner d'un guide. Partez de la North Shore pour finir à Westside (en raison des courants) et ne tentez pas le périple en hiver (à cause de la houle potentiellement mortelle). Vérifiez les prévisions météo et les conditions océaniques sur plusieurs jours avant de partir.

Circuits et locations

Entre avril et octobre, la plupart des prestataires proposent une longue excursion d'une journée sur toute la longueur de la Na Pali Coast. On peut aussi louer le matériel et parcourir l'itinéraire en indépendant, à condition d'être très expérimenté.

Pour les circuits guidés, nous recommandons les prestataires suivants : **Na Pali Kayak** (p. 133). Ce prestataire très fiable propose le circuit de la Na Pali Coast en circuit guidé avec nuit en camping (à partir de 400 $/pers.) ou en excursion d'une journée (à partir de 225 $). **Kayak Kaua'i** (p. 133). Le circuit Summer Sea Kayaking Tour (240 $) parcourt toute la côte de Ke'e à Polihale en une seule longue journée.

Catamarans

Le catamaran est le moyen le plus tranquille de découvrir la Na Pali Coast. Le trajet

est moins agité, on profite de beaucoup d'ombre, de toilettes et de prestations appréciées telles que des toboggans ou de la nourriture et des boissons à volonté. Certains sont équipés de voiles, tandis que d'autres sont entièrement motorisés.

Rafting

Le rafting est prisé des amateurs de sensations fortes, qui lors de leur excursion affrontent la houle, explorent des grottes (par temps calme) et accostent sur les plages. La plupart des embarcations n'offrent toutefois ni ombre, ni toilettes, ni sièges confortables. Les meilleures sont les canots pneumatiques à coque rigide (RIB), qui permettent des trajets plus calmes (vous serez moins secoué assis à l'arrière, mais potentiellement plus trempé). Les plus grands peuvent comprendre un toit et même des toilettes.

Réservation

Réservez votre excursion en bateau ou kayak le plus tôt possible (idéalement avant votre arrivée) ; de fortes vagues ou le mauvais temps peuvent entraîner des annulations.

✕ Une petite faim ?

Reprenez des forces en dégustant poisson et sushis frais au **Hanalei Dolphin Restaurant & Sushi Lounge** (p. 135), à Hanalei.

★ Bon à savoir

Si vous êtes sujet au mal de mer, renseignez-vous sur les conditions océaniques, prenez un médicament à l'avance et préférez le catamaran. De plus, la mer est généralement plus calme le matin.

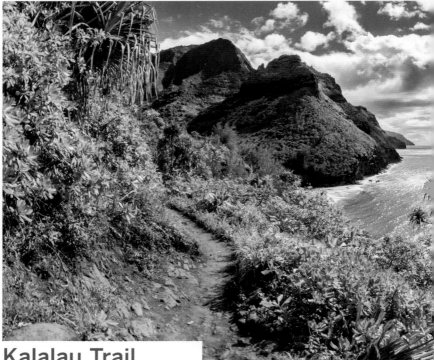

PAVEL TYRDY/SHUTTERSTOCK ©

Kalalau Trail

Pour une véritable communion avec les éléments, il n'y a pas mieux que cet itinéraire qui serpente le long des falaises, offrant certains des points de vue les plus sauvages et spectaculaires sur les profonds sillons de la côte.

Pour ceux qui aiment...

☑ **Ne ratez pas**

La vue sur la côte et la jungle lors d'une randonnée aller-retour de 6,4 km entre Ke'e Beach et Hanakapi'ai Beach.

L'itinéraire

Parcourir le sentier sinueux qui longe *nā pali* (littéralement "les falaises") permet de découvrir les vallées les plus préservées de Kaua'i. Pour une véritable communion avec les éléments, il n'y a pas mieux que ce trek de 35 km (aller-retour), mais sachez que le parcours est escarpé et accidenté, et comporte de dangereuses parties érodées.

L'itinéraire comprend trois étapes : Ke'e Beach-Hanakapi'ai Beach, Hanakapi'ai Beach-Hanakapi'ai Falls et Hanakapi'ai Beach-Kalalau Valley. Si certains chasseurs peuvent effectuer le trajet complet aller-retour en un jour, la plupart des randonneurs optent pour une journée de marche jusqu'à Hanakapi'ai Beach ou Hanakapi'ai Falls, ou emportent leur matériel de camping pour parcourir l'ensemble de l'itinéraire jusqu'à Kalalau Valley.

❶ Infos pratiques

Pour passer la nuit au camping de Kalalau, demandez un permis à l'avance auprès de **Hawaii State Parks** (hawaiistateparks.org/camping).

★ Bon à savoir

Les effractions sont courantes au parking de Ke'e Beach ; ne laissez rien dans votre voiture et ne la verrouillez pas pour éviter que l'on ne brise une vitre.

Lorsqu'on atteint la crête, on jouit d'une vue panoramique sur toute la côte. Le parcours se termine à **Hanakapi'ai Beach**, plage de sable blanc pittoresque mais dangereuse au fond de la Hanakapi'ai Valley.

D'Hanakapi'ai Beach aux Hanakapi'ai Falls

Un embranchement du Kalalau Trail mène à la cascade, soit une randonnée d'une journée de 13 km depuis Ke'e Beach. Le sentier remonte la vallée en suivant le cours d'eau Hanakapi'ai Stream sur environ 3 km, dépassant les vestiges de champs de taros anciens et des bosquets de goyaviers sauvages avant que le canyon aux parois couvertes de mousse ne se resserre. Le sentier qui monte franchit plusieurs fois le cours d'eau. Soyez prudent sur la partie supérieure rocailleuse du parcours, où certains des rochers sont couverts d'algues glissantes. Lorsqu'il pleut, des crues subites sont probables dans cette vallée étroite.

Soyez très vigilant. En hiver, les sentiers peuvent se changer en rivières, les ruisseaux devenir infranchissables et les plages disparaître sous de hautes vagues. Optez pour un autre parcours en cas de pluie car le sol est alors très glissant et les sentiers étroits deviennent périlleux, et soyez toujours extrêmement prudent lorsque vous vous baignez à la plage, en particulier à Hanakapi'ai Beach, où de nombreuses personnes se sont noyées.

De Ke'e Beach à Hanakapi'ai Beach

Au départ de **Ke'e Beach**, au Ha'ena State Park, ce trek de 3,2 km aller ne prend en principe pas plus d'une heure. Parfait aperçu des paysages qu'offre Na Pali, il passe par de petites vallées suspendues et de minces ruisseaux.

La montée régulière conduit aux spectaculaires **Hanakapi'ai Falls**, chutes de 90 m qui se jettent dans un vaste bassin propice à la baignade. Attention aux fréquentes chutes de pierres juste sous la cascade. Partez tôt de Ke'e Beach pour devancer les foules.

D'Hanakapi'ai Beach à Kalalau Valley

Arrivé à Hanakapi'ai Beach, vous aurez encore à parcourir 14 km si vous vous êtes lancé dans la randonnée aller-retour complète de 35 km. La **Hanakoa Valley**, presque à mi-parcours, est une aire de repos/terrain de camping ; les randonneurs y font une pause ou y campent pour la nuit. Si vous comptez vous rendre aux Hanakapi'ai Falls, c'est un bon endroit où passer votre première nuit. De là part aussi le sentier pour les Hanakoa Falls (près de 1 km aller-retour), un site intéressant mais la baignade n'y est pas autorisée.

Après Hanakoa, l'itinéraire devient nettement plus sec et plus exposé, et se rapproche des eaux bleues du Pacifique clapotant en bas de la falaise. Si les bâtons de randonnée sont utiles tout le long du parcours, ils le sont particulièrement ici, le long des corniches rocheuses. Près de la fin de l'itinéraire, le sentier parcourt le front de la Kalalau Valley, où l'on est dominé par des falaises de pierre de lave de 300 m de haut avant de rejoindre les terrains de camping de **Kalalau Beach**, juste à l'ouest de la vallée.

La Kalalau Valley évoque un paradis terrestre, peuplé de randonneurs et de hippies. Si vous êtes bon nageur, rendez

Vue sur la Kalalau Valley

hommage aux ancêtres à Honopu Beach. Baignez-vous uniquement en été.

Réservez votre emplacement de camping bien à l'avance ; reposez-vous un jour ou deux avant de repartir pour **Ke'e Beach**. Si vous arrivez à temps et que la météo est favorable, votre trek se terminera par un coucher de soleil magique.

Sécurité sur le Kalalau Trail

Le Kalalau Trail est très accidenté, et seuls les randonneurs expérimentés et en bonne forme tenteront de le parcourir entièrement. Il est essentiel d'être bien préparé et bien équipé : prévoyez suffisamment d'eau, des vêtements de pluie et un sac pour emporter tous vos déchets – vous verrez peut-être des randonneurs équipés de machettes,

WILDNERDPIX/SHUTTERSTOCK ©

de talkies-walkies, de cordes d'escalade et de chaussures d'eau. Ces précipices doivent être pris au sérieux et votre sécurité est essentiellement de votre propre responsabilité. Les histoires tragiques impliquant des randonneurs ayant ignoré les mises en garde sont, malheureusement, innombrables.

Les moustiques sont ici très agressifs et le soleil peut taper fort ; mettez toujours de l'anti-moustique et de l'écran total.

Permis sur le Kalalau Trail

Même si l'on ne prévoit pas de camper, un permis est officiellement requis pour randonner au-delà de Hanakoa. Le Hawaii State Parks (p. 115) les délivre en ligne ou à son bureau de Lihu'e (20 $ par personne et par nuit pour les non-résidents). Le camping est uniquement autorisé à Hanakoa et Kalalau, pour 5 nuits maximum par trek. Réservez vos permis le plus tôt possible, jusqu'à une année à l'avance.

Un permis de camper est obligatoire pour continuer le Kalalau Trail au-delà de Hanakapi'ai. On peut obtenir gratuitement des permis de randonnée pour la journée auprès de la **Division of State Parks** (☏808-274-3444 ; www.hawaiistateparks.org ; 3060 Eiwa St, Room 306, Lihu'e ; ⏰8h-15h30 lun-ven) de Lihu'e, qui délivre également les permis de camping nécessaires pour Hanakoa Valley (1 nuit maximum) et Kalalau Valley (5 nuits maximum).

Cartes du sentier

Le State Parks Office de Lihu'e fournit des brochures sur le Kalalau Trail comprenant une carte. **Kaua'i Explorer** (www.kauaiexplorer.com), parrainé par le comté, est aussi une bonne source d'information.

Sécurité à Hanakapi'ai Beach

Ne tournez jamais le dos à l'océan, en particulier près de l'embouchure de la rivière. Ne laissez pas les enfants jouer dans les bas-fonds. La baignade est ici dangereuse et interdite.

Waikapala'e Wet Cave

Ha'ena State Park

Passez le jardin botanique et franchissez le pont qui enjambe la rivière impétueuse pour entrer dans le Ha'ena State Park, un site plein de charme, de mystère et de beauté, sculpté dans l'étroit littoral riche en lave.

Ce parc de 90 ha abrite un célèbre pic haut de 390 m, le Makana (littéralement, le "don"), mais plus connu sous le nom de "Bali Hai".

Ke'e Beach est le point de départ du Kalalau Trail qui traverse le Na Pali Coast Wilderness State Park.

Ke'e Beach

Admirez les couchers de soleil mémorables de la North Shore sur cette plage, site spirituel où les anciens Hawaiiens pratiquaient le *hula*. En été, les randonneurs du Kalalau Trail voisin viennent se rafraîchir dans ses eaux. Soyez néanmoins prudent ; celles-ci sont loin d'être aussi calmes qu'elles paraissent. Certains baigneurs ont été aspirés par de forts courants et emportés au large. Ne laissez jamais de jeunes enfants seuls près de l'eau.

Pour ceux qui aiment...

☑ **Ne ratez pas**

L'exceptionnel coucher du soleil, un véritable rite de passage sur l'île.

Ke'e Beach

✕ **Bon plan**
Demandez vos permis à l'avance.
Il n'y a ni restaurant ni snack-bar
sur place ; prévoyez un pique-nique.

On trouve sur place des douches extérieures et des toilettes. Les effractions sont courantes dans le parking ; ne laissez aucun objet de valeur dans votre voiture. Si vous venez pour le coucher du soleil, prévoyez de l'anti-moustique.

Kaulu Paoa Heiau

Les vagues rugissantes étaient source d'enseignement pour les premiers pratiquants de l'art spirituel du *hula*, qui confrontaient leurs chants et leur technique avec le niveau de décibels de la nature. Ke'e Beach conserve les vestiges d'un *heiau* (temple en pierre ancien) vénéré, dédié à Laka, la déesse du *hula*. C'est ici également que Pélé, la déesse des volcans, s'éprit de Lohiau.

Les *lei* et autres offrandes sacrées qui jonchent le sol ne doivent pas être touchées.

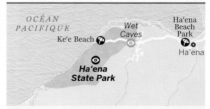

OCÉAN PACIFIQUE — Ke'e Beach — Wet Caves — Ha'ena Beach Park — Ha'ena — Ha'ena State Park

ℹ **Infos pratiques**

Ke'e Beach est desservie par la navette **North Shore Shuttle** (p. 123) toutes les 75 minutes (premier bus aller 7h35, dernier bus retour 20h05).

★ **Bon à savoir**

Demandez vos permis à l'avance.
Il n'y a ni restaurant ni snack-bar
sur place ; prévoyez un pique-nique.

★ **Bon à savoir**

On ne trouve pas d'emplacements de camping dans le Ha'ena State Park, mais le camping est autorisé au Ha'ena Beach Park voisin et plus loin sur la côte.

Cascade dans le Ha'ena State Park

Pénétrez dans le *heiau* par les vestiges de l'entrée ; il est irrespectueux d'en enjamber les murs.

Grottes marines

Deux *wet caves* (littéralement "grottes humides"), des grottes marines formées lorsque le niveau de l'océan était plus élevé, se trouvent dans les limites du Ha'ena State Park. L'immense **Waikapala'e Wet Cave** se situe du côté de la route opposé au parking, à une courte marche de celui-ci. La **Waikanaloa Wet Cave** est plus loin au sud de la route.

Certains visiteurs entrent dans l'eau pour découvrir le reflet bleu de la lumière du soleil dans la chambre plus profonde de la grotte Waikapala'e, mais sachez que l'eau peut être contaminée par la leptospirose, que les rochers sont glissants et qu'il n'y a rien à quoi se tenir une fois dans l'eau. Si vous vous y aventurez malgré tout, assurez-vous que quelqu'un garde un œil sur vous et douchez-vous immédiatement après.

Sites funéraires anciens

D'innombrables maisons et hôtels à travers l'archipel sont construits sur d'anciens sites de sépulture. Les ouvriers du bâtiment déterrent souvent *iwi* (os) et *moepu* (objets funéraires), et les habitants ne manquent pas d'histoires effrayantes d'équipements tombant en panne jusqu'à ce que les os soient correctement inhumés de nouveau et les prières récitées.

En 1990, le Congrès américain promulgua le Native American Graves Protection and Repatriation Act (www. hawaii.gov/dlnr/hpd/hpburials.htm), qui établit des conseils funéraires sur chaque île chargés de contrôler le traitement des restes humains et la préservation des sites funéraires. La profanation d'*iwi* est illégale et constitue une offense grave envers les Hawaiiens indigènes.

L'un des cas les plus récents sur Kaua'i concerna Ha'ena's Naue Point, le site de quelque 30 *iwi* avérés. L'affaire, qui commença en 2002, dura près de neuf ans. Après toute une série d'audiences, des

 Requins sacrés

Une attaque de *mano* (requin) peut être mortelle ; limitez les risques en évitant de nager dans des eaux troubles, en particulier après la pluie. Cela dit, il est statistiquement moins probable de mourir d'une attaque de requin que d'une piqûre d'abeille, et dans les infâmes eaux boueuses, les risques de contracter la leptospirose ou la giardiase sont plus élevés que de se faire dévorer par un requin.

Ne vous laissez pas envahir par une peur irrationnelle de ces grands prédateurs et essayez d'adopter le point de vue hawaiien, selon lequel les *mano* sont sacrés. Pour de nombreuses familles locales, le requin est leur *'aumakua* (esprit gardien). Les *'aumakua* sont les ancêtres dont l'*'uhane* (forme spirituelle) réside dans le corps d'un animal, veillant sur les membres vivants de leur *'ohana*. Vénérés pour leur aptitude dans l'océan, les *mano* étaient également considérés comme les *'aumakua* des navigateurs. Aujourd'hui encore, on dit que les *mano 'aumakua* guident les pêcheurs vers les zones poissonneuses ou les aident à rentrer chez eux lorsqu'ils sont égarés.

manifestations publiques et plusieurs propositions de traitement des *iwi*, l'État autorisa finalement le propriétaire du terrain à construire.

Par ailleurs, nombre d'hôtels et d'immeubles sont construits sur des terres d'*iwi*, aujourd'hui placés ailleurs ou toujours enterrés. Mais qu'advient-il des âmes errantes ? Le Grand Hyatt Resort de Po'ipu emploie un directeur des affaires hawaiiennes et communautaires chargé de prodiguer des bénédictions quelque part sur le domaine du complexe au moins une fois par mois pour prévenir tout "trouble spirituel".

Ha'ena

Ce site isolé et idyllique s'étend au bout du ruban d'asphalte parmi des pitons de pierre de lave, des forêts humides luxuriantes et des plages de carte postale. À la saison des pluies, de multiples cascades coulent du haut des falaises. Ha'ena est aussi le lieu de controverses ; de nombreuses demeures luxueuses de la pointe sont construites sur des *'iwi kupuna* (cimetières hawaiiens anciens). Tout visiteur à Kaua'i se doit de parcourir la route jusqu'à son extrémité et d'entreprendre une randonnée – aussi courte soit-elle – le long de la Na Pali Coast, exempte de routes.

⊙ À VOIR

Limahuli Garden   Jardins
(☎808-826-1053 ; ntbg.org/gardens/limahuli ; 5-8291 Kuhio Hwy ; visites autoguidées tarif plein/étudiant/enfant de moins de 18 ans 20/10 $/gratuit, visites guidées tarif plein/étudiant et enfants de plus de 10 ans 40/20 $; ◷9h30-16h mar-sam, visites guidées 10h ; 👬). 🖉 Ce beau jardin pédagogique offre un plaisant tour

d'horizon des plantes endémiques et du système de gestion hawaiien traditionnel *ahupua'a* (division des terres). La visite autoguidée prend environ 1 heure 30, vous laissant le temps de contempler le paysage le long d'une boucle de 1,2 km ; les visites guidées approfondies (10 ans minimum, réservation requise) durent 2 heures 30.

Le programme de bénévolat offre aux écotouristes l'occasion de contribuer à la restauration de l'écosystème indigène et de découvrir l'ensemble du domaine de près de 400 ha. Pour vous rendre sur place, prenez à gauche juste avant le cours d'eau qui marque la limite du Ha'ena State Park.

Makua (Tunnels) Beach   Plage
La "plage des tunnels", l'une des sublimes plages de la North Shore, doit son nom aux cavernes et tubes de lave sous-marins dans et parmi les récifs proches de la côte. En été, c'est l'un des meilleurs sites de snorkeling de l'île et le site de plongée le plus prisé de la North Shore. En hiver toutefois, les vagues peuvent être importantes.

Limahuli Garden

ALLA SHUTTER/SHUTTERSTOCK ©

Pendant les saisons intermédiaires, le snorkeling est possible, mais restez toujours prudent et adressez-vous aux habitants et aux sauveteurs avant d'aller dans l'eau. Faites particulièrement attention au courant circulant d'ouest vers le large. Si vous ne trouvez pas de place dans les deux parkings non indiqués au bout des courtes routes de terre, garez-vous au Ha'ena State Park et marchez.

Ha'ena Beach Park   Plage
En hiver, cette plage n'est pas idéale pour la baignade en raison des *shore breaks* (grosses vagues qui se brisent sur le rivage) qui créent un fort courant sous-marin, mais c'est un lieu agréable pour profiter du soleil. En été, la mer est presque toujours calme et sûre. Avant de gagner l'eau, renseignez-vous sur l'état de la mer auprès des sauveteurs, en particulier entre octobre et mai.

Sur la gauche se trouve **Cannons**, un site de surf local pour pratiquants expérimentés. La plage comprend toilettes, douches extérieures, tables de pique-nique et un pavillon. Le camping est autorisé. Demandez votre permis à l'avance.

Maniniholo Dry Cave   Grotte
Cette grotte "sèche" est profonde, vaste et plutôt amusante à explorer, mais plus l'on progresse, plus le plafond est bas et l'environnement sombre. L'eau qui suinte continuellement des parois garde l'intérieur froid et humide.

Vous entendrez et ressentirez le grondement provoqué par le fracas des vagues résonnant dans la grotte. Ceux qui croient et sont sensibles aux forces spirituelles pourront même percevoir un *mana* (essence spirituelle), en particulier près du groupe de pierres disposées autour de ce qui ressemble à un foyer, peut-être un lieu de réunion ou simplement un abri à une période ancienne. Maniniholo est le nom du pêcheur en chef des *menehune*

(le "peuple de petite taille") qui, selon la légende, aurait aménagé ici des étangs et autres constructions en une nuit. La grotte se situe juste en face du Ha'ena Beach Park.

🟢 ACTIVITÉS
Hanalei Day Spa   Spa
(📞808-826-6621 ; www.hanaleidayspa.com ; Hanalei Colony Resort, 5-7130 Kuhio Hwy ; massage 50/80 min 110/165 $; ⊙9h-18h mar-sam). Si vous êtes fatigué ou avez besoin d'être revitalisé, ce spa modeste mais agréable propose des massages (notamment *lomilomi* hawaiien) et des soins du corps, comme des enveloppements corporels ayurvédiques, à des prix parmi les plus compétitifs de l'île.

🔒 ACHATS
Na Pali Art Gallery   Artisanat
(📞808-826-1844 ; www.napaligallery.com ; Hanalei Colony Resort, 5-7130 Kuhio Hwy ; ⊙7h-17h ; 📶). Peintures, objets en bois, sculptures, céramiques, bijoux et pièces de collection en larimar (verre volcanique bleu provenant de République Dominicaine) de qualité, réalisés par des artistes locaux. Le café servi ici ne plaît pas à tout le monde, mais c'est le seul endroit où l'on peut en boire dans les environs immédiats.

ⓘ DEPUIS/VERS HA'ENA
Ha'ena est desservie par Kuhio Highway, qui franchit plusieurs ponts à une seule voie entre Ha'ena et Hanalei. Si un pont est inondé lors d'une tempête, vous serez coincé. **North Shore Shuttle** (📞808-826-7019 ; aller simple 4 $) dessert la région et assure la correspondance avec le **Kaua'i Bus** (📞808-246-8110 ; www.kauai.gov/Bus ; aller simple adulte/enfant 2/1 $) à Hanalei ; vous aurez néanmoins besoin d'une voiture si vous comptez séjourner ici.

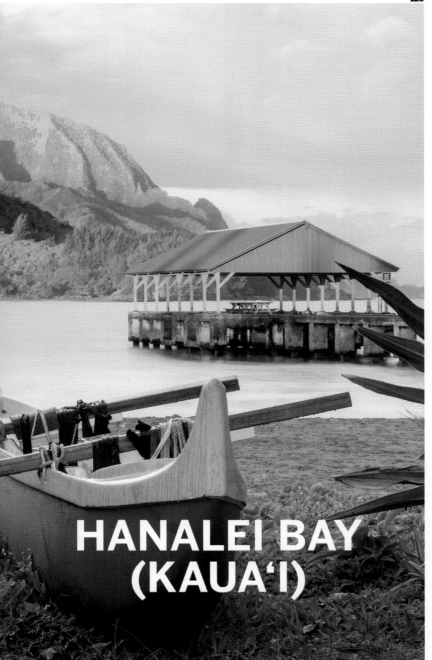

HANALEI BAY (KAUA'I)

Pirogue à balancier, Black Pot Beach Park (p. 128)

Hanalei Bay (Kaua'i)

Rares sont les localités qui possèdent la beauté naturelle majestueuse et l'âme sauvage de Hanalei. Bien entendu, Hanalei ne serait pas Hanalei sans sa baie. Ses spots de surf sont légendaires, grâce notamment aux dieux du surf qui s'y sont entraînés, comme le regretté Andy Irons. Même si ce ne sont pas les vagues qui vous ont amené ici, vous serez sous le charme de cette vaste étendue de sable couleur crème et des magnifiques montagnes vert jade en toile de fond.

Le bourg, de taille modeste, a également de quoi séduire. On peut y suivre des cours de yoga, savourer des sushis, dénicher des affaires de plage chics, des trésors vintage et de sublimes œuvres d'art, ou encore prendre un verre dans un bar élégant.

Hanalei Bay en 1 jour

Commencez par la courte ascension escarpée de l'**Okolehao Trail** (p. 133), puis prenez un café et une pâtisserie au **Hanalei Bread Company** (p. 134), avant de louer un kayak ou un stand-up paddle pour remonter la Hanalei River. Au coucher du soleil, baladez-vous sur la plage du **Hanalei Beach Park** (p. 129) et rejoignez le **Tahiti Nui** (p. 135) pour un verre, et un dîner étonnamment bon.

Hanalei Bay en 2 jours

Consacrez le second jour à l'exploration des environs. Prenez la route vers le nord en direction de Ha'ena et arrêtez-vous à Makua (Tunnels) Beach, dont les eaux et le récif font le bonheur des baigneurs et des adeptes du snorkeling en été. Terminez votre journée par un coucher du soleil à Ke'e Beach, au bout de la route, puis regagnez Hanalei pour un divin dîner arrosé de vin au **BarAcuda Tapas & Wine** (p. 134).

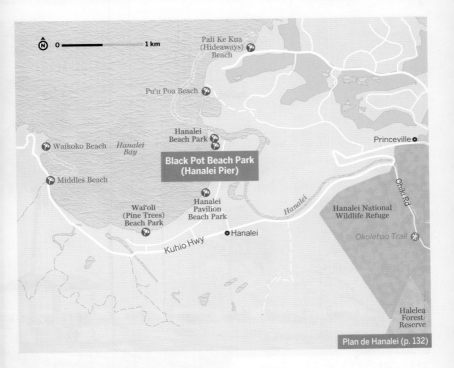

Pali Ke Kua (Hideaways) Beach

Pu'u Poa Beach

Princeville

N 0 — 1 km

Hanalei Beach Park

Waikoko Beach

Hanalei Bay

Black Pot Beach Park (Hanalei Pier)

Middles Beach

Wai'oli (Pine Trees) Beach Park

Hanalei Pavilion Beach Park

Hanalei

Hanalei National Wildlife Refuge

Ohiki Rd

Okolehao Trail

Kuhio Hwy

Hanalei

Halelea Forest Reserve

Plan de Hanalei (p. 132)

Comment s'y rendre

Il n'y a que deux moyens fiables de se rendre dans la région : les transports publics (bus du comté, navette aéroport) et la voiture de location. À Kaua'i, cette dernière option offre le plus de flexibilité ; la plupart des agences de location se trouvent à l'aéroport et dans ses environs. Les taxis sont onéreux et difficiles à trouver.

Où se loger

La North Shore compte moins d'hôtels que de logements de location, de maisons d'hôtes et d'hébergements dans les fermes.

Pour les groupes et les familles, la meilleure option est de louer un appartement à Princeville ou une maison de plage à Hanalei, ou de se diriger vers le nord. Kilauea et Princeville offrent le meilleur rapport qualité-prix.

Black Pot Beach Park

CHASE CLAUSEN/GETTY IMAGES ©

Black Pot Beach Park et ses environs

Ces belles vagues vous donneront envie de monter sur une planche. Vous êtes débutant ? Ça tombe bien. Dirigez-vous vers Hanalei Pier pour prendre un cours.

Pour ceux qui aiment...

☑ **Ne ratez pas**

Un cocktail tropical à un bar-paillote de Hanalei.

Le cadre

Hanalei Bay, qui a servi de décor au film *The Descendants* avec George Clooney, est de loin la plage la plus célèbre de Kaua'i, et ce n'est pas par hasard. Il s'agit en réalité d'une longue plage divisée en plusieurs parties portant chacune un nom différent. Baignade, snorkeling, stand-up paddle, kayak, bodyboard, surf ou bain de soleil : chacun trouvera son activité.

L'hiver peut rendre cette étendue d'eau uniquement praticable par les surfeurs chevronnés (pas de baignade, ni de snorkeling). En été, en revanche, la mer est parfois si calme qu'on ne parvient à la distinguer du ciel que par les quelques voiliers qui glissent sur l'horizon.

ⓘ Infos pratiques

Toilettes et douches disponibles ; sauveteurs sur place.

✕ Une petite faim ?

Après le surf, mangez un morceau au **BarAcuda Tapas & Wine** (p. 134).

> ### ★ Bon plan
> Si le parking est complet, garez-vous dans Weke Road.

Black Pot Beach (Hanalei Pier)

Surnommée Hanalei Pier en raison de sa jetée (*pier*) emblématique, cette petite portion de la splendide Hanalei Bay se situe dans le nord de la baie, près de l'embouchure de la Hanalei River, à l'ombre des pins. Baignée par les vagues généralement les plus douces de la sauvage North Shore, elle est surtout fréquentée par les surfeurs débutants. En été, le lieu convient aussi pour la baignade, le snorkeling, le kayak et le stand-up paddle.

Pendant les périodes de grosse mer, faites extrêmement attention aux fréquents *shore breaks* (vagues qui se brisent sur le rivage) et forts courants. À l'extrémité est du parc, où la Hanalei River débouche sur la plage, se trouve une petite rampe de mise à l'eau d'où partent les kayakistes qui remontent la rivière.

Cours de surf

Cette plage au fond sablonneux descend en pente douce vers la mer, ce qui en fait un site sûr pour les surfeurs débutants. Les cours sont généralement donnés juste à l'ouest de la jetée, où les écoles de surf sont légion.

Camping

Si la North Shore (côte Nord) comprend principalement des logements de location, des maisons d'hôtes et des hébergements dans les fermes, on peut aussi, en demandant à l'avance un permis auprès du comté, camper au Black Pot Beach Park (Hanalei Pier), une option sûre et sympathique. Les installations se limitent à des toilettes, des tables de pique-nique et des douches extérieures à eau froide. Le camping est uniquement autorisé les vendredis, samedis et jours fériés.

Hanalei Beach Park

Cette plage plaisante bénéficie d'un emplacement idéal, juste au nord de Black Pot Beach. Sa vue étendue en fait un excellent endroit pour un pique-nique, le coucher du soleil ou une journée de détente sur le sable. Il peut être très difficile de trouver une place dans le parking. Si vous n'avez pas d'autres choix, garez-vous dans Weke Road. Toilettes et douches extérieures sont disponibles sur place. Pour camper, un permis doit être demandé à l'avance auprès du comté.

Hanalei Ville

Plus animée que Princeville, cette toute petite localité a tout pour séduire. Le syndrome de Peter Pan semble très répandu à Hanalei : vous verrez de nombreux sexagénaires farter leurs planches comme le feraient de jeunes surfeurs avec leur première planche, comme si l'on pouvait ici vieillir sans grandir.

Église Wai'oli Hui'ia

Nombre de mariages sont célébrés dans cette église pittoresque. L'édifice d'origine fut construit par les premiers missionnaires de Hanalei, William et Mary Alexander, arrivés à bord d'une pirogue à double coque en 1834. L'église, la salle et la maison missionnaire sont toujours au centre de la ville, au cœur d'une immense pelouse bien entretenue, avec une belle montagne à l'arrière-plan.

Équipe féminine hawaïenne de pirogue à balancier à Hanalei

L'église verte en bois de style gothique américain que peuvent aujourd'hui voir les passants fut offerte en 1912 par trois des fils d'Abner Wilcox, un autre missionnaire de l'île. Les portes restent ouvertes la journée et les visiteurs sont les bienvenus. Une bible en hawaiien du XIXᵉ siècle est exposée sur l'orgue ancien. La chorale de l'église chante des cantiques en hawaiien lors du service du dimanche, à 10h.

> ### ℹ Infos pratiques
> On ne peut accéder au Hanalei National Wildlife Refuge qu'en participant au **Ho'opulapula Haraguchi Rice Mill Tours** (p. 133).

Hanalei National Wildlife Refuge

Où que vous alliez à l'ouest de Kilauea, un sentier vous guidera vers des coins toujours plus sauvages et préservés. Longez Kalihiwai et des paysages idylliques encore plus vastes s'étendront devant vos yeux. Les collines ondulent à travers Princeville, où le Hanalei Valley Lookout, en face du Princeville Center, offre sans doute le meilleur point de vue sur le Hanalei National Wildlife Refuge.

La Hanalei River, l'un des cours d'eau les plus importants de l'État, nourrit ses cultures depuis que les premiers Kanaka Maoli (Hawaiiens indigènes) se mirent à cultiver des taros dans les champs fertiles de la vallée. D'autres cultures se succédèrent. Au milieu du XIXᵉ siècle, des rizières y furent cultivées pour nourrir les travailleurs chinois des plantations sucrières. Dans les années 1930, la région de Hanalei comprenait quatre rizeraies en activité. Aujourd'hui, le taro domine à nouveau, avec seulement 5% de sa superficie d'origine.

La réserve naturelle, établie en 1972, est fermée au public. On peut néanmoins observer depuis le point de vue les 49 espèces d'oiseaux dans leur habitat, dont des espèces indigènes de la vallée menacées d'extinction : *ae'o* (échasse de Hawaii ; élancé, au dos noir, à la poitrine blanche et aux longues pattes roses), *'alae kea* (foulque des Hawaii ; gris ardoise, au front blanc), *'alae 'ula* (gallinule poule d'eau hawaiienne ; gris foncé, à la tête noire et au bec rouge et jaune caractéristique) et *koloa maoli* (canard des Hawaii ; brun marbré, aux pattes orange).

🏖 PLAGES

Plusieurs plages se succèdent sur les trois kilomètres de rivages de la baie de Hanalei.

Hanalei Pavilion Beach Park   Plage
Ce splendide parc balnéaire situé vers le milieu de la baie invite à la promenade. Ses eaux sont moins calmes que celles proches de la jetée, plus à l'est, mais la baignade et le stand-up paddle y sont possibles pendant les mois les plus calmes de l'été. Toilettes et douches extérieures sur place. Places de stationnement limitées, mais on peut souvent se garer dans la rue.

Wai'oli Beach Park   Plage
Abrité du soleil, ce parc comprend toilettes, douches extérieures, terrains de beach-volley et tables de pique-nique. Durant l'hiver, les surfeurs locaux s'emparent du spot de surf de **Pine Trees**. Les *shore breaks* (brisants de rivage) sont ici plus violents qu'ailleurs dans la baie, et il est dangereux de s'y baigner, sauf lorsque la houle est faible en été.

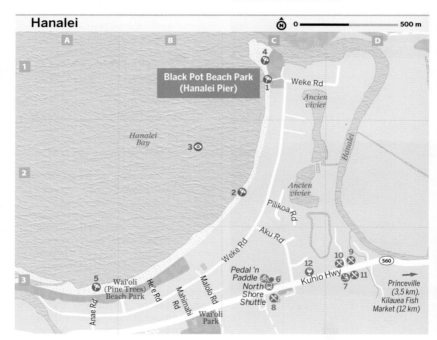

Hanalei

☻ ACTIVITÉS

Moins fréquentée que la Wailua River de l'Eastside, la Hanalei River offre près de 10 km de paisibles panoramas, idéale pour le kayak et le stand-up paddle.

Na Pali Kayak   Kayak
(☑808-826-6900 ; www.napalikayak.com ; 5075 Kuhio Hwy, Hanalei ; circuits 225 $/pers plus taxes et droit d'entrée au parc d'État). Ce circuit en kayak d'une journée permet de découvrir entièrement la superbe Na Pali Coast et ses falaises escarpées hautes de 1 200 m.

Kayak Kaua'i   Kayak
(☑808-826-9844 ; www.kayakkauai.com ; Kuhio Hwy ; circuits Na Pali à partir de 240 $, Blue Lagoon Tour 85-95 $, location de kayaks 45-55 $/jour, livraison incluse). Ce prestataire basé à la Wailua River (Eastside) propose des sorties en kayak sur toute l'île, notamment le long de la Na Pali Coast jusqu'à Kalalau ou Miloi'i avec nuit en camping, et le Blue Lagoon Tour, un circuit d'une journée de kayak et de snorkeling dans la région de Hanalei. Location et livraison de matériel de camping et de kayak dans toute l'île.

Okolehao Trail   Randonnée
(Ohiki Rd). Cet itinéraire escarpé de 4 km aller-retour offre une vue panoramique sur les champs de taros de Hanalei, le début de la Na Pali Coast et, par temps clair, le phare de Kilauea. La rude ascension à travers la forêt est récompensée par de superbes panoramas.

☻ CIRCUITS ORGANISÉS

Ho'opulapula Haraguchi Rice Mill & Taro Farm Tours   Circuits
(☑808-651-3399 ; www.haraguchiricemill. org ; circuits avec déj adulte/enfant 5-12 ans 87/52 $; ☉circuits en général 9h45 mer, sur réservation uniquement). ☈ Découvrez la culture du taro sur Kaua'i dans cette ferme et rizerie (la dernière de l'archipel) à but non lucratif, gérée par la même famille depuis six générations. Les circuits dans les champs de taros encadrés par les agriculteurs donnent aux visiteurs l'occasion d'accéder au Hanalei National Wildlife Refuge (p. 131), autrement fermé

Champs de taros près de Hanalei Bay

Hanalei Bay

au public, et d'en apprendre davantage sur l'histoire de l'immigration à Hawaii.

Na Pali Catamaran
Sortie en bateau (☎808-826-6853, 866-255-6853 ; www. napalicatamaran.com ; Ching Young Village, 5-5190 Kuhio Hwy ; circuits de 4 heures 180-199 $). Cette équipe exceptionnelle, qui organise des circuits depuis plus de 35 ans, propose des sorties en catamaran confortable le long de la Na Pali Coast au départ de Hanalei Bay. Selon les conditions météorologiques et la période de l'année, vous pourrez vous aventurer dans des grottes marines. Sachez néanmoins que des vagues n'accordent aucun répit. Âge minimal 5 ans.

Na Pali Explorer
Sortie en bateau (☎808-338-9999 ; www.napaliexplorer.com ; circuits de 4 heures 30 99-129 $; 👤). Partez faire du snorkeling en canot pneumatique à coque rigide, plus stable que les Zodiacs. L'embarcation la plus longue (15 m), qui transporte jusqu'à 36 passagers, comprend des toilettes et un toit qui protège du soleil. Circuits au départ de Hanalei Bay. Âge minimal 5 à 8 ans, selon le bateau.

🍴 OÙ SE RESTAURER

BarAcuda Tapas & Wine
Méditerranéen $$$ (☎808-826-7081 ; www.restaurantbaracuda. com ; Hanalei Center, 5-5161 Kuhio Hwy ; assiettes partagées 7-26 $; ⏲17h30-22h, la cuisine ferme à 21h30). ⚓ Le meilleur restaurant de chef de Hanalei. La carte des vins associe breuvages européens et américains, et les assiettes de style tapas, avec bœuf, poisson, porc et légumes locaux, sont destinées à être partagées.

Hanalei Bread Company
Boulangerie $ (☎808-826-6717 ; www.restaurantbaracuda. com/hanalei-bread-shop ; Hanalei Center, 5-5183 Kuhio Hwy ; plats 9-14 $; ⏲7h-17h). Ce nouveau café-boulangerie bio appartient à l'équipe du BarAcuda. On y propose baguettes et pains croustillants fraîchement cuits, excellent café, pizzas de petit-déjeuner avec oignon, bacon et œuf mollet, crêpes sans gluten, légumes grillés et fromages de chèvre. Le service est rapide.

Kilauea Fish Market
Produits de la mer $$

(📞808-828-6244 ; Kilauea Plantation Center, 4270 Kilauea Rd ; plats 10-18 $; ⏰11h-20h lun-sam). Des versions saines de *plate lunch* ("assiettes-déjeuners") servies au comptoir : *ono* (thazard à chair blanche) frais, poulet grillé à la coréenne, *mahi-mahi* (poisson à chair blanche) ou encore savoureux wraps d'*ahi* (thon). À l'arrière du Kilauea Plantation Center. Tables de pique-nique extérieures. Apportez votre propre bière ou vin et armez-vous de patience.

Hanalei Dolphin Restaurant & Sushi Lounge
Produits de la mer $$$

(📞808-826-6113 ; www.hanaleidolphin.com ; 5-5016 Kuhio Hwy ; plats déj 12-16 $, dîner 25-40 $; ⏰restaurant 11h30-21h, marché 10h-19h). Si vous êtes du genre indécis, laissez les chefs sushi de ce restaurant, l'un des plus anciens de Hanalei, vous concocter un assortiment avec les poissons frais du jour. Si vous n'aimez pas le poisson cru, optez pour un plat cuisiné : ici, tout est bon.

Postcards Cafe
Fusion $$$

(📞808-826-1191 ; postcardscafe.com ; 5-5075 Kuhio Hwy ; plats 24-38 $; ⏰17h30-21h ; 🖊️). 🖊️ Le genre de petite maison de campagne avec jardin, au charme raffiné et avec une ancre rouillée à l'entrée, que l'on pourrait trouver en Nouvelle-Angleterre. Une touche fusion agrémente souvent les plats véganes et de la mer, par exemple ahi à la croûte au wasabi ou queue de homard à la croûte au fenouil. Réservation recommandée pour les groupes de quatre ou plus.

🍸 OÙ PRENDRE UN VERRE ET FAIRE LA FÊTE

Tahiti Nui
Bar

(📞808-826-6277 ; thenui.com ; 5-5134 Kuhio Hwy ; ⏰11h-22h dim-jeu, 11h-minuit ven-sam). Ce *tiki-bar* légendaire a une âme, une histoire et une carte plutôt bonne pour le dîner. Il est généralement bondé dès le milieu de l'après-midi et l'ambiance atteint son paroxysme le soir, avec ses concerts de

---

🍽️ Le taro, aliment sacré

Selon la cosmologie hawaiienne, Papa (Mère-Terre) et Wakea (Père-Ciel) donnèrent naissance à Haloa, un frère mort-né de l'homme. Haloa fut mis en terre et son corps donna le *kalo* (taro). Depuis longtemps source de subsistance du peuple hawaiien et aliment de base des cultures océaniques du monde entier, le *kalo* est toujours considéré comme un aliment sacré pour les Hawaiiens. Hanalei comprend la plus grande exploitation de taros de l'État, Hoʻopulapula Haraguchi Rice Mill & Taro Farm, où ce féculent violet proche de la pomme de terre est cultivé dans des *loʻi kalo* (champs de taros inondés). Riche en nutriments, le *kalo* est souvent bouilli et réduit en *poi*, sorte de pudding gluant au goût farineux et légèrement sucré.

---

musique hawaiienne. La fréquentation est particulièrement importante le week-end – c'est le seul endroit ouvert après 22h.

ℹ️ DEPUIS/VERS HANALEI

Une seule route dessert Hanalei. Lors de fortes pluies (fréquentes en hiver), le Hanalei Bridge est parfois fermé en raison des inondations ; on peut se retrouver coincé d'un côté ou de l'autre jusqu'à sa réouverture.

Si vous n'avez pas de voiture de location, la navette **North Shore Shuttle** (p. 123) relie Hanalei à Keʻe, marquant en chemin de multiples arrêts à Waniha et Haena.

ℹ️ COMMENT CIRCULER

Pedal 'n Paddle (📞808-826-9069 ; Ching Young Village, 5-5105 Kuhio Hwy ; ⏰9h-18h) loue vélos de randonnée (par jour/semaine 15/60 $) et vélos de route hybrides (20/80 $), avec casque et cadenas inclus.

WAIMEA CANYON (KAUA'I)

Waimea Canyon (Kauaʻi)

On est ici au bout du monde. Et tout – aussi bien le paysage que les gens – a un côté plus sauvage qu'ailleurs. Si on ne trouve pas ici une multitude de restaurants et complexes hôteliers haut de gamme, on peut y apprécier un esprit sincèrement chaleureux, fier, authentique et purement hawaiien.

Cette région aux parcs remarquables, baignée de soleil et proche de la célèbre Na Pali Coast, est un paradis pour aventuriers, avec ses fascinants canyons rouges profonds, ses falaises extrêmement escarpées au milieu de la jungle, ses spots de surf oubliés, ses plages désertes, ses points de vue exceptionnels, ses cascades, et l'océan, qui semble s'étendre à l'infini.

Le Waimea Canyon en 2 jours

Suivez la Route 550 à travers le Waimea Canyon et le Kokeʻe State Park, et arrêtez-vous aux nombreux superbes points de vue. Faites une halte au **Kokeʻe Museum** (p. 144), puis promenez-vous dans la rue principale du Hanapepe historique. Le lendemain, admirez la magnifique Na Pali Coast depuis la mer. Dirigez-vous ensuite vers le **West Kauaʻi Technology & Visitor Center** (p. 148) pour une plongée dans l'histoire.

Le Waimea Canyon en 4 jours

Le troisième jour, randonnez dans le **Kokeʻe State Park** (p. 144), un chef-d'œuvre de la nature. Le dernier jour, parcourez **Waimea Canyon Drive** (p. 142) pour profiter d'une vue spectaculaire. Pour le dîner, offrez-vous un steak juteux au **Wranglers' Steakhouse** (p. 151). Terminez avec un coucher du soleil au **Kekaha Beach Park**.

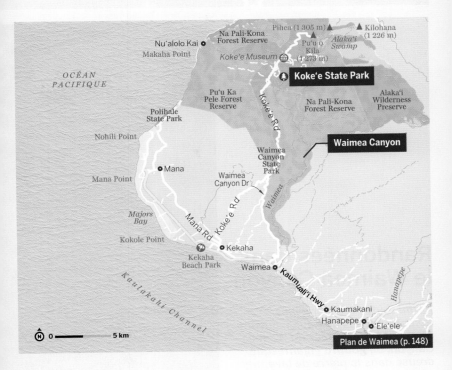

Na Pali-Kona
Forest Reserve

Pihea (1 305 m) ▲   ▲ Kilohana
(1 226 m)

Nu'alolo Kai ●   Pu'u o   *Alaka'i*
Makaha Point   Kila   *Swamp*
(1 273 m)

Koke'e Museum 🏛

Koke'e State Park

*OCÉAN
PACIFIQUE*

Pu'u Ka
Pele Forest
Reserve

Na Pali-Kona
Forest Reserve

Alaka'i
Wilderness
Preserve

Polihale
State Park

Waimea Canyon

Nohili Point

Waimea
Canyon
State
Park

● Mana

Waimea
Canyon Dr

Mana Point

*Majors
Bay*

Kokole Point

Kekaha
Beach Park   ● Kekaha

Waimea ●   Kaumuali'i Hwy

Kaulakahi Channel

Hanapepe

● Kaumakani
Hanapepe ●   ●'Ele'ele

N 0 ▬▬▬ 5 km

Plan de Waimea (p. 148)

Comment s'y rendre

Waimea est facilement accessible
en voiture de location. Le **Kaua'i Bus**
(p. 123) dessert aussi le village.

Où se loger

On trouve de belles maisons
de vacances dans le Waimea Canyon
et dans le Westside, plusieurs donnant
directement sur la plage, ainsi que
quelques jolies auberges et un hôtel
historique de style resort. Au Koke'e
State Park, on peut loger dans
des bungalows basiques ou camper
avec sa propre tente.

Cascade dans le Waimea Canyon

Randonnées dans le Waimea Canyon

Parmi toutes les merveilles exceptionnelles de Kaua'i, aucune n'atteint la splendeur du Waimea Canyon, un gouffre gigantesque creusé dans la pierre de lave, de 16 km de long et de plus de 1 000 m de profondeur !

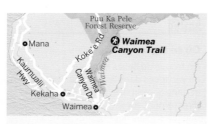

Pour ceux qui aiment...

❶ Infos pratiques

Les téléphones portables ne captent pas ici. Ne randonnez pas seul ou informez quelqu'un de votre heure de retour prévue.

★ **Bon à savoir**
Ne buvez pas l'eau douce que vous
trouverez en parcourant les sentiers
sans la traiter.

Géographie

Surnommé le "Grand Canyon du Pacifique", le Waimea Canyon s'est initialement formé lorsque le volcan bouclier de Kaua'i, le Wai'ale'ale, s'est effondré le long d'une ligne de faille. La Waimea River, la plus longue rivière de l'île, y a profondément creusé son lit. Elle est alimentée par les eaux d'infiltration venues des sommets de l'Alaka'i Swamp, qui charrient sur leur parcours le minerai de fer contenu dans la roche – d'où la spectaculaire couleur rouge du site.

Parcourir la région en voiture par temps clair est une expérience phénoménale, en particulier quand des pluies récentes ont gonflé les cascades – mais la boue glissante rend alors la randonnée difficile.

Waimea Canyon Drive

Cette route spectaculaire, la plus belle de l'île, part du West Kaua'i Technology & Visitor Center de Waimea, longe le Waimea Canyon sur toute sa longueur et, devenant Koke'e Road, continue à travers le Koke'e State Park, montant au total sur 30 km entre la côte et le Pu'u o Kila Lookout. Sur le trajet, vous pouvez vous arrêter aux points de vue panoramiques et faire de courtes randonnées. L'impressionnant Waimea Canyon Lookout (point de vue) est à environ 500 m au nord du Mile 10, à 1 040 m d'altitude.

Outre d'époustouflantes perspectives sur le canyon et l'océan, on peut aussi découvrir plusieurs arbres indigènes, notamment le *koa* (un acacia) et l'*ohia* à la floraison rouge, ainsi que des espèces invasives comme le *kiawe*. Les *koa*, reconnaissables à leurs longues feuilles étroites, foisonnent à la station de contrôle des chasseurs.

Le canyon qui part du Waimea Canyon vers l'est est le Koai'e Canyon, où peuvent s'aventurer des randonneurs.

Il n'y a pas de station-service le long de l'itinéraire. Les points de vue majeurs signalés comprennent des toilettes. Envisagez de rejoindre l'extrémité de la route dans la matinée et de faire le trajet en sens inverse pour éviter la circulation.

Waimea Canyon Trail et Koai'e Canyon Trail

Itinéraire relativement plat de 18,5 km (aller), le Waimea Canyon Trail traverse à gué la Waimea River plusieurs fois. Rejoignez le sentier au fond du Waimea Canyon, au bout du Kukui Trail. Un permis d'entrée est nécessaire (disponible aux boîtes d'enregistrement en libre-service au départ du sentier). Emportez de l'anti-moustique.

Vous atteindrez le Koai'e Canyon Trail à environ 800 m en remontant le canyon. Cet itinéraire de niveau moyen de 4,8 km (aller) descend sur le côté sud du canyon vers des piscines naturelles (ne vous y baignez pas par temps pluvieux en raison du risque de dangereuses crues subites).

Randonneur sur l'Awa'awapuhi Trail

Conseils aux randonneurs

Pour les randonneurs expérimentés, plusieurs sentiers accidentés mènent au fond du Waimea Canyon. Notez que ces sentiers sont aussi utilisés par les chasseurs de sangliers et qu'ils sont très fréquentés le week-end et les jours fériés. Des cartes des sentiers sont disponibles au Koke'e Museum, dans le Koke'e State Park.

Des bâtons de randonnée ou un solide bâton en bois facilitent la descente escarpée dans le canyon. Renseignez-vous sur l'heure du crépuscule et prévoyez de revenir bien avant, car l'intérieur du canyon s'assombrit tôt. La pluie rend la randonnée dangereuse : les sentiers de terre rouge deviennent rapidement glissants et la rivière monte à un niveau infranchissable.

Nous vous recommandons d'emporter une lampe torche. Prévoyez suffisamment d'eau pour tout l'itinéraire, en particulier pour la montée retour. Ne buvez pas l'eau que vous trouverez en parcourant les sentiers sans l'avoir traitée.

✕ Une petite faim ?

Emportez la nourriture pour la journée. Des petits stands de nourriture proposant fruits frais, en-cas et boissons sont installés à certains points de vue.

Camping

Au Waimea Canyon State Park, les quatre campings de pleine nature (18 $ la nuit) le long des sentiers du canyon se trouvent dans la réserve forestière. Un permis de camper doit être demandé à l'avance.

MARIDAV/SHUTTERSTOCK ©

Randonneur sur le Awa'awapuhi Trail

CHASE CLAUSEN/SHUTTERSTOCK ©

Randonnées dans le Koke'e State Park

Le vaste Koke'e (ko-keh-eh) State Park est un paradis pour écotouristes. On y découvre des panoramas saisissants, ainsi que certains des écosystèmes les plus précieux de l'île.

Pour ceux qui aiment...

☑ **Ne ratez pas**

La vue sur Kalalau Valley depuis le Kalalau Lookout, au panneau Mile 18.

La variété des espèces endémiques ravira les botanistes, et les amateurs d'oiseaux en prendront plein les jumelles. Les randonneurs pourront échapper à l'ardeur du soleil sur les divers sentiers de tous niveaux de difficulté.

Le parc comprend 72 km de sentiers de randonnée, à travers des marécages, une forêt humide ou encore au bord d'un canyon rouge offrant une vue qui peut même donner le vertige aux alpinistes. Y randonner offre l'occasion de voir des espèces endémiques de plantes et d'animaux, notamment des oiseaux forestiers de Kaua'i menacés d'extinction.

Koke'e Museum

On trouve dans ce musée (☎808-335-9975 ; www.kokee.org ; don 3 $; ⊙9h-16h30 ; 👶) 🎋

'Akiapola'au (*Hemignathus wilsoni*)

ROLF NUSSBAUMER/GETTY IMAGES ©

des cartes topographiques détaillées,
des expositions sur la faune et la flore,
ainsi que des photos historiques locales.
On peut y voir également des croquis
botaniques de plantes endémiques
et des animaux résidents du Koke'e
empaillés. La boutique de souvenirs
vend une pratique carte du parc
et de ses sentiers de randonnée.

Rejoindre les sentiers

Halemanu Road, juste au nord du Mile 14
de Koke'e Rd, est le point de départ
de plusieurs randonnées pittoresques.
La praticabilité de la route en véhicule
non doté de quatre roues motrices
dépend des récentes précipitations.
Notez que de nombreux contrats
de location de voiture interdisent
la conduite hors route.

ⓘ Infos pratiques

Vous obtiendrez des informations sur
l'itinéraire au Koke'e Museum et sur le site
du Nā Ala Hele (www.hawaiitrails.org/trails).

✕ Une petite faim ?

Reprenez des forces avec un hamburger
et une boisson au **Koke'e Lodge**
(☏ 808-335 6061 ; Koke'e Rd ; plats 5-9 $;
⏱ 9h-14h30, à emporter jusqu'à 15h ; ♿).

Awa'awapuhi Trail

Avec la vue inoubliable qu'il offre sur des falaises de 60 m dominant la Na Pali Coast, l'Awa'awapuhi Trail (5,1 km aller) est sans doute le meilleur itinéraire de Koke'e.

Moins escarpé, moins technique et plus adapté aux familles – donc plus fréquenté – que le spectaculaire Nu'alolo Trail voisin, l'Awa'awapuhi Trail exige néanmoins une bonne endurance et comprend des passages raides qui vous obligeront peut-être à vous accrocher à des arbres. Au bout du sentier vous attend une vue à couper le souffle sur les falaises en contrebas du Awa'awapuhi Lookout.

Nu'alolo Trail

Le Nu'alolo Trail (6,1 km) est l'un des sentiers les plus escarpés et les plus techniques de la région, mais il offre une vue imprenable sur la Na Pali Coast. Le départ se situe juste au sud du Koke'e Museum.

Le sentier descend de 430 m sur le premier kilomètre et demi. La première moitié du parcours est bien ombragée, tandis que la seconde peut être plus exposée. Le trajet aller-retour prend environ 5 heures. Pensez à garder suffisamment d'eau pour le retour en montée.

Cliff Trail et Canyon Trail

Le Cliff Trail, sentier de 160 m relativement facile, conduit à une jolie vue sur le canyon. Continuez sur le Canyon Trail, itinéraire de 2,7 km boisé et escarpé qui descend avant de déboucher sur un vaste promontoire de terre rouge bordé de falaises sur un côté. Peu après, une montée ardue permet de gagner les Waipo'o Falls.

C'est la meilleure zone de randonnée familiale du parc. Si vous êtes fatigué, vous pouvez faire demi-tour aux cascades. Sinon, suivez le sentier qui franchit le ruisseau pour rejoindre le bord du canyon. Le parcours se termine au Kumuwela Lookout, où vous pouvez profiter d'une table de pique-nique avant de rebrousser chemin jusqu'à Halemanu Road.

Pour le retour, on peut aussi prendre à droite à la jonction (signalée) avec le Black Pipe Trail, au bout du lacet qui quitte le bord du canyon. Cet itinéraire de 800 m aboutit à la route pour 4x4, où l'on tourne à gauche pour redescendre au point de départ.

Pour vous rendre au départ du Cliff Trail et du Canyon Trail, descendez Halemanu Road à pied sur 1,3 km. Le Halemanu Stream toujours sur votre gauche, prenez à droite le chemin qui mène aux sentiers. À la jonction suivante, le Cliff Trail bifurque à droite et monte jusqu'à un point de vue. On peut aussi aller directement en 4x4 jusqu'au réseau de sentiers depuis l'extrémité de Kumuwela Ridge (pont).

Du Pihea Trail
à l'Alaka'i Swamp Trail

Ce trek aller-retour de 12 km accidenté et ardu part du Pu'u o Kila Lookout, au bout

Alakai Swamp Trail

★ **Bon à savoir**
Si la saison des pluies s'étend d'octobre à mai, des vêtements de pluie peuvent être nécessaires à toute période de l'année.

de Koke'e Road. Après moins de 2 km apparaît le Pihea Lookout. Puis, une courte descente exigeante mène à une promenade en planches. Environ 2,9 km plus loin, on atteint l'intersection avec l'Alaka'i Swamp Trail. En prenant à gauche, on se dirige vers le Kilohana Lookout.

En continuant tout droit, le Pihea Trail conduit au Kawaikoi Campground (camping). La plupart des randonneurs partent du Pu'u o Kila Lookout, car celui-ci est accessible par la route asphaltée.

Les deux sentiers peuvent être boueux et non entretenus depuis un certain temps. Le tronçon entre l'Alaka'i Crossing et le Kilohana Lookout comprend des centaines de marches, qui peuvent mettre les genoux à rude épreuve. Prévoyez toute une journée pour cette randonnée.

Koke'e Resource Conservation Program

Il est possible de participer au programme d'éradication des espèces invasives et de restauration de l'habitat indigène de l'île proposé par cette organisation écologique. C'est un moyen unique d'en apprendre davantage sur la faune et la flore locales. Renseignez-vous sur www.krcp.org.

★ Eo e Emalani I Alaka'i

Le festival de danse d'une journée qui a lieu au Koke'e Museum (en extérieur) début octobre commémore le voyage de la reine Emma à l'Alaka'i Swamp en 1871. Le programme comprend entre autres défilé royal, danse *hula* et concerts.

MARISA ESTIVILL/SHUTTERSTOCK ©

Waimea

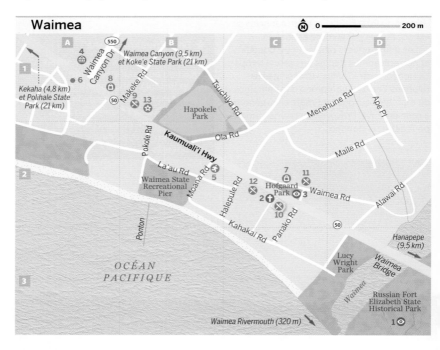 À VOIR

**West Kaua'i Technology
& Visitor Center** — Musée

(📞808-338-1332 ; www.westkauaivisitorcenter.
org ; 9565 Kaumuali'i Hwy ; 🕙10h-16h lun-ven ;
♿). ⭐**GRATUIT** Un voyage historique dans le

Westside à travers de modestes expositions
sur la culture hawaiienne, James Cook,
les plantations sucrières et l'armée
américaine. La boutique de souvenirs
vend de l'artisanat local, notamment
de rares *lei* de coquillages de Ni'ihau.

Le centre d'accueil des visiteurs propose
une visite à pied gratuite de la Waimea
historique (3 heures) le lundi à 8h30

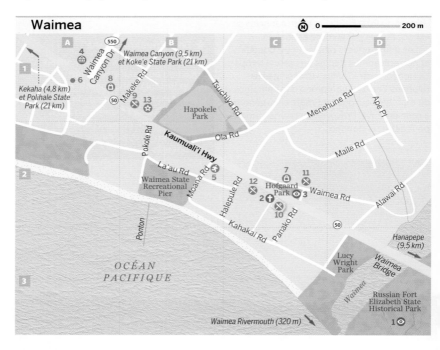

Waimea

(appelez pour vous inscrire avant midi le vendredi précédent).

Russian Fort Elizabeth State Historical Park
Site historique

(dlnr.hawaii.gov/dsp/parks/kauai ; près de Kaumuali'i Hwy ; ☉aube-crépuscule). GRATUIT

Un fort russe à Hawaii ? Eh bien oui. Construit en 1817, le Fort Elizabeth, du nom de l'impératrice de Russie, domine l'entrée de la Waimea River. Le diamètre de cette structure octogonale irrégulière atteint jusqu'à 140 m. Outre un canon, le fort comprenait autrefois une chapelle orthodoxe russe. Aujourd'hui, il n'y a plus grand-chose à voir à part d'impressionnants remparts, de 6 m de haut pour certains. La jolie plage au bord de la rivière n'est pas idéale pour la baignade, mais c'est un lieu agréable pour une promenade.

Waimea Hawaiian Church
Église

(4491 Halepule Rd ; ☉services 9h dim). Cette réplique simple de l'église missionnaire d'origine accueille une messe en langue hawaiienne le dimanche ; une occasion authentique pour entrer en contact avec la culture locale. Les premiers missionnaires chrétiens arrivèrent à Waimea en 1820. Le révérend George Rowell fit construire l'église d'origine en 1865 après un différend théologique avec son comissionnaire.

⊕ ACTIVITÉS

Les excursions au large de la Na Pali Coast qui partent du Kikiaola Small Boat Harbor de Kekaha sont moins agitées que celles au départ de Port Allen, près de Hanapepe.

Na Pali Riders
Sortie en bateau

(☎808-742-6331 ; www.napaliriders.com ; 9600 Kaumuali'i Hwy ; circuit de 4 heures adulte/enfant de 5-12 ans 1 559/119 $). Explorez des grottes marines (si la météo le permet) avec le capitaine Chris Turner, haut en couleurs. Notez que cette excursion en Zodiac, dépourvue d'ombre et mouvementée, ne convient pas à tous. Départs le matin et l'après-midi. Remises pour les paiements en espèces.

Alaka'i Swamp

Classé réserve naturelle en 1964, ce paradis marécageux est traversé par un sentier de randonnée presque entièrement bordé de palissades de planches. L'itinéraire à travers les marais embrumés et les minuscules plantes carnivores est fantastique. Par temps clair, le Kilohana Lookout offre une vue remarquable sur la Wainiha Valley et sur l'océan au loin. S'il pleut, ne soyez pas déçu ; cherchez les arcs-en-ciel et imprégnez-vous de l'ambiance mystique. On raconte que la reine Emma, impressionnée par les histoires sur ce lieu chargé de spiritualité, y séjourna et lui rendit hommage en chantant.

L'Alaka'i Swamp possède ses propres rythmes biologiques et on trouve ici bien plus d'oiseaux endémiques que d'espèces introduites, contrairement au reste de l'archipel. Nombre de ces espèces indigènes sont menacées d'extinction, certaines comptant aujourd'hui moins de 100 individus.

Geai buissonnier

Na Pali Explorer
Sortie en bateau

(☎303-338-9999 ; www.napaliexplorer.com ; 9814 Kaumuali'i Hwy ; circuit en canot adulte/enfant 139/119 $, circuit avec débarquement sur la plage 149/129 $). Ce prestataire du Westside propose d'excellents circuits en petits canots pneumatiques. Vous pourrez soit débarquer sur la plage et randonner jusqu'à un petit village, soit vivre une expérience exaltante à bord d'un canot pneumatique à coque rigide. Le bateau le plus grand est doté d'un toit. Emportez une serviette pour vous sécher après le snorkeling.

Hike Kaua'i Adventures   Randonnée
(☏808-639-9709 ; www.hikekauaiadventures. com ; demi-journée/journée entière jusqu'à 4 pers 200/320 $). Jeffrey Courson connait tous les sentiers de randonnée de Kaua'i, mais aussi sa faune et sa flore ainsi que sa riche histoire. Il organise des randonnées sur mesure et assure le transport "porte à porte".

Big Island Bike Tours   Vélo
(☏800-331-0159 ; www.bigislandbiketours.com ; circuits à partir de 160 $; 🖭). Fondée par un cycliste professionnel expérimenté, cette agence propose divers circuits de groupe, dont deux dans la région de Honoka'a au départ de Waimea, où l'agence est basée.

Waimea Rivermouth   Surf
Dans l'étroite embouchure de la Waimea, les vagues sont souvent parfaites – le site est donc très fréquenté.

🛍 ACHATS

Kaua'i Granola   Nourriture
(☏808-338-0121 ; 9633 Kaumuali'i Hwy ; ⊙10h-17h lun-sam). Avant de partir pour le Waimea Canyon et le Koke'e State Park, arrêtez-vous dans cette boulangerie pour faire le plein de cookies aux noix de macadamia, macarons à la noix de coco et chocolat, granola aux saveurs tropicales, etc.

Aunty Lilikoi Passion Fruit Products   Nourriture, souvenirs
(☏808-338-1296, 866-545-4564 ; www. auntylilikoi.com ; 9875 Waimea Rd ; ⊙10h-18h). Vous trouverez ici tout un tas de produits contenant du *liliko'i* (fruit de la passion) : moutarde wasabi-fruit de la passion, sirop, huile de massage ou encore baume pour les lèvres parfumé (idéal après le surf).

🍴 OÙ SE RESTAURER

Voici une sélection de nos meilleures adresses du Westside. Les établissements ferment tôt.

Mangue fraîche

Ishihara Market   Traiteur $

(☑808-338-1751 ; 9894 Kaumuali'i Hwy ; bento 5-7 $; ☺6h-19h30 lun-jeu, 6h-20h ven-sam, 6h-19h dim). Ce marché couvert historique (1934 environ) possède une zone traiteur très réputée (arrivez avant l'affluence du déjeuner). Parmi les classiques à emporter : sushis, *poke* d'*ahi* (thon) épicé et marlin fumé. Sont aussi proposées des spécialités du jour et des viandes marinées pour le barbecue. Le parking est souvent complet.

Yumi's   Diner $

(☑808-338-1731 ; 9691 Kaumuali'i Hwy ; plats 5-10 $; ☺7h30-14h30 mar-jeu, 7h-13h et 18h-20h ven, 8h-13h sam). Cette institution locale sympathique propose des plats nourrissants à des prix raisonnables : *plate lunch* ("assiette-déjeuner") au poulet *katsu* ou au bœuf teriyaki, hamburger, mini *loco moco* ou bol de *saimin* (soupe de nouilles). Terminez par une part de tarte à la noix de coco ou un *pumpkin crunch* ("croquant au potiron").

G's Juicebar   Cuisine saine $

(☑808-634-4112 ; 9691 Kaumuali'i Hwy ; encas à partir de 7 $; ☺7h-18h lun-ven, 9h-17h sam). Votre quête du meilleur *açai bowl* de Kaua'i vous mènera probablement dans ce bastion de rastafaris. Le Marley Bowl comprend du chou kale et du pollen d'abeilles, le Kaua'i Bowl du jus de mangue et de la noix de coco râpée. Désaltérez-vous avec un smoothie tropical ou un maté.

Jo-Jo's Anuenue Shave
Ice & Treats   Desserts $

(9899 Waimea Rd ; encas à partir de 3 $; ☺10h-17h30 ; 👟). Ce cabanon est spécialisé en *shave ice* (glace pilée aromatisée). Tous les sirops sont faits maison sans additifs et leur teneur en sucre est modérée. Le *halo halo* (mélange de fruits à la philippine) à la noix de coco est le parfum vedette.

Wrangler's Steakhouse   Steak $$

(☑808-338-1218 ; www.facebook.com/ wranglerssteakhouse ; 9852 Kaumuali'i Hwy ; plats 10-30 $; ☺11h-20h30 lun-jeu, 16h-21h ven-sam, 16h-20h30 dim ; 👟). Certes touristique, ce steakhouse de style saloon sert des "déjeuners de travailleurs des plantations"

✦ Waimea Town Celebration

À la mi-février, Waimea s'anime à l'occasion de cette fête gratuite. Au programme : rodéo de *paniolo* (cow-boys hawaiiens), contes, courses de pirogues, de stand-up paddle et de surf-ski, stands de nourriture locale, jeux de fête foraine, foire d'artisanat et concours d'ukulélé et de fabrication de lei.

dans d'authentiques gamelles pleines de bonnes choses. Les steaks servis encore grésillants pour le dîner sont corrects ; nous avons moins apprécié les produits de la mer et le bar à soupes et à salades. Gardez une place pour le *peach cobbler* (tarte aux pêches). Le *lanai* (véranda) à l'avant et le porche à l'arrière sont pleins de charme.

⭐ OÙ SORTIR

Waimea Theater   Cinéma

(☑808-338-0282 ; www.waimeatheater.com ; 9691 Kaumuali'i Hwy ; adulte/enfant 5-10 ans 8/6 $). Ce cinéma Art déco est idéal les jours de pluie ou après une journée à la plage. Kaua'i a un peu de retard sur les nouveautés et les horaires sont irréguliers, mais c'est l'un des deux seuls cinémas en activité de l'île (l'autre est à Lihu'e).

ℹ DEPUIS/VERS WAIMEA CANYON

Waimea Canyon est facilement accessible en voiture de location. Le **Kaua'i Bus** (p. 123) dessert aussi le village.

ℹ COMMENT CIRCULER

De manière générale, mieux vaut louer une voiture. Certaines agences de location de voitures vous interdisent d'emprunter la piste de terre vers Polihale ou les routes secondaires de l'arrière-pays. Les circuits à vélo descendant dans le Waimea Canyon sont extrêmement amusants.

MOLOKA'I

Moloka'i

Moloka'i est souvent présentée comme l'île "la plus hawaiienne" de l'archipel, ce qui n'est pas faux en matière d'ascendance – plus de 50% de ses habitants sont des descendants des premiers Hawaiiens.

Dans la partie est de l'île, tropicale et magnifique, les antiques sites hawaiiens sont jalousement préservés, tandis que l'aménagement de la partie occidentale, sacrée pour beaucoup, est massivement rejeté. Si vous recherchez un lieu qui célèbre le patrimoine naturel et la culture autochtone, alors Moloka'i est faite pour vous.

Moloka'i en 2 jours

Visitez **Kaunakakai** (p. 164), puis parcourez les 43 km de route sublime jusqu'à la **Halawa Valley** (p. 156), à l'est, et marchez jusqu'à la cascade. Déjeunez au **Mana'e Goods & Grindz** (p. 168), à Puko'o, puis sortez masque et tuba à la **Twenty Mile Beach** (p. 167). À Kaunakakai, glanez de quoi préparer à dîner sous les étoiles dans votre location. Le dernier jour, laissez-vous conduire à dos de mule jusqu'au **Kalaupapa National Historical Park** (p. 160).

Moloka'i en 4 jours

Passez le troisième jour dans la vénérable forêt tropicale de Moloka'i, puis dînez au **Kualapu'u Cookhouse** (p. 168). Le matin du dernier jour, faites étape à Kaunakakai afin de faire provision de livres relatifs à l'île au **Kalele Bookstore** (p. 167), puis mettez le cap au nord-ouest, en direction des splendides West End Beaches (p. 165). Enfin, achetez le souvenir idéal au **Big Wind Kite Factory** (p. 167), à Maunaloa.

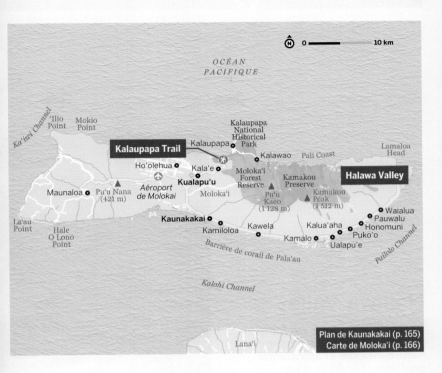

OCÉAN PACIFIQUE

Kalaupapa Trail

Kalaupapa National Historical Park

Kalaupapa

Kalawao

Pali Coast

Lamaloa Head

'Ilio Point

Mokio Point

Ho'olehua

Kala'e

Moloka'i Forest Reserve

Kamakou Preserve

Halawa Valley

Kaunakakai

Kualapu'u

Aéroport de Molokai

Moloka'i

Maunaloa

Pu'u Nana (421 m)

Pu'u Kaeo (1 128 m)

Kamakou Peak (1 512 m)

Waialua
Pauwalu
Honomuni

Kaunakakai

Kamiloloa

Kawela

Kalua'aha

Puko'o

La'au Point

Hale O Lono Point

Kamalo

'Ualapu'e

Barrière de corail de Pala'au

Kalohi Channel

Ka'iwi Channel

Paìlolo Channel

Lana'i

0 — 10 km

Plan de Kaunakakai (p. 165)
Carte de Moloka'i (p. 166)

Comment s'y rendre

Le ferry de Maui n'est plus en circulation.

L'**Aéroport de Moloka'i** (p. 325) est modeste ; les monomoteurs y sont majoritaires.

Makani Kai Air propose des vols réguliers et charters à destination de Kalaupapa et Honolulu.

Mokulele Airlines offre des liaisons régulières vers Honolulu et Maui.

Ohana (p. 205), la compagnie régionale de Hawaiian Airlines, dessert Honolulu, Lana'i et Maui depuis Moloka'i.

Où se loger

Le seul hôtel de Moloka'i se trouve à Kaunakakai. Les visiteurs séjournent généralement en B&B, en cottage, en appartement ou en maison. Pour toute information ou réservation, consultez www.visitmolokai.com et www.molokai.com, notamment. La qualité des hébergements va du rustique au sélect. Les plus belles locations jouissent d'un terrain privé donnant sur l'océan. Les plus agréables se trouvent généralement vers l'est, au cœur de la verdoyante région côtière. Les auberges de jeunesse sont absentes, tandis que le camping est limité aux parcs de l'État ou du comté.

Vue sur la Halawa Valley et le Halawa Beach Park (p. 158)

Halawa Valley

Dotée d'un paysage sublime, la Halawa Valley, qui conjugue nature inviolée et spiritualité profonde, bénéficie d'un isolement de bout du monde, que les habitants protègent jalousement avec barrières et écriteaux.

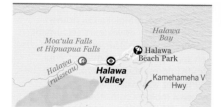

Moa'ula Falls et Hipuapua Falls

Halawa (ruisseau)

Halawa Valley

Halawa Bay

Halawa Beach Park

Kamehameha V Hwy

Pour ceux qui aiment...

❶ Infos pratiques

La visite de Moa'ula et des Hipuapua Falls requiert la présence d'un guide.

★ **Bon à savoir**
Les moustiques sont insatiables sur le parcours. Utilisez un produit répulsif.

Halawa Beach Park

Halawa Beach est prisée des jeunes habitants d'aujourd'hui pour le surf. La plage possède deux criques séparées par un promontoire rocheux, l'anse nord étant légèrement plus protégée que l'anse sud.

Par mer calme, le lieu est parfait pour la baignade et le kayak, mais les deux criques recèlent de perfides courants d'arrachement par forte houle. Au-dessus de la plage, le Halawa Beach Park dispose d'abris à pique-nique, de toilettes et d'un point d'eau (non potable).

Guides

La présence d'un guide est obligatoire et plusieurs habitants proposent leurs services. Il en coûte généralement de 40 à 75 $ par personne, en fonction du temps que vous souhaitez passer dans la vallée. Le rendez-vous est généralement fixé à l'aire de pique-nique du **Halawa Beach Park**.

Guide fortement recommandé, **Anakala Pilipo Solatario** (Halawa Valley Falls Cultural Hike ; ☏808-542-1855, 808-551-1055 ; www.halawavalleymolokai.com ; adulte/enfant 60/35 $; ⊙départ généralement 9h) a passé l'essentiel de sa vie dans la vallée avec sa famille et régale les touristes avec de fascinants détails sur la culture locale. La randonnée proprement dite est habituellement conduite par son fils.

Musicien et habitant du lieu depuis toujours, **Eddie Tanaka** (☏808-658-0191, 808-558-8396 ; edward.tanaka@yahoo.com ;

Église dans la Halawa Valley

randonnée à partir de 60 $) vous préparera une randonnée personnalisée dans les hauteurs de la Halawa Valley et vous en apprendra beaucoup sur la culture et les traditions locales.

Halawa Tropical Flower Farm

Pruet, propriétaire de cette **ferme florale** (Halawa Flower Farm ; www.molokaiflowers. com ; PO Box 523, Kaunakakai, HI 96748 ; ◷10h-16h mar-ven, dim sur RV), organise des randonnées à destination d'une cascade. Visitez les jardins multicolores par vous-même ou réservez un circuit. Depuis l'église, empruntez le chemin de terre sur une trentaine de mètres, puis contournez la barrière et faites encore une trentaine de mètres ; la ferme sera sur votre droite.

RALF BROSKVAR/SHUTTERSTOCK ©

Moa'ula Fall et Hipuapua Fall

Pour nombre de visiteurs, la randonnée jusqu'aux spectaculaires Moa'ula Falls et Hipuapua Falls, cascades nichées au fond de la luxuriante Halawa Valley, constitue le temps fort du séjour à Moloka'i. On accède à ces chutes jumelles (75 m) par un chemin aisé de 3,2 km, jalonné de sites historiques. La présence d'un guide local est requise pour assurer la protection des sites et du terrain privé traversé par le parcours.

En chemin, observez le luxuriant feuillage tropical. Guettez les fleurs orange vif des tulipiers du Gabon et la lumineuse robe émeraude des veloutiers. Parmi les sites culturels ponctuant l'itinéraire figurent un cimetière, qui pourrait dater de l'an 650, et un temple en pierre sur sept niveaux.

Les randonnées peuvent nécessiter de trois à cinq heures. Portez des chaussures robustes pour déjouer la boue et négocier les gros rochers enjambant les rivières. Certaines traversées peuvent s'avérer périlleuses. Prévoyez de l'eau, un déjeuner et une bonne dose de crème solaire. La plupart des visiteurs s'offrent une baignade vivifiante au pied des chutes. Évitez les journées où les petits bateaux de croisière débarquent à Moloka'i, la présence des excursionnistes pouvant altérer l'expérience. Comptez de 40 à 75 $ par personne, en fonction du temps que vous souhaitez passer dans la vallée.

Église locale

Des messes en hawaiien sont parfois données dans la charmante petite église vert et blanc de 1948, où les visiteurs sont toujours les bienvenus (la porte est toujours ouverte).

Kayak

Malgré l'imposante logistique nécessaire, une balade en kayak au départ de Halawa Beach est une excellente façon de découvrir la côte nord-est et les falaises marines les plus hautes du monde, au fil de la Pali Coast.

Falaises (*pali*) de la péninsule de Kalaupapa

Randonnée sur le Kalaupapa Trail

Accroché aux falaises marines les plus hautes du monde, un abrupt et sinueux sentier permet de rejoindre la splendide péninsule de Kalaupapa. C'est dans cette région isolée que des malades de la lèpre étaient jadis confinés.

Pour ceux qui aiment...

☑ **Ne ratez pas**

La vue stupéfiante sur la spectaculaire Pali Coast de Moloka'i, depuis Kalawao.

La péninsule de Kalaupapa

La luxuriante péninsule de Kalaupapa est l'endroit le plus reculé de Moloka'i, elle-même l'île la plus isolée de Hawaii. La seule façon de rejoindre cette région verdoyante, bordée de longues plages de sable blanc, consiste à emprunter un sentier sinueux accroché aux falaises marines les plus élevées du monde, ou à prendre l'avion. Cet isolement explique pourquoi des personnes atteintes de la lèpre furent confinées ici plus d'un siècle durant.

Jusqu'à la fin de l'isolement forcé en 1969, 8 000 patients furent contraints de rallier Kalaupapa. Moins d'une douzaine de patients (aujourd'hui appelés "résidents") vivent encore ici, dans la seule maison qu'ils aient jamais connue et ont refusé de quitter. La péninsule, désormais classée parc historique national, est gérée

Mules, Kalalau Valley

LAURASLENS/SHUTTERSTOCK ©

par le département de la santé de Hawaii et le **National Park Service** (☎808-567-6802 ; www.nps.gov/kala).

Le sentier

Le point de départ du Kalaupapa Trail se trouve à l'est de la Highway 470, au nord des écuries à mules – repérez-vous au panneau du parking de Palaau et aux voitures des employés de Kalaupapa. Ce sentier de 5 km compte 26 lacets, 1 400 marches et un dénivelé excédant les 500 m.

Mieux vaut partir avant 8h, avant que ne commence la descente des randonneurs à dos de mule. Comptez 1 heure 30 pour descendre tranquillement le sentier à pied. Nombre de randonneurs apprécient l'aide d'un bâton de marche, particulièrement utile par temps de pluie.

OCÉAN PACIFIQUE — Kalaupapa • Kalaupapa National Historical Park

Pala'au State Park — **Départ du Kalaupapa Trail** — Kalawao •

Kala'e • — Moloka'i Forest Reserve

Kualapu'u •

❶ Infos pratiques

Le nombre de visiteurs par jour étant limité, il est impératif de réserver auprès de **Damien Tours** (p. 162) pour visiter l'endroit.

✗ Une petite faim ?

Après avoir gravi l'abrupt sentier, commandez un steak au **Kualapu'u Cookhouse** (p. 168).

Au pied des falaises du parc, une plage déserte offre une vue renversante sur les abruptes *pali* (falaises). Les randonneurs sont ensuite invités à poursuivre au-delà du parking et à patienter au niveau des bancs, près de l'écurie à mules, en attendant le bus.

Damien Tours

Toute personne séjournant dans la péninsule de Kalaupapa est invitée à visiter le village via **Damien Tours** (☎808-221-2153, 808-567-6171 ; www.damientoursllc.com ; circuit 60 $; ⊙lun-sam). La réservation est obligatoire (téléphoner entre 16h et 20h). Les visites en bus durent 3 heures 30 et sont accompagnées d'une foule d'anecdotes sur la vie dans la colonie d'autrefois. Si vous n'avez pas réservé un circuit à dos de mule ou toute autre formule organisée, prévoyez

un déjeuner et une bouteille d'eau. L'âge minimum est de 16 ans.

Le bus de Damien Tours vous récupère à 10h, que vous ayez rejoint la péninsule à pied, à dos de mule ou en avion.

La lèpre et la péninsule

Le premier cas de lèpre fut diagnostiqué à Hawaii en 1835. Alarmé par l'avancée de l'épidémie, le roi Kamehameha V signa un décret contraignant les personnes atteintes de s'exiler sur la péninsule de Kalaupapa dès 1866. Les patients étaient acheminés à Kalaupapa par bateau, même si certaines rumeurs évoquent des capitaines qui, par peur de la contagion, auraient poussé les patients par-dessus bord et laissé les malheureux rejoindre la rive à la nage.

Mosaïque du père Damien devant la Father Damien Church, Kalaupapa Peninsula National Historic Park

Une fois sur la péninsule, il n'y avait aucun moyen pour les malades de s'échapper. La colonie initiale était installée à Kalawao, une zone très humide à la pointe orientale de Kalaupapa. Les conditions de vie y étaient terrifiantes, les plus forts dérobant leur ration de nourriture aux plus faibles, tandis que les femmes étaient contraintes de se prostituer. Invariablement, la durée de vie y était limitée et le désespoir immense.

Le père Damien débarqua à Kalaupapa en 1873. D'autres missionnaires l'avaient précédé, mais il fut le premier à rester. Plus que tout autre chose, il apporta dans ses bagages l'espoir et l'inspiration. La même année, Gerhard Hansen, un scientifique norvégien, identifia la bactérie responsable de la lèpre (*Mycobacterium leprae*).

Bien que les sulfamides antibactériens aient permis de soigner la lèpre dès 1946, la politique d'isolement de Kalaupapa ne fut abandonnée qu'en 1969, date à laquelle on y comptait encore 300 patients. Le dernier d'entre eux arriva en 1965. Aujourd'hui, les derniers survivants ont tous autour de 80 ans. Si l'État de Hawaii privilégie l'appellation "maladie de Hansen", nombre d'habitants de Kalaupapa lui préfèrent celle de "lèpre". En revanche, le terme "lépreux" est unanimement considéré comme insultant. Le mot "résident" sera employé de préférence.

★ **Bon plan**
Cachez une bouteille d'eau derrière les rochers qui jalonnent les lacets numérotés, afin de pouvoir boire au retour.

Vue depuis le Kalaupapa Lookout

Kaunakakai

⊙ À VOIR

La principale ville de Moloka'i semble figée dans le temps, et la grand-rue n'a guère changé depuis 50 ans. Avec leurs façades en bois usées et leurs toits de tôle crépitant sous la pluie, les édifices locaux semblent droit sortis d'un western. Ce n'est pourtant pas un décor : à Kaunakakai, on est plus porté sur l'authenticité que sur l'artifice. Ici se concentrent les activités commerciales de l'île. Faites une halte le samedi matin, lorsque le marché en plein air attire les foules.

Kapua'iwa Coconut Grove   Site historique

(Maunaloa Hwy). Moloka'i était le terrain de jeu préféré du roi Kamehameha V, qui y fit planter une cocoteraie royale de 4 hectares près de ses bains sacrés, dans les années 1860. Le nom de ce site haut perché, à environ 1,5 km du centre-ville, se traduit par "tabou mystérieux". Attention à vous quand vous parcourez le site à pied (ou stationnez), car les noix de coco s'abattent souvent sans crier gare, atterrissant dans un grand fracas.

Kaunakakai Wharf   Port

(Kaunakakai Pl). Le port commercial de Moloka'i est (relativement) animé – une barge accoste lentement, des marins débarquent les *mahimahi* du jour, une demoiselle s'entraîne pour une course de canoë... La zone délimitée par une corde, avec un quai flottant, offre une aire de baignade aux enfants.

One Ali'i Beach Park   Parc

(Maunaloa Hwy). Situé à environ 5 km à l'est de la ville, ce parc est divisé en deux espaces. Le premier offre une plage jalonnée de cocotiers, un terrain de sport, un abri à pique-nique et des toilettes ; pas spécialement attractif, l'endroit est pourtant très prisé des familles locales qui y organisent d'énormes barbecues le week-end. Le second abrite une aire de pique-nique plus verdoyante et séduisante ; l'eau y est peu profonde et limoneuse. Deux mémoriaux commémorent l'immigration de citoyens japonais à Hawaii au XIXe siècle.

Kapua'iwa Coconut Grove

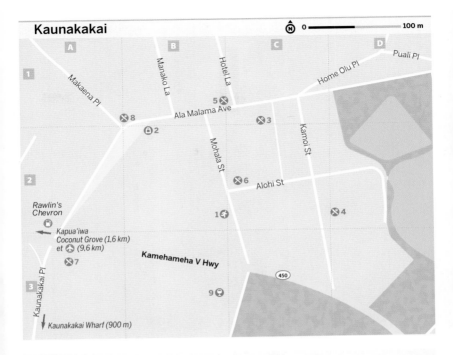

Kaunakakai

🟢 ACTIVITÉS

Avec ses vagues puissantes, des sentiers ardus, des forêts tropicales reculées et des falaises marines spectaculaires, Moloka'i est parfaite pour les aventuriers.

Les conditions marines varient en fonction de la saison. En été, la mer est calme sur les côtes nord et ouest, mais agitée au sud, à l'extérieur de la Pala'au Barrier Reef, en raison des alizés persistants. Partez tôt, avant que le vent ne se lève. En hiver, les orages se traduisent par une mer agitée tout autour de l'île

(à l'extérieur de la barrière de corail, qui borde toute la partie sud), mais les conditions sont assez idéales le reste du temps.

Moloka'i est généreusement ventée – les véliplanchistes chevronnés en profiteront dans les Pailolo et Ka'iwi Channels ; prévoyez toutefois votre propre matériel.

Il y a peu de choses à faire à Kaunakakai à proprement parler ; toutefois, on peut y organiser des activités sur le reste de l'île. Trois des prestataires locaux proposent à peu près toutes les activités disponibles à Moloka'i, collaborant même à l'occasion.

Moloka'i

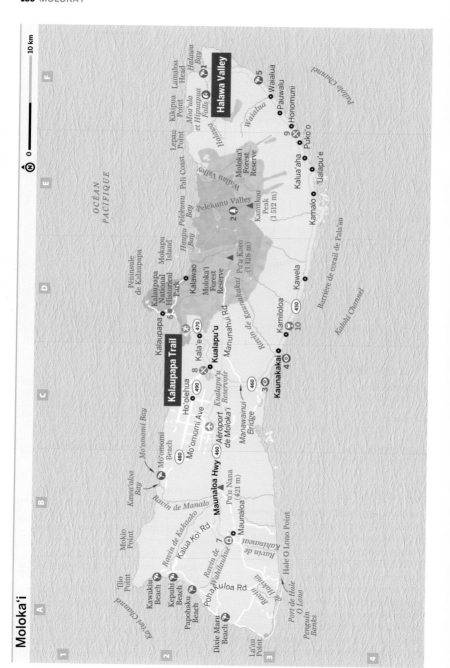

Moloka'i

Moloka'i Bicycle   Vélo

(☏808-553-5740 ; www.mauimolokaibicycle.
com ; 80 Mohala St, Kaunakakai ; location vélo par
jour/semaine à partir de 25/75 $; ◷15h-18h mer,
9h-14h sam et sur RV). Phillip Kikukawa,
le propriétaire de la boutique, maîtrise
tout ce qui touche au vélo sur l'île. Il pourra
même venir vous chercher ou vous déposer
en dehors de ses heures d'ouverture.
Location de vélos, dont des VTT (casque,
cadenas, pompe et plans inclus).

Moloka'i Ocean
Tours   Circuit en bateau, pêche

(☏808-553-3299 ; www.molokaioceantours.
com ; observation des baleines adulte/enfant
75/60 $). Propose toutes sortes de sorties
de pêche récréative, mais aussi des
balades côtières, des circuits d'observation
des baleines et des sorties snorkeling.

Moloka'i
Outdoors   Activités de plein air

(☏877-553-4477, 808-553-4477 ; www.molokai-
outdoors.com ; circuit paddle/kayak adulte/
enfant à partir de 68/35 $, visite de l'île 7-8 heures
166/87 $; ◷horaires variables). Ce prestataire
organise des activités et concocte
des périples à la carte. Outre les sorties
en paddle et en kayak, il propose aussi
des visites de l'île. La location des kayaks
et paddles (à partir de 42 $/jour) peut
aussi inclure le transport (à partir de 35 $).
Walter

Naki   Circuits culturels et croisières

(Moloka'i Action Adventures ; ☏808-558-
8184). Outre des circuits culturels et des
randonnées, Walter Naki organise des

sorties de pêche en haute mer, des circuits
d'observation des baleines et de très
réputés itinéraires en bateau sur la North
Shore, notamment le long de la Pali Coast.

🛍 ACHATS

Kalele Bookstore
& Divine Expressions   Livres

(☏808-553-5112 ; molokaispirit.com ; 64 Ala
Malama Ave ; ◷10h-17h lun-ven, 9h-14h sam ;
📶). Livres neufs et d'occasion, œuvres
d'art locales, plus une foule de références
culturelles et de conseils de voyage.

Big Wind Kite Factory
& Plantation Gallery   Arts et artisanat

(☏808-552-2364 ; www.bigwindkites.com ;
120 Maunaloa Hwy ; ◷10h-16h lun-sam, 13h-16h
dim). Big Wind façonne des cerfs-volants
sur mesure pour les petits et grands

🤿 Snorkeling à Twenty Mile Beach

Twenty Mile Beach, une plage située
dans l'est de Moloka'i, au bord de la
Hwy 450, près de Waialua, offre de
fabuleuses possibilités de snorkeling.
Bien protégée par le récif corallien,
cette bande incurvée de sable fin donne
sur un vaste lagon. Près du bord, on
trouve des rochers et une eau parfois
très peu profonde. Un peu plus au large,
vous pourrez contempler des bancs de
poissons, des éponges de mer et des
pieuvres, notamment.

enfants. Achetez l'un des nombreux articles en magasin, ou choisissez un modèle et assistez à sa réalisation. Cours disponibles.

Excellent choix de livres et d'ouvrages d'art consacrés à Hawaii, et vêtements et créations artisanales venant du monde entier, du coin de la rue comme de Bali.

⊗ OÙ SE RESTAURER

Le marché du samedi matin, dans Ala Malama Ave, est idéal pour se procurer des produits locaux et des plats préparés.

Maka's Korner   Café $

(☎808-553-8058 ; angle Mohala St et Alohi St ; repas 5-10 $; ⊙7h-21h lun-ven, 8h-13h sam-dim). Ce restaurant au cadre modeste propose une cuisine simple mais raffinée. Les meilleurs burgers de Moloka'i sont servis avec d'excellentes frites, même si de nombreux clients ne jurent que par le sandwich au *mahimahi*. Pancakes servis en continu. Prenez place au petit comptoir ou dehors, à une table de pique-nique.

Mana'e Goods & Grindz   Hawaiien $

(☎808-558-8186 ; Hwy 450 ; repas 5-13 $; ⊙cuisine 6h30-16h tlj, magasin 6h30-18h lun-ven, 6h30-16h sam-dim ; ⑦). Ses *plate lunches* sont mythiques par ici – *katsu* (filets frits) de poulet tendre et croustillant, ragoût

---

🍴◎📖 L'heure du pain chaud

Tous les soirs, sauf le lundi, faufilez-vous dans la ruelle qui donne sur l'arrière de la **Kanemitsu Bakery** (☎808-553-5855 ; 79 Ala Malama Ave ; pain 5 $; ⊙5h30-17h mer-lun, pain chaud 7h30-23h mar-dim), et imitez les habitants en y achetant une miche de pain chaude et délicieusement sucrée (7 $). Le boulanger vous découpera une tartine et l'accommodera avec l'une de ses cinq garnitures. Montrez que vous maîtrisez votre sujet : commandez un beignet au sucre de glace (*glazed doughnut*).

---

de porc – mais aussi excellents burgers *teriyaki* et sandwiches au poisson servis sur un pain brioché grillé à la perfection.

Kualapu'u Cookhouse   Hawaiien $$

(Kamuela Cookhouse ; ☎808-567-9655 ; Hwy 490 ; plat 6-33 $; ⊙7h-20h mar-sam, 9h-14h dim, 7h-14h lun). Seule cantine à l'ouest de Kaunakakai, ce vénérable routier sert d'énormes omelettes au petit déjeuner et de bons déjeuners. Au menu des *plate lunches* citons l'excellent *tonkatsu* (côtelettes panées et frites) de porc. La carte du soir est plus ambitieuse, avec travers de porc, steaks et *ahi* (thon) épicé en croûte. Bière et vin en vente à l'épicerie d'en face. Service charmant. Espèces uniquement.

Ono Fish N' Shrimp   Produits de la mer $

(☎808-553-8187 ; 53 Ala Malama Ave ; déj 10-12 $; ⊙10h-14h mer-sam). Meilleure nouvelle recrue de la scène culinaire locale depuis des lustres, ce food truck immaculé sert des tacos de poisson et des assiettes de crevettes. Savourez les préparations inventives et le poisson ultrafrais. Terminez par un mini-beignet. Espace avec tables de pique-nique pour s'asseoir.

Moloka'i Burger   Burgers $

(☎808-553-3533 ; www.molokaiburger.com ; 20 Kamehameha V Hwy ; plat 5-10 $; ⊙7h-21h ; ⑦). L'unique fast-food de Moloka'i propose des burgers à la fois variés, épais et juteux (testez la version ramen, avec le steak pris en sandwich entre deux pains de nouilles frites). Salle plaisante et terrasse délicieusement ombragée à l'avant. La glace à l'italienne est un délice.

Friendly Market   Supermarché $

(☎808-553-5595 ; 90 Ala Malama Ave ; ⊙8h30-20h30 lun-ven, 8h30-18h30 sam). Le supermarché le mieux fourni de l'île. L'après-midi, du poisson fraîchement pêché fait souvent une apparition dans les rayons.

Kamo'i Snack-N-Go   Glaces $

(28 Kamoi St, Moloka'i Professional Bldg ; boule de glace 2 $; ⊙10h-21h lun-sam, 12h-21h dim ; ⑦). Cette confiserie vend pléthore de bonbons

Falaises marines sur le littoral de Moloka'i

KRIDSADA KAMSOMBAT/SHUTTERSTOCK ©

mais aussi la Dave's Hawaiian Ice Cream, une marque de crèmes glacées produite à Honolulu. La *banana fudge* est un délice. La subtile *ube* (igname ailée) affiche une magnifique couleur violette.

OÙ PRENDRE UN VERRE ET FAIRE LA FÊTE

Les divertissements nocturnes sont rares à Moloka'i.

Hale Kealoha   Lounge
(☏808-553-5347 ; Kamehameha V Hwy, Hotel Moloka'i ; plat 15-25 $; ⊘7h-21h). Le modeste bar-restaurant de l'Hotel Moloka'i offre une vue sur le front de mer et une cuisine plutôt médiocre. Le lieu vaut surtout pour les soirées hawaiiennes du vendredi ("Aloha Fridays"), de 16h à 18h, qui voient les *kupuna* (anciens) se réunir autour d'une longue table. Les musiciens font toujours recette, qu'ils s'accompagnent d'un sensuel mouvement de *hula* ou improvisent à l'ukulélé. Formant une véritable communauté, ces acteurs clés de la culture locale se font un plaisir d'exhiber leurs talents. À ne pas rater.

ⓘ DEPUIS/VERS MOLOKA'I

Il est impératif de louer une voiture pour visiter l'île – en outre, si vous louez une maison ou un appartement, vous aurez également besoin de faire des emplettes. Les highways et autres routes de Moloka'i sont bitumées et en bon état. La carte touristique, disponible gratuitement partout, est précieuse. La *Map of Moloka'i & Lana'i* (6 $), de James A. Bier, compte un excellent index.

Depuis l'aéroport, comptez environ 30 $ en taxi pour rallier Kaunakakai. De nombreux hébergements assurent la navette.

ⓘ COMMENT CIRCULER

Kaunakakai est faite pour les piétons. **Rawlin's Chevron** (angle Maunaloa Hwy/Hwy 460 et Ala Malama Ave ; ⊘caisse 6h30-20h30 lun-sam, 7h-18h dim) possède des pompes à carte, ce qui en fait la seule station-essence 24h/24 de l'île.

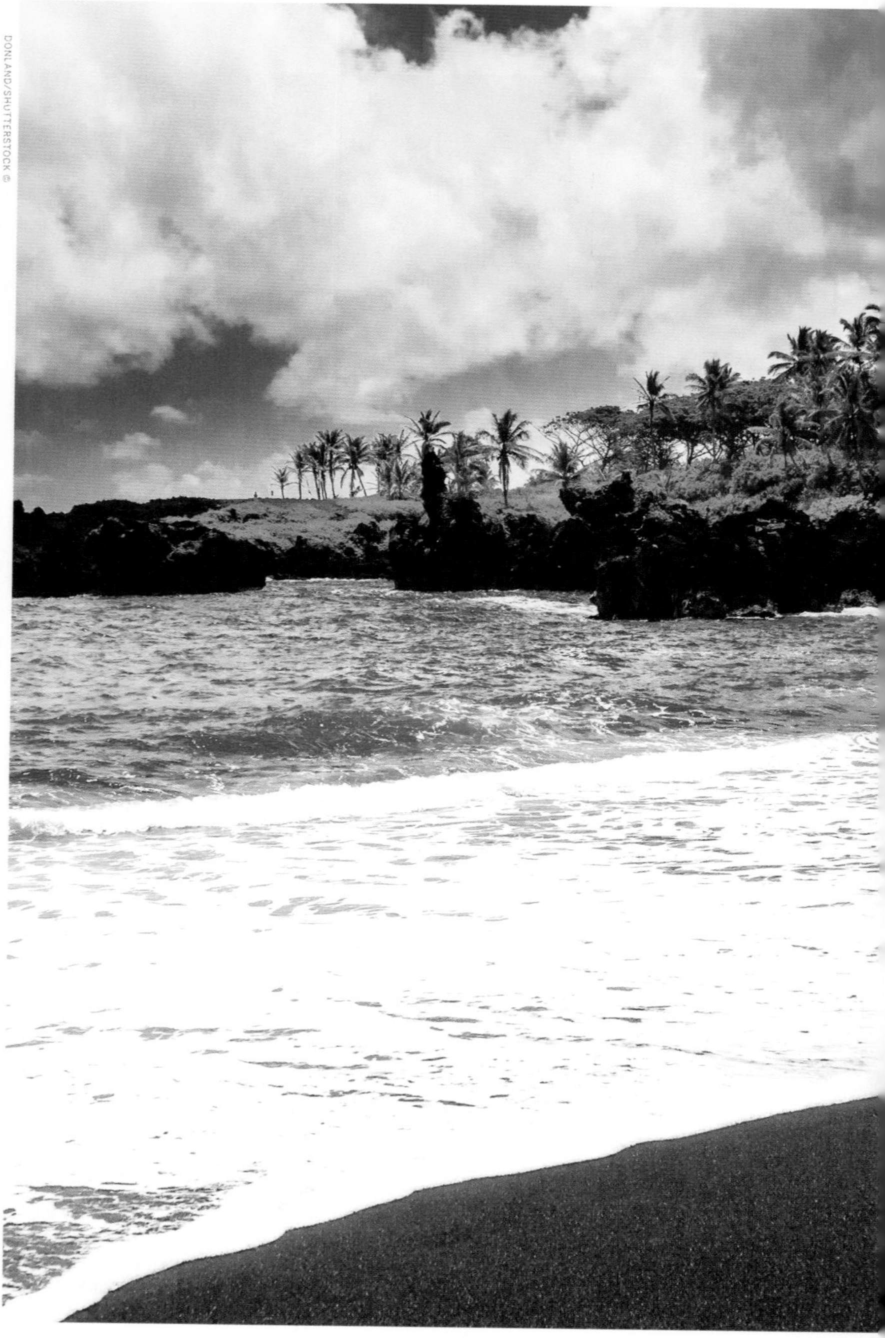

ROUTE DE HANA (MAUI)

Route de Hana (Maui)

Longeant la côte nord-est de Maui, la mythique route panoramique de Hana – officiellement la Hana Highway – est une succession de lacets impressionnants qui serpentent entre vallées luxuriantes, falaises vertigineuses et puissantes chutes d'eau. Une balade sublime, mais pas de tout repos. Louez une Jeep ou une Mustang de préférence.

La route de Hana en 1 jour

Avalez un café au **stand de fruits du Huelo Lookout**, puis filez vers **Honomanu Bay**. Grimpez vers le **Wailua Valley State Wayside** (carte p. 186) pour admirer la mer d'en haut. Continuez jusqu'aux **Three Bears Falls** (p. 183), magnifique cascades en bord de route. À Hana, déjeunez au **Thai Food by Pranee** (p. 187). Visitez le **Pi'ilanihale Heiau** (p. 174), le plus grand temple traditionnel de Polynésie, et le **Kahanu Garden** (p. 176). Passez la nuit à Hana.

La route de Hana en 2 jours

Le deuxième jour, explorez les merveilles souterraines du **Hana Lava Tube** (p. 177). Puis, prenez la route en direction du Wai'anapanapa State Park afin d'admirer sa splendide plage de sable noir et marcher sur les traces des premiers Hawaiiens sur le **Pi'ilani Trail** (p. 178), un antique chemin côtier, qui traverse un plateau de lave et offre une belle vue sur la côte. Terminez par une pizza au **Hana Farms Clay Oven Pizza** (p. 189) – le week-end uniquement.

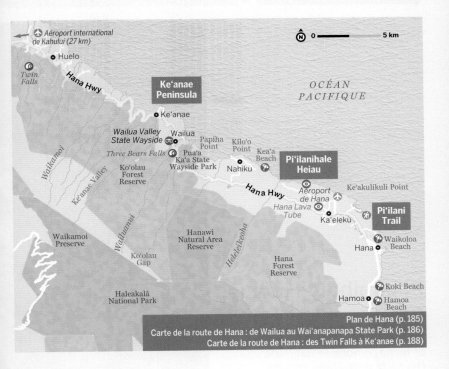

Aéroport international de Kahului (27 km)

Huelo

Twin Falls

Hana Hwy

Ke'anae Peninsula

Ke'anae

OCÉAN PACIFIQUE

Wailua Valley State Wayside

Wailua

Papiha Point

Kilo'o Point

Kea'a Beach

Three Bears Falls

Pua'a

Ka'a State Wayside Park

Nahiku

Pi'ilanihale Heiau

Ke'akulikuli Point

Ko'olau Forest Reserve

Waikamoi

Ke'anae Valley

Wailuanui

Hana Hwy

Aéroport de Hana

Hana Lava Tube

Ka'elekū

Pi'ilani Trail

Waikamoi Preserve

Ko'olau Gap

Hanawi Natural Area Reserve

Hanawi Natural Area Reserve

Helelikeoha

Hana Forest Reserve

Hana

Waikoloa Beach

Haleakalā National Park

Koki Beach

Hamoa

Hamoa Beach

0   5 km

Plan de Hana (p. 185)
Carte de la route de Hana : de Wailua au Wai'anapanapa State Park (p. 186)
Carte de la route de Hana : des Twin Falls à Ke'anae (p. 188)

Comment s'y rendre

Pour parcourir la route de Hana à votre rythme, louez une voiture. L'itinéraire part de la lisière est de Haiku, près de Huelo, à 32 km à l'est de l'**aéroport international de Kahului** (p. 325). Notez qu'à partir de la borne des 16 miles (32 km), sur la Hwy 36, la Hana Hwy devient la Hwy 360 – à partir de là, on repart de la borne zéro.

Où se loger

À Hana et alentour, vous aurez le choix entre des complexes hôteliers, des appartements, des maisonnettes et des chambres. Un séjour de deux à trois nuits minimum est souvent requis, mais il est parfois possible d'obtenir une chambre à la dernière minute. Des campings sont disponibles à Ke'anae et au **Wai'anapanapa State Park** (p. 177).

Pi'ilanihale Heiau

Étape majeure de la route de Hana, ce site abrite un jardin ethnobotanique de 119 hectares et le magnifique Pi'ilanihale Heiau, le plus grand temple de toute la Polynésie.

Pour ceux qui aiment...

❶ Infos pratiques

📞808-248-8912 ; www.ntbg.org ; 650 'Ula'ino Rd ; adulte/enfant - 13 ans 10 $/gratuit, visite guidée 25 $/gratuit ; ⊙9h-16h lun-ven, 9h-14h sam, visites lun-ven ; P ♿

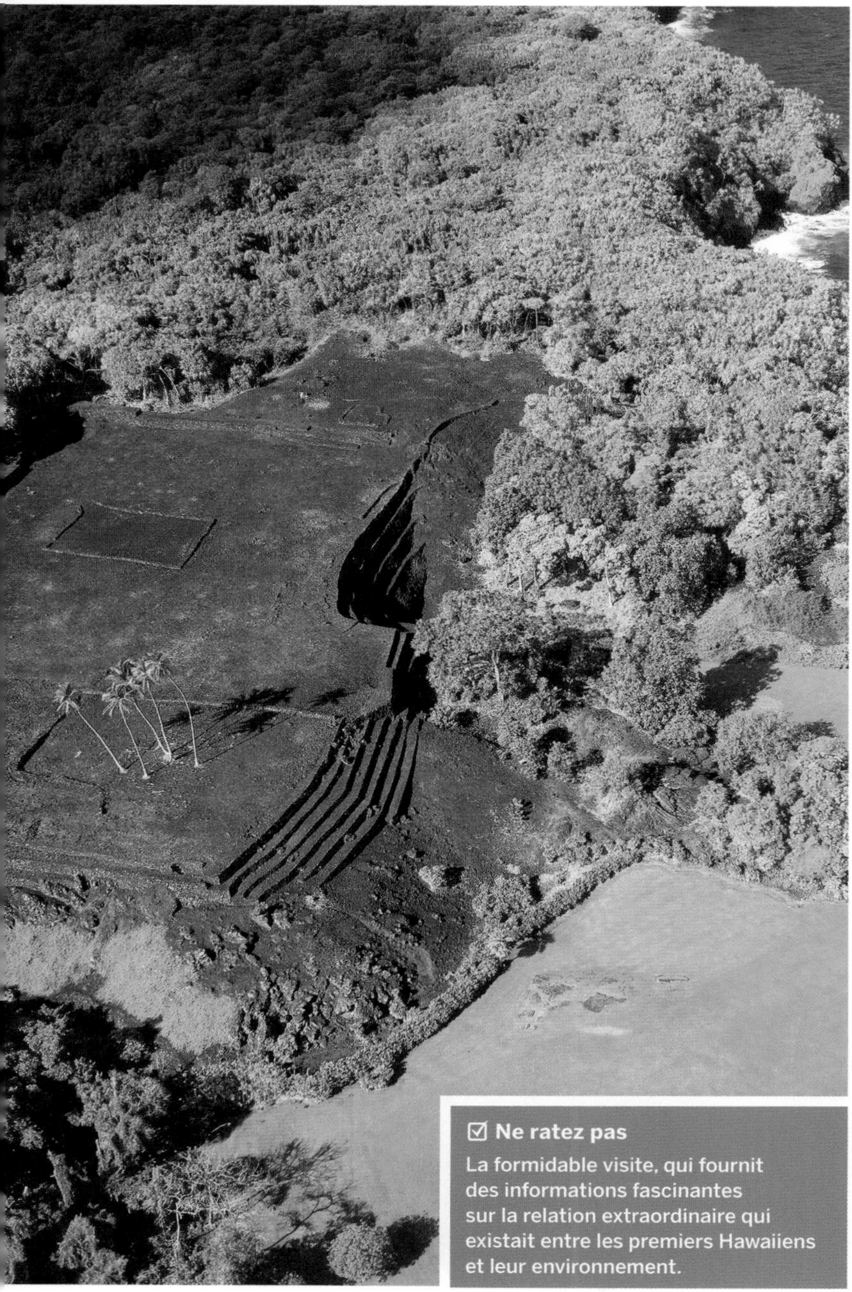

☑ Ne ratez pas

La formidable visite, qui fournit des informations fascinantes sur la relation extraordinaire qui existait entre les premiers Hawaiiens et leur environnement.

RON DAHLQUIST/GETTY IMAGES ©

L'exploration du *heiau* est peut-être le meilleur moyen de vraiment comprendre à quoi ressemblait la culture traditionnelle de l'archipel avant l'arrivée des premiers Occidentaux. Curieusement, les visiteurs y sont peu nombreux.

Histoire

Le Pi'ilanihale Heiau consiste en une immense plateforme de roche volcanique, longue de 137 m. Malgré le mystère qui entoure son histoire, ce temple stupéfiant est à l'évidence un site religieux de premier ordre. Les archéologues estiment que sa construction débuta vers 1200, avant de se poursuivre par étapes. La conclusion en apothéose du Pi'ilanihale Heiau ("maison de Piilani") est l'œuvre du chef du même nom de Maui, au XIVᵉ siècle,

auquel on doit aussi de nombreux viviers sur la côte, autour de Hana.

Kahanu Garden

Le Pi'ilanihale Heiau occupe un angle du Kahanu Garden, près de la mer. Ce jardin, qui appartient au réseau du National Tropical Botanical Garden, recèle la plus vaste collection d'arbres à pain au monde, avec plus de 120 variétés. Cet arbre fruitier est d'une importance cruciale car sa valeur nutritionnelle en fait un aliment de base, et donc une arme pour lutter contre la faim dans le monde. Le Kahanu Garden renferme également un catalogue vivant de plantes dites "canoe plants" (plantes de pirogue) apportées à la rame par les polynésiens, et un hangar à pirogues façonné à la main, autre témoignage du temps passé.

Arbre à pain dans le Kahanu Garden

Visite guidée

La visite guidée est la meilleure façon de mettre en évidence le lien qui unit le *heiau*, les plantes et le magnifique cadre naturel environnant, avec ses palmiers ondoyant sous la brise. Les visites sont programmées à 12h et 13h, du lundi au vendredi, et durent deux heures. Réservez par téléphone ou par courriel (kahanu@ntbg.org). La seule autre option consiste à visiter en solo, avec une brochure. Le site se trouve à 2,4 km de la Hana Hwy, dans 'Ula'ino Rd.

Hana Lava Tube

Cette immense grotte, qui figure parmi les sites les plus étonnants sur la route de Hana, fut façonnée par des coulées de lave. Elle a servi un temps d'abattoir – il fallut en retirer 7,7 tonnes d'os de bœuf avant qu'elle n'ouvre au public !

En progressant dans la vaste et sinueuse cavité, qui culmine à une hauteur de 12 m, on découvre un écosystème unique composé de stalactites et de stalagmites. Le parcours, d'une durée de 45 minutes environ, est bien balisé et constitue l'activité idéale par temps de pluie. La lampe-torche et le casque sont compris dans le billet. Si vous souhaitez égarer vos enfants, profitez gratuitement du labyrinthe botanique attenant, composé de flamboyantes plantes de ti. Le Hana Lava Tube, situé à 800 m de la Hana Hwy, peut se visiter dans la même journée que le *heiau* et le jardin botanique.

Wai'anapanapa State Park

Wai'anapanapa se traduit par "eaux scintillantes". Après un bain dans les limpides eaux minérales sous la roche, vous vous sentirez comme neufs. Notez l'arche volcanique naturelle sur le flanc droit de Pailoa Bay, bordée de basses falaises rocheuses et d'un sentier côtier aux antiques pierres de gué volcaniques. À cinq minutes à pied du parking figurent deux imposants tunnels de lave.

✕ Une petite faim ?

Savourez une boule de glace au chocolat pimenté chez **Coconut Glen's** (📞 808-979-1168 ; www.coconutglens.com ; Hana Hwy, borne 27,5 miles ; boule de glace 7 $; ⏱ 10h30-17h30 ; 🖊) 🍴, servie dans une noix de coco.

Le Kahanu Garden recèle la plus grande variété d'arbres à pain au monde

Phoque moine sur le littoral de Pi'ilani

STEVE OEHLENSCHLAGER/SHUTTERSTOCK ©

Pi'ilani Trail

Ce petit bijou de sentier côtier vieux de plusieurs siècles invite à une promenade intimiste et contemplative au-dessus d'un champ de lave, avec une vue rafraîchissante sur la mer légèrement en contrebas.

Pour ceux qui aiment...

☑ **Ne ratez pas**
La plage de sable noir du Wai'anapanapa State Park.

Histoire

Il y a plus de 300 ans, le roi Pi'ilani (qui a donné son nom au Pi'ilanihale Heiau) ordonna la construction d'un sentier côtier tout autour de Maui afin d'améliorer les échanges commerciaux entre les différentes régions, éloignées les unes des autres. Aujourd'hui, le "sentier du roi", ou du moins ce qu'il en reste, suit cet itinéraire historique, encore doté de quelques pierres de gué d'origine.

Le parcourir est une façon originale et inoubliable de découvrir l'île. Long de 320 km, le Pi'ilani Trail longe la totalité du littoral et donne accès à des zones reculées où perdure un mode de vie hawaiien traditionnel.

ℹ️ Infos pratiques

Consultez le site des **Division of State Parks** pour plus de détails sur le sentier (dlnr.hawaii.gov/dsp/hiking/maui/ ke-ala-loa-o-mauipiilani-trail).

✕ Une petite faim ?

Faites le plein d'énergie avec un burger juteux et un panorama luxuriant au **Hana Burger Food Truck** (p. 189).

★ Bon à savoir

Prévoyez de l'eau si vous envisagez de parcourir le sentier en intégralité.

Parcours

Le sentier débute juste en deçà de la zone de camping et longe l'océan au fil de falaises volcaniques. Après quelques minutes de marche, vous apercevrez un cimetière, une arche marine et un soufflard rugissant sous les vagues. C'est dans ce secteur également que vous aurez le plus de chances d'apercevoir des phoques moines de Hawaii, une espèce menacée.

Après 1,2 km, vous verrez les falaises de basalte en direction de Hana et les filaos qui débordent sur la plage. Jalonné de pierres rondes, le chemin traverse une étendue de lave et une clairière herbeuse, avant de s'estomper au passage d'une falaise escarpée. Une piste débouche de la droite vers la crête de Luahaloa, dotée d'une cabane de pêcheurs. À l'intérieur des terres, des bouquets de filaos

renforcent la beauté du dernier 1,5 km vers Kainalimu Bay. Les pierres de gué facilitent l'accès à la baie, tandis que le sentier dévale un ravin broussailleux jusqu'à une paisible plage de galets noirs. De là, plusieurs pistes partent vers Hana, à 1,6 km au sud. Sinon, rejoignez la route bitumée dans les terres, puis regagnez le Wai'anapanapa State Park à pied ou en stop.

Préparation de l'excursion

Du Wai'anapanapa State Park, le parcours court au sud sur presque 5 km jusqu'à Kainalimu Bay, au nord de Hana Bay. Si vous avez peu de temps, parcourez uniquement les premiers 1 500 m : vous ne serez pas déçus. Par endroits, le sentier en gravier contourne des gouffres qui tombent à pic dans la mer – soyez très prudents et laissez vos enfants à l'hôtel. Portez de bonnes chaussures de marche, car le parcours se fait plus exigeant à mesure que l'on progresse.

Littoral de la péninsule de Ke'anae

EQROY/SHUTTERSTOCK ©

Ke'anae Peninsula

Sortez de l'autoroute et allez vous dégourdir les jambes. Typique du Hawaii d'autrefois, cette région recèle une église des années 1860, une belle côte volcanique et des champs de taro cultivés par des familles depuis des générations.

Sur la route qui mène à Hana, de spectaculaires paysages et un accueillant village de bord de mer vous attendent à mi-parcours. Au bout de la péninsule, le Ke'anae Park recèle un charmant littoral de pics de lave noire déchiquetés et de vagues déchaînées. À apprécier avec les yeux uniquement – la mer est agitée et il n'y a pas de plage. Mais quelle photogénie !

Pour ceux qui aiment...

☑ **Ne ratez pas**

Une promenade au fil d'arbres tropicaux dans le **Ke'anae Arboretum** (hawaiitrails.org) .

Église congrégationaliste de Ke'anae

Marquant le cœur du village, la Ke'anae Congregational Church fut bâtie en 1860. Cette église, à laquelle on accède par l'escalier de la maisonnette voisine, est en roche volcanique et en calcaire corallien. C'est un lieu accueillant, toujours ouvert et doté d'un livre d'or.

❶ Infos pratiques

Rejoignez la péninsule en prenant Ke'anae Rd du côté de la mer (*makai*), juste après le Ke'anae Arboretum.

✕ Une petite faim ?

Une envie subite de bœuf séché ou de glace ? Poursuivez jusqu'au **Halfway to Hana** (www.halfwaytohanamaui.com ; 13710 Hana Hwy ; plat déj 7-9 $; ⏰8h30-16h).

★ Bon à savoir

Vous trouvez des toilettes publiques (ouvertes de 8h à 19h) en face de la petite aire de stationnement.

Notez les portraits en relief dans le cimetière attenant.

Ke'anae Valley

S'étalant des hauteurs du Ko'olau Gap, au bord du Haleakalā Crater, jusqu'à la côte, la Ke'anae Valley est d'un vert éclatant grâce aux 3 810 mm de précipitations annuelles. Au pied de la vallée s'étend la Ke'anae Peninsula, née d'une éruption du Haleakalā qui cracha de la lave jusque dans la Ke'anae Valley et l'océan. Contrairement à son environnement escarpé, cette péninsule volcanique est parfaitement plate, telle une feuille flottant sur la mer.

Ke'anae Peninsula

Typique du Hawaii d'autrefois, cette région recèle une église des années 1860 et une belle côte volcanique. On rejoint la péninsule en prenant Ke'anae Rd du côté de la mer (*makai*), juste après le Ke'anae Arboretum. Ici, des familles cultivent des champs de taro irrigués naturellement depuis des générations.

Les îlots rocheux – Mokuhala et Mokumana – qu'on aperçoit au large depuis le Ke'anae Park sont des réserves ornithologiques.

Ke'anae Landing Fruit Stand

Chaque matin, Aunty (Tatie) Sandy et son équipe préparent le meilleur cake à la banane de la route de Hana. Tellement succulent qu'habitants et touristes s'y retrouvent. Ce stand, installé dans le centre du village, juste avant le Ke'anae Park, vend aussi des fruits, des hot-dogs, des sandwiches et des boissons.

Three Bears Falls

MNSTUDIO/SHUTTERSTOCK ©

Cascades et bassins

Sur la route de Hana, 54 ponts à une voie marquent presque autant de chutes d'eau, paisibles ou tonitruantes.

Pour ceux qui aiment...

☑ **Ne ratez pas**

Admirez des chutes d'eau de près grâce à ce circuit aventure organisé par **Rappel Maui** (☎808-270-1500 ; www.rappelmaui.com ; Hana Hwy, 10600 Hana Hwy ; 200 $; ⊘visites 7h, 8h, 10h et 11h30).

Twin Falls

Après la borne des 2 miles (3,2 km), un parking assorti d'un stand de fruits marque le début du sentier. Les enfants du coin et les touristes affluent au bassin situé au pied de la cascade d'en bas, à environ 10 minutes à pied – idéal si vous voyagez avec des petits ou cherchez une randonnée courte.

Pour rejoindre les chutes, suivez le sentier principal qui franchit un cours d'eau. Prenez à gauche à l'intersection juste après. Parcourez quelques mètres puis grimpez sur l'aqueduc. Les chutes se trouvent droit devant. Il vous faudra patauger un peu pour y parvenir. Faites demi-tour si l'eau est trop haute. En cas de crue subite, le sentier qui rejoint la cascade d'en haut sera peut-être fermé.

ℹ️ Infos pratiques

N'empruntez jamais un sentier qui traverse une propriété privée sans la permission expresse du propriétaire.

✕ Une petite faim ?

Regroupés sur le **Nahiku Marketplace**, quelques restaurants décontractés servent des *plates lunch* roboratifs.

★ Bon à savoir

Faites le plein d'essence à Pa'ia ou à Ha'iku ; il vous faudra attendre Hana pour trouver la station-service suivante.

Three Bears Falls

Ce joyau tire son nom (Trois Ours) de la triple chute qui dévale une paroi abrupte sur la route côté terre, 800 m après la borne des 19 miles. En cas de pluie torrentielle, les cascades ne forment plus qu'une seule masse rugissante. Vous trouverez quelques places de stationnement en haut de la colline, à gauche après les chutes. On peut descendre jusqu'au site via un sentier abrupt et mal défini qui part du pont, côté Hana. Gare aux rochers moussus et glissants.

Pua'a Ka'a State Wayside Park

Le nom de ce charmant parc signifie "cochon qui roule". Traversez la route depuis la zone de stationnement et partez vers l'intérieur des terres jusqu'à deux jolies chutes qui se jettent dans des trous

d'eau. Le parc est situé 800 m après la borne des 22 miles.

Pour vous baigner, privilégiez le bassin d'en haut, visible juste derrière les tables de pique-nique. Pour le rejoindre, franchissez la rivière. Méfiez-vous des chutes de rochers sous la cascade et des crues subites. Pour rallier les chutes d'en bas, qui se jettent dans un bassin peu profond, reprenez le pont dans l'autre sens et remontez à contre-courant.

Wailua Falls

Après avoir dépassé Hana, avant Kipahulu, vous apercevrez des orchidées jaillissant des rochers, ainsi qu'une jungle d'arbres à pain et de cocotiers.

Environ 500 m après la borne des 45 miles se profilent les Wailua Falls, de spectaculaires chutes d'eau qui se jettent de 30 m de haut, juste de l'autre côté de la route. On y trouve souvent quantité de visiteurs occupés à prendre des photos.

Hana

PLAGES

Le Hana Bay Beach Park se trouve dans le centre de Hana. Hamoa Beach et Koki Beach bordent Haneo'o Rd, une route pittoresque qui forme une boucle de 2,4 km à partir de la Hana Hwy, au sud de la ville.

Hamoa Beach   Plage

(Haneo'o Rd ; P 🚻). Avec ses eaux limpides, son sable blanc et le vert intense des *hala* (*Pandanius tectorius*) en toile de fond, ce croissant de sable est une merveille. Amateurs de surf et de bodyboard s'y pressent quand les vagues sont de la partie, malgré les courants d'arrachement. Par temps calme, la crique se prête à la baignade.

L'accès se fait par l'escalier au nord du panneau indiquant l'arrêt de bus de l'hôtel ; sept à huit places de stationnement en face. Toilettes.

Hana Bay Beach Park   Plage

(📞808-248-7022 ; www.co.maui.hi.us/Facilities ; 150 Keawe Pl ; P 🚻). Bienvenue dans ce parc en bord de mer, équivalent local de la place du village, où les enfants s'amusent dans les vagues, les pique-niqueurs apprécient la vue depuis la plage de sable noir et les musiciens grattent leur ukulélé. Par mer très calme, on pratique le snorkeling et la plongée au-delà de la jetée. Les courants sont parfois puissants : il est conseillé aux amateurs de snorkeling de ne pas s'aventurer au-delà du promontoire. Les surfeurs vont à **Waikoloa Beach**, à l'extrémité nord de la baie.

Koki Beach   Plage

(Haneo'o Rd ; P). Cette plage pittoresque s'étale au pied de falaises rouges donnant sur la minuscule 'Alau Island. Les conditions sont excellentes pour le bodysurf, car l'eau est peu profonde sur une grande distance. Méfiez-vous néanmoins du courant d'arrachement, qui peut emporter les baigneurs vers le large s'ils s'éloignent trop. On peut ramasser des coquillages dans les mares résiduelles, près du rivage.

◉ À VOIR

Avec son histoire et son emplacement isolé, au bout de la plus fameuse route de Hawaii, ce paisible hameau de 1 235 âmes est devenu mythique.

Curieusement, Hana ne cherche pas à exploiter pleinement la présence des excursionnistes qui débarquent chaque après-midi. Avec son caractère rural et intemporel, la localité figure parmi les plus hawaiiennes de l'État. Parallèlement, Hana accueille de nombreux "exilés" américains prêts à accepter quelques privations en contrepartie d'un mode de vie plus lent et plus authentique, dans un splendide cadre naturel. Le cliché du Hawaii d'autrefois est certes éculé, mais il est difficile de ne pas envisager Hana en ces termes. Levez le pied, passez-y une nuit ou deux et profitez-en.

Hasegawa
General Store   Site historique

(📞808-248-8231 ; 5165 Hana Hwy ⏰7h-19h ; P). La famille Hasegawa tient ce *general store* depuis 1910. Sous le toit de tôle, les allées étroites contiennent toutes sortes d'articles, des outils aux produits frais, en passant par les brochures touristiques. Cet emblématique magasin ne désemplit jamais, entre les habitants venus faire leurs emplettes et les voyageurs en quête d'un en-cas ou d'un distributeur bancaire.

✪ CIRCUITS ORGANISÉS

Plusieurs prestataires proposent des circuits en bus ou en navette sur la route de Hana, avec des haltes en chemin pour admirer les principales cascades et attractions.
Valley Isle Excursions (📞808-661-8687 ; www.tourmaui.com ; circuit adulte/enfant 2-12 ans 148/114 $), dont les formules comprennent le petit-déjeuner et le déjeuner, quitte Hana par la Pi'ilani Hwy et marque une dernière halte à **Maui Wine** (📞808-878-6058 ; www.mauiwine.com ; 14815 Pi'ilani Hwy ; ⏰10h-17h30, circuits 10h30 et 13h30) 🍷.

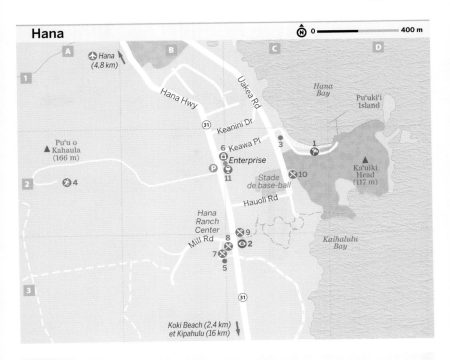

Hana

✈ ACTIVITÉS

Skyview Soaring   Planeur
(☎808-344-9663 ; www.skyviewsoaring.com ;
aéroport de Hana ; 30 min/1 heure 160/300 $;
☺sur réservation). Un vol en planeur est
un moyen unique d'admirer un volcan
comme le Haleakalā. Après avoir coupé le
moteur, l'expérimenté Hans Pieters survole
le cratère (si la météo le permet) et vous
laisse piloter, puis regagne l'aéroport de
Hana. Téléphonez pour réserver, ou tentez
votre chance directement à l'aéroport.

Pu'u o Kahaula Hill   Randonnée
(Lyon's Hill ; Hana Hwy). Le sentier bitumé
qui gravit Pu'u o Kahaula Hill, derrière le
parking du Travaasa Hana (passez la petite
barrière dans le coin à gauche), offre une
excellente boucle de 30 minutes. Il mène au
monument le plus emblématique de Hana,
un charmant mémorial dédié à Paul Fagan,
l'ancien propriétaire du Hana Ranch – sorte

Route panoramique de Hana : de Wailua au Wai'anapanapa State Park

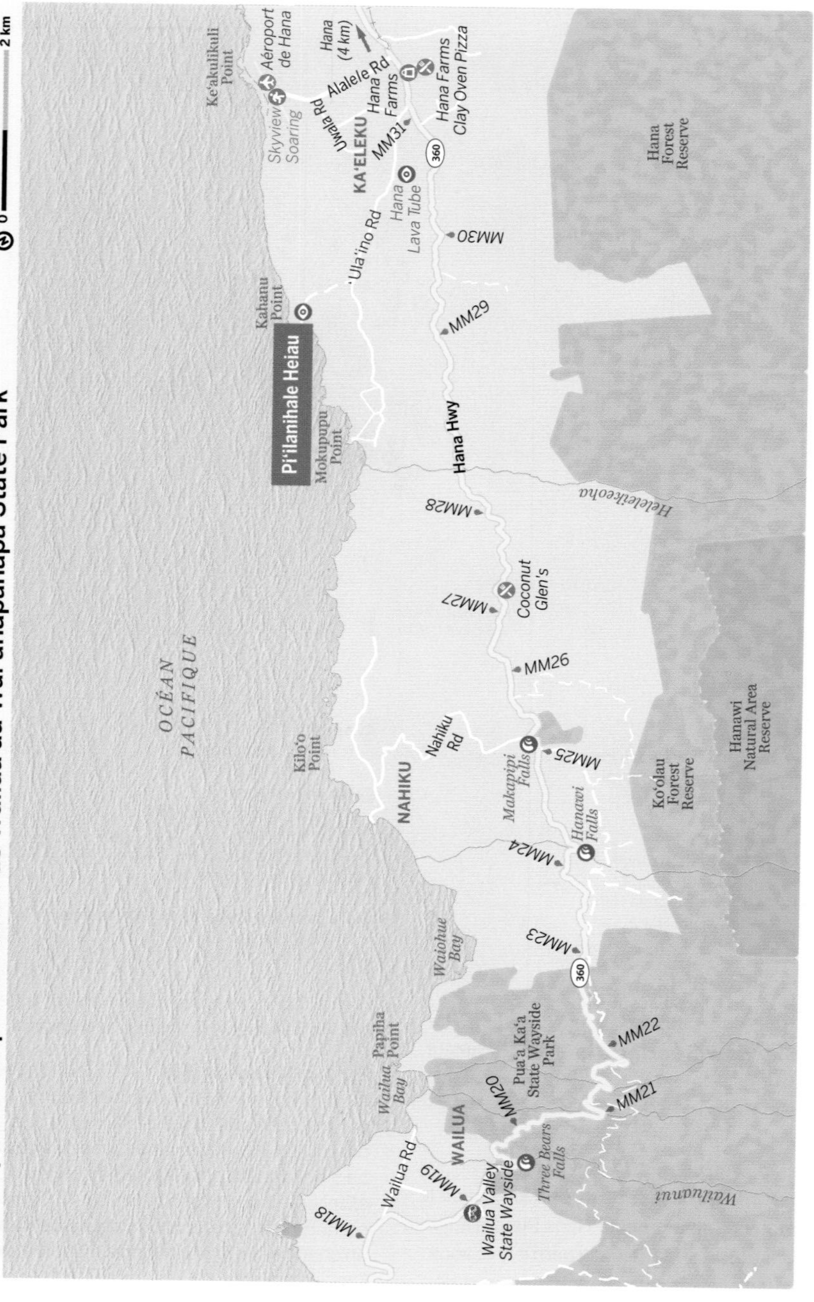

2 km

0

OCÉAN PACIFIQUE

Ke'akulikuli Point

Aéroport de Hana

Skyview Soaring

Hana (4 km)

Uwala Rd

Alalele Rd

Hana Rd

KA'ELEKU

Hana Farms

MM31

Hana Farms Clay Oven Pizza

360

Ula'ino Rd

Hana Lava Tube

MM30

Kahanu Point

Pi'ilanihale Heiau

Mokupupu Point

MM29

Hana Hwy

Heleleikeoha

MM28

Coconut Glen's

MM27

MM26

Kilo'o Point

Hana Forest Reserve

Nahiku Rd

NAHIKU

Makapipi Falls

MM25

Hanawi Falls

MM24

Ko'olau Forest Reserve

Hanawi Natural Area Reserve

Waiohue Bay

MM23

360

Wailua Bay

Papiha Point

Pua'a Ka'a State Wayside Park

MM22

MM20

MM21

WAILUA

Wailua Rd

MM19

Three Bears Falls

Wailua Valley State Wayside

MM18

Waiohue

Wailnui

de *heiau* planté sur la colline, avec une énorme croix. De là, Hana se déploie à vos pieds. À mi-chemin en montant, vous apercevrez un sentier (indiqué) partant vers la gauche. Il mène à Koki Beach (3,2 km).

Hana-Maui Kayak & Snorkel
Snorkeling

(☏808-248-7711 ; www.hanabaykayaks.com ; Hana Beach Park ; sortie snorkeling adulte/enfant - 11 ans 99/50 $; 👶). Si vous êtes débutant, ou si vous voulez plonger avec masque et tuba au-delà de Hana Bay, Kevin Coates est votre homme. Après avoir dépassé la jetée de Hana Bay en kayak, vous explorerez le récif puis le contournerez afin de rejoindre la haute mer.

Travaasa Hana Stables
Promenade à cheval

(☏808-270-5276, réservation 808-359-2401 ; www.travaasa.com ; balade 1 heure 60 $; ⏰circuits 9h et 10h30). Cet ensemble hôtelier dispose d'un centre équestre ouvert aux non-résidents (à partir de 9 ans). Réservez à la réception pour une paisible balade à cheval à travers les prairies et le long de la côte volcanique de Hana.

D'autres activités sont proposées aux résidents, notamment des sorties en pirogue à balancier ou en paddle.

🛍 ACHATS

Hana Coast Gallery
Art et artisanat

(☏808-248-8633 ; www.hanacoast.com ; 5031 Hana Hwy ; ⏰9h-17h). Visitez cette galerie située au nord du Travaasa pour découvrir les bols en bois, les peintures et les créations à plumes, signées de quelque 40 artistes hawaiiens.

Hana Farms
Alimentation

(www.hanafarmsonline.com ; 2910 Hana Hwy ; ⏰8h-19h dim-jeu, 8h-20h ven-sam). Sur cette ferme de 3 ha, on cultive un grand choix de fruits, fleurs et épices tropicaux, que l'on transforme en alléchants produits vendus dans le stand en bordure de route : pain à la banane, conserves de fruits exotiques, sauces tropicales, confiseries, sodas, café et épices. Parfait pour trouver un souvenir unique.

Conseils pour affronter la route de Hana

❂ Des centaines de voitures effectuent cette excursion chaque jour. Pour éviter la foule, partez dès l'aube.

❂ Portez un maillot de bain sous vos vêtements en prévision d'une baignade improvisée.

❂ Prévoyez des chaussures adaptées à la marche et à l'escalade de rochers glissants.

❂ Arrêtez-vous sur le bas-côté pour laisser passer les conducteurs locaux – ils ne roulent pas à la même vitesse.

❂ Passez éventuellement une ou deux nuits à Hana – de cette façon, vous pourrez visiter sur le chemin du retour ce que vous n'avez pas eu le temps de voir la veille.

🍴 OÙ SE RESTAURER

Seuls deux restaurants (le Travaasa Hana et le Hana Ranch, qui partagent le même propriétaire et sont tous deux onéreux) ouvrent le soir du dimanche au jeudi ; le week-end vient s'ajouter le Hana Farms Clay Pizza Oven. Par ailleurs, les épiceries sont rares et coûteuses, même selon les critères hawaiiens. Imitez donc les habitants : faites le plein de nourriture à Kahului avant de rallier Hana.

Thai Food by Pranee
Thaï **$**

(5050 Uakea Rd ; repas 10-15 $; ⏰10h30-16h). Le midi, cet énorme food truck entouré de tables de pique-nique fait recette à Hana avec sa cuisine thaïlandaise. Rejoignez le comptoir pour commander un repas copieux et savoureux, avec notamment des curries épicés au *mahimahi* et des poêlées. Arrivez tôt pour avoir le choix. Situé en face du Hana Ballpark.

Shaka Pops
Glacier **$**

(www.shakapopsmaui.com ; bâtonnet de glace 4,75 $; ⏰11h-16h dim-ven). Ce sympathique

Route de Hana : des Twin Falls à Ke'anae

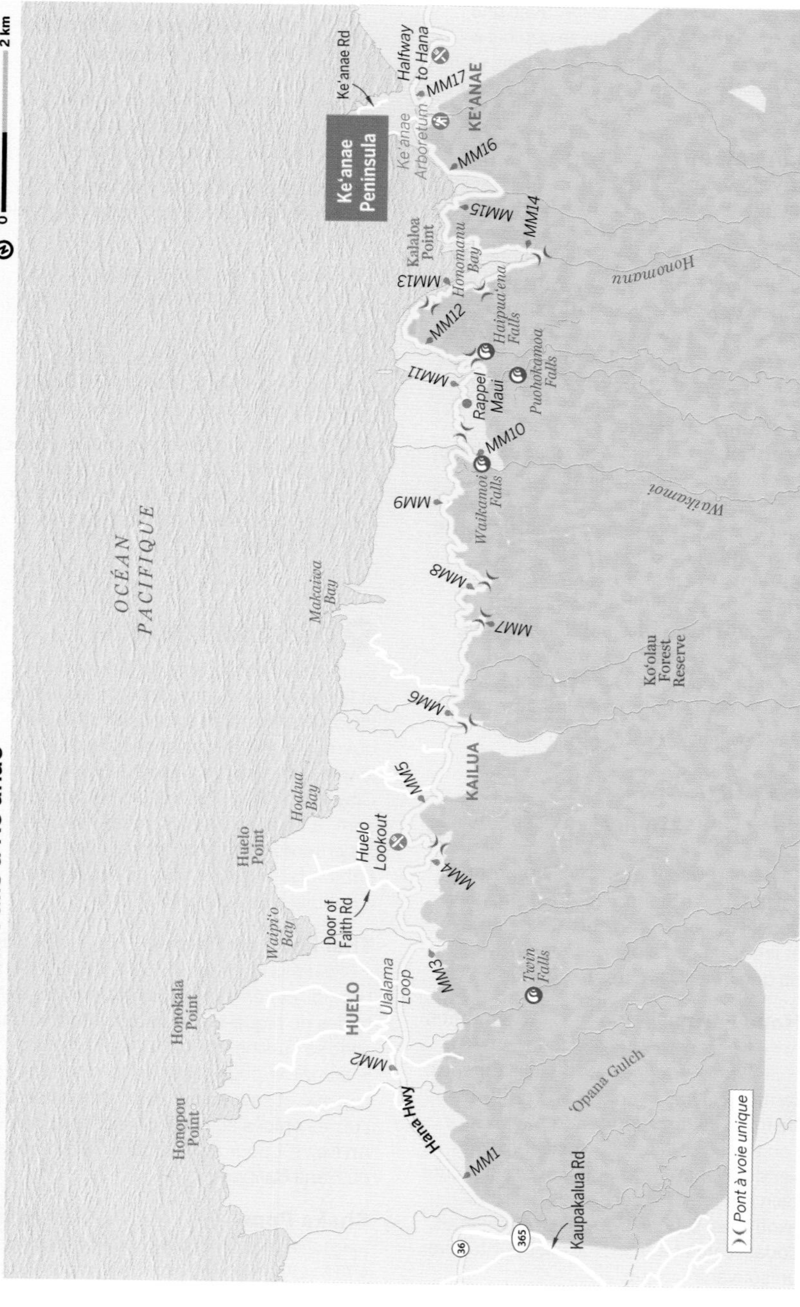

OCÉAN PACIFIQUE

Ke'anae Peninsula

Honopou Point

Honōkala Point

Waipi'o Bay

Huelo Point

Hoalua Bay

Makaiwa Bay

Kalaloa Point

Honomanu Bay

Ke'anae Rd

Halfway to Hana

Ke'anae Arboretum

KE'ANAE

MM17

MM16

MM15

MM14

MM13

MM12

MM11

MM10

MM9

MM8

MM7

MM6

MM5

MM4

MM3

MM2

MM1

Haipua'ena Falls

Puohokamoa Falls

Waikamoi Falls

Rappel Maui

Huelo Lookout

Door of Faith Rd

HUELO

Ulalama Loop

KAILUA

Twin Falls

Hāna Hwy

Kaupakalua Rd

Ko'olau Forest Reserve

Honomanu

Waikamoi

'Opana Gulch

36

365

)(Pont à voie unique

0 — 2 km

glacier vend des bâtonnets aux parfums tropicaux. Produites localement et en petite quantité, ces glaces méritent assurément votre attention. Guettez le tricycle devant le Hana Ranch Center.

Hana Farms
Clay Oven Pizza
Pizzéria $$

(📞808-248-7553 ; www.hanafarmsonline.com ; 2910 Hana Hwy ; pizza 18-20 $; ⊘16h-20h ven-sam). 🌿 Installé derrière le stand de Hana Farms, ce petit bijou n'ouvre hélas que les vendredis et samedis soir. Des fours brûlants émergent des pizzas délicates, dont les garnitures proviennent directement de la ferme. Sous le chaume, les tables de pique-nique sont éclairées au gaz, et les feuilles de palme pliées remplacent les classiques cartons à pizza. L'endroit pourrait bientôt ouvrir d'autres soirs. Commandez par téléphone pour éviter l'attente.

Hana Burger
Food Truck
Burgers $

(📞808-268-2820 ; hanaranch.com ; 5670 Hana Hwy ; plat 12-16 $). Voyageurs affamés qui arrivez par le sud de Hana, le nouveau food truck à burgers du Hana Ranch aura pour vous des allures de paradis terrestre – viande de bœuf nourri à l'herbe du ranch, tables de pique-nique éparpillées dans un pré, et la Hamoa Beach en bas de la route. Difficile de rêver mieux.

Surfin' Burro
Mexicain $

(Hana Hwy ; plat 4-8 $; ⊘8h-19h). Des tacos à Hana ? Mais oui – et sacrément bons en plus. L'endroit sert aussi des burritos au petit-déjeuner. Guettez le food truck orange garé entre l'hôtel Travaasa Hana et le Hasegawa General Store.

Hana Ranch
Restaurant
Américain et hawaiien $$

(📞808-270-5280 ; Mill St, Hana Ranch Center ; plat 17-32 $; ⊘11h-20h30). Ce restaurant rénové est l'un des rares à ouvrir le soir à Hana. Outre le mur d'ukulélés, vous apprécierez la vue sur l'océan depuis l'intérieur ou le patio.

Pour éviter toute confusion, ce restaurant est la propriété du Travaasa Hana. Le Hana Ranch, pour sa part, gère le food truck à burgers en bas de la route.

🍷 OÙ PRENDRE UN VERRE ET FAIRE LA FÊTE

Preserve Bar
Bar

(📞808-248-8211 ; www.travaasa.com ; 5031 Hana Hwy, Travaasa Hana ; ⊘restaurant 11h30-21h, bar fermeture plus tardive). En matière de vie nocturne, voici le seul acteur de la ville. Bières de Maui, cocktails d'inspiration locale et cuisine de produits venus directement de la ferme. Des musiciens locaux, accompagnés de danseurs de *hula*, s'y produisent les dimanches, mardis et mercredis soir. Venez les soirs de concert, sinon l'ambiance peut s'avérer un peu sinistre.

ℹ️ DEPUIS/VERS HANA

Il existe deux façons de rejoindre Hana pour un séjour prolongé : louer une voiture et parcourir la sinueuse Hana Hwy (2 heures depuis Pa'ia), ou bien prendre un avion à hélice avec Mokulele Airlines (20 minutes ; 70 $ aller) depuis Kahului jusqu'à l'**aéroport de Hana** (📞808-248-4861 ; www.hawaii.gov/hnm ; Alalele Pl). Actuellement, les seuls vols quotidiens partent à 13h et 17h, pour un retour à 13h34 et 17h35. Pour des raisons de sécurité, les passagers dont le poids excède 158 kg ne sont pas acceptés. Le bus de Maui ne dessert pas l'est de l'île.

Plusieurs prestataires touristiques font une brève halte à Hana durant leurs excursions sur la route du même nom.

Les commerces locaux ferment tôt. **Hana Gas** (📞808-248-7671 ; angle Mill Rd et Hana Hwy ; ⊘7h-20h lun-sam, 7h-18h dim) est la seule station-service de l'est de Maui – organisez-vous en conséquence.

ℹ️ COMMENT CIRCULER

Enterprise (📞808-871-1511 ; www.enterprise.com). Le Travaasa Hana dispose d'une poignée de voitures à louer. Aucun bus public ne circule vers Hana ou sur la route de Hana.

KIHEI ET WAILEA (MAUI)

Heapili Trail (p. 205)

Kihei et Wailea (Maui)

Dans le sud de Maui, les couchers de soleil sont l'affaire de tous, comme en témoigne la foule rassemblée le long de la plage du Kama'ole Beach Park II en fin d'après-midi – une scène rejouée quotidiennement sur toute la côte alentour.

Au premier abord, les principales localités, Kihei et Wailea, semblent assez commerciales ; mais en réalité, elles mêlent de façon unique paysages variés et aventures de toutes sortes. Vous pouvez faire du snorkeling parmi des récifs peuplés de tortues, gagner en kayak des baies isolées ou naviguer dans une pirogue à balancier. Quant aux plages, elles sont indéniablement superbes. L'ensoleillement fiable, les paisibles sentiers de randonnée côtiers et la scène culinaire variée achèvent de rendre le sud de Maui pratiquement irrésistible.

Kihei et Wailea en 1 jour

Le **Kihei Caffe** (p. 202) ouvre ses portes dès l'aurore – l'idéal pour un bon petit-déjeuner avant une matinée de snorkeling à **Ulua Beach** (p. 201). Savourez du poisson frais au **Cafe O'Lei** (p. 203), puis rendez-vous au **Hawaiian Islands Humpback Whale National Marine Sanctuary** (p. 194) pour en savoir plus sur les baleines venant se reproduire ici en hiver. Prenez un verre au **5 Palms** (p. 203), puis admirez le coucher de soleil à **Keawakapu Beach** (p. 200).

Kihei et Wailea en 2 jours

Le lendemain, gagnez **Makena Bay** en kayak, où les tortues vertes marines sont nombreuses. Savourez une délicieuse salade au **Fork & Salad** (p. 202), puis continuez vers le sud jusqu'à **La Perouse Bay**, au fabuleux paysage volcanique constellé de vestiges historiques. Faites une pause à **Big Beach** (p. 200) pour un autre beau coucher de soleil. Terminez votre journée par un dîner et quelques verres au **Monkeypod Kitchen** (p. 203).

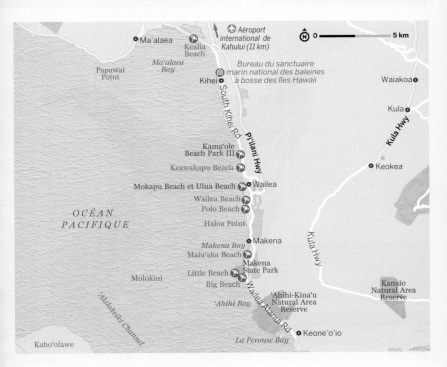

Aéroport international de Kahului (11 km)

Ma'alaea

Kealia Beach

Papawai Point

Ma'alaea Bay

Kihei

Bureau du sanctuaire marin national des baleines à bosse des îles Hawaii

Waiakao

Kula

Kula Hwy

South Kihei Rd

Pi'ilani Hwy

Kama'ole Beach Park III

Keawakapu Beach

Keokea

Mokapu Beach et Ulua Beach — Wailea

Wailea Beach

Polo Beach

OCÉAN PACIFIQUE

Haloa Point

Kula Hwy

Makena Bay — Makena

Malu'aka Beach

Makena State Park

Molokini

Little Beach

Big Beach

Wailea Alanui Rd

'Ahihi-Kina'u Natural Area Reserve

Kanaio Natural Area Reserve

'Ahihi Bay

'Alalakeiki Channel

Kaho'olawe

La Perouse Bay

Keone'o'io

0 — 5 km

Comment s'y rendre

L'aéroport de Kahului est à 16 km de North Kihei, à 26 km de South Kihei et à 29 km de Wailea. Presque tous les voyageurs louent une voiture à l'aéroport. Comptez 18-34 $ environ pour une navette jusqu'à Kihei, et 24-42 $ jusqu'à Wailea. En taxi, la course pour Kihei coûte 30-45 $ (varie selon la destination exacte) et 57 $ pour Wailea.

Où se loger

La location d'appartement est la solution d'hébergement la plus répandue à Kihei, avec des complexes dans toute la ville. Une poignée d'hôtels et de B&B constitue la seule alternative. Wailea est réputée pour ses luxueux complexes hôteliers face à l'océan, mais on y trouve aussi quelques immeubles d'appartements haut de gamme ainsi que deux hôtels, dont l'un à courte distance de la plage en voiture.

Une baleine à bosse jaillit de l'océan

IDREAMPHOTO/SHUTTERSTOCK ©

Observation des baleines

Chaque hiver, environ 12 000 baleines à bosse – les deux tiers de la population du Pacifique nord – gagnent les eaux côtières peu profondes de l'archipel hawaiien pour s'accoupler et mettre bas.

Pour ceux qui aiment...

☑ **Ne ratez pas**

Les conférences gratuites "45-Ton Talks" du Humpback Whale National Marine Sanctuary (11h mar et jeu).

Meilleurs sites d'observation

Les baleines à bosse savent impressionner leur public : elles giflent l'eau avec leur queue, sautent, sortent juste la tête... Le littoral occidental de l'île est leur principal lieu de mise bas. Les baleines à bosse évoluent tout près des côtes, car elles préfèrent les eaux peu profondes, plus sûres pour les baleineaux. On trouve d'excellents lieux d'observation sur le littoral, notamment les promenades des plages de Kihei et de Wailea.

Hawaiian Islands Humpback Whale National Marine Sanctuary

Le Congrès américain a créé ce sanctuaire marin en 1992 afin d'assurer la protection des baleines à bosse et de leur habitat. Ces efforts ont porté leurs fruits : en septembre 2016, une majorité d'espèces

ℹ Infos pratiques

Siège du Hawaiian Islands Humpback Whale National Marine Sanctuary
(📞808-879-2818 ; hawaiihumpbackwhale.
noaa.gov ; 726 S Kihei Rd ; 🕙10h-15h lun-ven ;
🅿 ♿) GRATUIT

✕ Une petite faim
Les salades du Fork & Salad (p. 202)
sont à base d'ingrédients frais,
bio et locaux.

★ Bon à savoir
La meilleure période de l'année
pour observer les baleines sur Maui
s'étend de janvier à mars.

Croisières d'observation des baleines

Si vous souhaitez admirer de très
près les acrobaties de ces géants des
mers, embarquez pour une croisière
d'observation des baleines. Le meilleur
prestataire est la **Pacific Whale
Foundation** (📞808-249-8811 ; www.
pacificwhale.org ; 300 Ma'alaea Rd, Ma'alaea
Harbor Shops ; croisières adulte/enfant 7-12 ans
à partir de 35/20 $; 🕙horaires variables ; ♿),
vouée à la préservation des cétacés
et qui propose des excursions écolo
menées par des naturalistes.

Les bateaux partent de Ma'alaea Harbor ;
leçons de snorkeling et conférences
sur la nature sont également proposées.
En-cas inclus, et moins de 12 ans gratuits
sur certaines croisières. Les excursions
d'une demi-journée se concentrent
sur Molokini ; celles d'une journée
vont aussi à Lanai.

de baleines à bosse ont été retirées de la
liste des espèces en danger. Le moratoire
sur la chasse à la baleine reste cependant
en place. Le sanctuaire inclut tout le
pourtour des îles hawaiiennes, depuis le
littoral jusqu'à une profondeur de 183 m.

Situé à Kihei, le siège du sanctuaire offre
quantité d'animations intéressantes.
La terrasse face à l'océan, juste au nord
d'un ancien vivier, le Ko'ie'ie Fishpond,
est idéale pour observer les baleines
à bosse qui fréquentent la baie en hiver.
Des télescopes gratuits sont à disposition.
À l'intérieur, une exposition et des vidéos
permettent d'en savoir plus, ainsi que de
nombreuses brochures d'information
concernant les baleines et le reste de la
faune hawaiienne. Venez vers 11h le mardi
ou le jeudi pour assister à des conférences
gratuites sur les baleines ("45-Ton Talks").

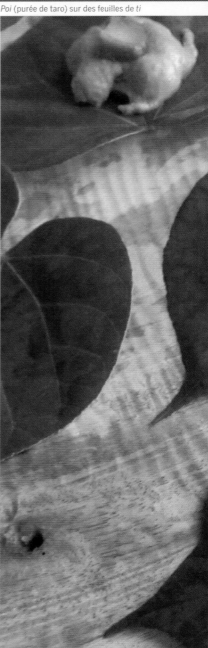

Poi (purée de taro) sur des feuilles de *ti*

Le meilleur de la cuisine locale

La cuisine de Maui déborde de goûts et embrasse sans hésitation les saveurs étrangères. Le plate lunch, *le* loco moco, *et même le plutôt salé* musubi *au* Spam *(du jambon en boîte), possèdent un charme multiethnique décomplexé. Alors offrez à vos papilles une plongée vers l'inconnu.*

Pour ceux qui aiment....

✕ Une petite faim
Dégustez votre plate lunch assis à l'une des tables de pique-nique ombragées du Kamaʻole Beach Park III.

★ **Bon plan**
Le rayon poissonnerie
du supermarché Foodland vend
d'excellents bols de *ahi poke*
(thon cru mariné) accompagné
de riz à emporter.

ERIC BRODER VAN DYKE/SHUTTERSTOCK ©

La cuisine de tous les jours reflète l'héritage multiculturel de Hawaii ; les influences asiatiques, portugaise et polynésienne sont les plus évidentes. Bon marché, roboratifs et savoureux, les plats locaux satisfont tous les appétits.

Au fil des saisons

Les produits frais de l'arrière-pays sont toujours de saison : grâce à un climat tropical, la plupart des fruits et légumes sont récoltés toute l'année.
Printemps Rendez-vous à Hana pour célébrer le taro, un tubercule particulièrement apprécié, farineux comme la pomme de terre. On le retrouve dans les hamburgers, ou sous forme de frites et d'une purée appelée *poi*.
Automne Pour découvrir la gamme de fruits et légumes cultivés sur l'île, promenez-vous dans les allées de la Maui County Fair, un salon agricole qui se tient à Kahului début octobre. À l'approche de Halloween, emmenez toute la famille admirer le champ de citrouilles des Kula Country Farms, et profitez du labyrinthe de maïs.

Le plate lunch

L'assiette de déjeuner (*plate lunch*) que l'on voit partout est typique de la cuisine locale : de beaux morceaux bien tendres de porc *kalua*, une bonne cuillerée de macaronis crémeux, et deux portions généreuses de riz blanc. Le porc peut (entre autres) être remplacé par du *mahimahi* (dorade coryphène) frit ou du poulet *teriyaki* (laqué). Elle est souvent servie dans de la vaisselle jetable et mangée avec des baguettes. Une combinaison très appréciée au petit-déjeuner inclut un œuf frit et une saucisse

Poke

portugaise épicée (ou du bacon, du jambon, du jambon en boîte Spam, etc.), et du riz.

Vous dégusterez les meilleurs *plate lunches* du sud de Maui au Kihei Caffe (p. 202) et au Da Kitchen Express (p. 203).

Le poke

Il existe de nombreuses versions du *poke* – du poisson cru mariné dans un mélange de *shōyu* (sauce soja), d'huile, de piments, d'oignons nouveaux et d'algues. L'*ahi* (thon) au sésame est particulièrement apprécié. Les meilleurs *poke* du sud de Maui sont proposés par **Foodland** (☏808-879-9350 ; www.foodland.com ; 1881 S Kihei Rd, Kihei Town Center ; ⊙5h-1h), **Eskimo Candy**

MARIONV/SHUTTERSTOCK ©

(☏808-879-5686 ; www.eskimocandy.com ; 2665 Wai Wai Pl ; plats 9-18 $; ⊙10h30-19h lun-ven ; 🖼) et **Tamura's Fine Wine & Liquors** (☏808-891-2420 ; www.tamurasfinewine. com ; 91 E Lipoa St ; poke frais 18,99 $/livre ; ⊙9h30-21h lun-sam, jusqu'à 20h dim).

Les pupu

Pupu est le terme local utilisé pour désigner toutes sortes d'amuse-gueules – des cacahuètes bouillies dans leur coque aux *edamame* (fèves de soja bouillies dans leur cosse) en passant par les crevettes frites.

La shave ice

La *shave ice* est de la glace finement pilée et nappée de sirops parfumés aux couleurs éclatantes. Pour plus de gourmandise, ajoutez de la *Kauai cream*, des haricots *azuki* sucrés et de la crème glacée. À goûter au Local Boys Shave Ice (p. 203).

🍽️ **Poisson et fruits de mer**

Les Hawaïens mangent énormément de produits de la mer. L'*ahi* (thon) est leur poisson préféré, mais le *mahimahi* (dorade coryphène) et l'*ono* (maquereau à chair blanche) sont aussi très prisés. Consultez le site Internet de Hawaii Seafood (www. hawaii-seafood.org) pour en savoir plus sur les poissons de la région, la pêche durable, les méthodes de pêche, la saisonnalité, la nutrition et comment les cuisiner. Le guide gratuit de Seafood Watch (www. seafoodwatch.org) offre aussi des informations claires sur les poissons et fruits de mer dont la consommation ne nuit pas à l'océan, et des précisions concernant la pêche durable à Hawaii.

ⓘ **Bon à savoir**

Si vous êtes invité chez quelqu'un, apportez un plat, de préférence fait maison, ou un gâteau acheté chez le pâtissier.

🐠 PLAGES

Plus on va vers le sud, plus belles
sont les plages.

Big Beach
Plage

(Oneloa Beach ; dlnr.hawaii.gov/dsp/parks/
maui ; Makena Rd ; ☺6h-18h ; P). Joyau du
Makena State Park, cette plage vierge
est sans doute la plus belle de Maui.
En hawaiien, elle est appelée Oneloa,
ce qui veut dire "long sable", car elle s'étale
sur près d'1,6 km – elle est aussi très large.
Les eaux qui la bordent sont d'un beau bleu
turquoise. Par temps calme, les enfants font
du bodyboard, mais à d'autres moments,
les vagues déferlant près du bord peuvent
être dangereuses et ne conviennent qu'aux
bodyboardeurs chevronnés.

Keawakapu Beach
Plage

(☎808-879-4364 ; www.mauicounty.
gov/Facilities ; P). Du point du jour
au crépuscule, cette étendue de sable
pailleté est d'une beauté inouïe.
Allant du sud de Kihei à Mokapu Beach,
à Wailea, Keawakapu est en retrait
de la route principale, et moins visible
que les principales plages de Kihei bordées
par la route, juste au nord. Il y a aussi moins
de monde, et c'est un excellent endroit
pour admirer le coucher du soleil.

Wailea Beach
Plage

(☎808-879-4364 ; www.mauicounty.gov/
Facilities ; route d'accès depuis Wailea Alanui Dr ;
P🚻). Envie de glamour ? Rendez-vous
sur cette plage située devant les complexes
hôteliers du Grand Wailea et du Four
Seasons, qui offre un grand choix d'activités
nautiques. La plage descend en pente
douce, un plus pour la baignade. Par temps
calme, il est possible de faire du snorkeling
près de la pointe rocheuse à l'extrémité
sud. La plupart des après-midi, les vagues
déferlant près du bord sont très modérées
et conviennent au bodyboard. Les plongeurs
entrant dans l'eau à Wailea Beach peuvent
suivre un récif au large jusqu'à Polo Beach.

Kama'ole Beach Park III
Plage

(☎808-879-4364 ; www.mauicounty.gov/
Facilities ; 2800 S Kihei Rd ; P🚻). Jolie
plage de sable surveillée, avec toutes les
installations souhaitées, ainsi qu'une aire
de jeux et un parking. Idéal pour passer

De gauche à droite : poisson tropical de récif ;
hamac à Wailea ; promenade de Wailea Beach

la journée. Les tables de pique-nique ombragées commencent à se remplir tôt le week-end. Aménagée pour les handicapés.

Mokapu Beach et Ulua Beach
Plages

(☏808-879-4364 ; www.mauicounty.gov/ Facilities ; Haleali'i Pl ; P). Ces deux plages connaissent une fréquentation en hausse avec l'ouverture du complexe hôtelier Andaz Maui à quelques pas. La jolie **Mokapu Beach** se trouve derrière l'Andaz, au nord d'une petite pointe séparant les deux plages. Les amateurs de snorkeling opteront pour **Ulua Beach**, au sud.

✪ ACTIVITÉS

Hawaiian Sailing Canoe Adventures
Canoë

(☏808-281-9301 ; www.mauisailingcanoe.com ; adulte/enfant 4-14 ans 179/129 $; ☺balades 9h ; 🖝). Découvrez les traditions indigènes et faites du snorkeling parmi les tortues marines lors d'une sortie en mer de 3 heures en pirogue hawaiienne à balancier. Départ de Polo Beach.

Wailea Beach Walk
Promenade

Voici une balade idéale au soleil couchant. Empruntez le chemin côtier d'environ 2 km qui relie les plages de Wailea et les complexes hôteliers qui les bordent. Le sentier ondule au-dessus de pointes de lave déchiquetées avant de redescendre vers le rivage sablonneux. En hiver, l'endroit est fabuleux pour observer les baleines à bosse ; on en aperçoit parfois plus d'une douzaine en train de s'ébattre au large.

Hoapili Trail
Randonnée

Depuis La Perouse Bay, cette section de l'ancienne King's Highway ("Route du Roi") longe la côte à travers d'anciennes coulées de lave irrégulières. Soyez prévoyant : mettez des chaussures de randonnée, emportez suffisamment à boire, commencez tôt et dites à quelqu'un où vous allez. Dans cette région sèche, sans eau et presque dénuée de végétation, la chaleur peut être accablante.

La première partie du chemin suit la plage de sable de La Perouse Bay. Juste après que le sentier rencontre les champs de lave, il est possible de faire un détour

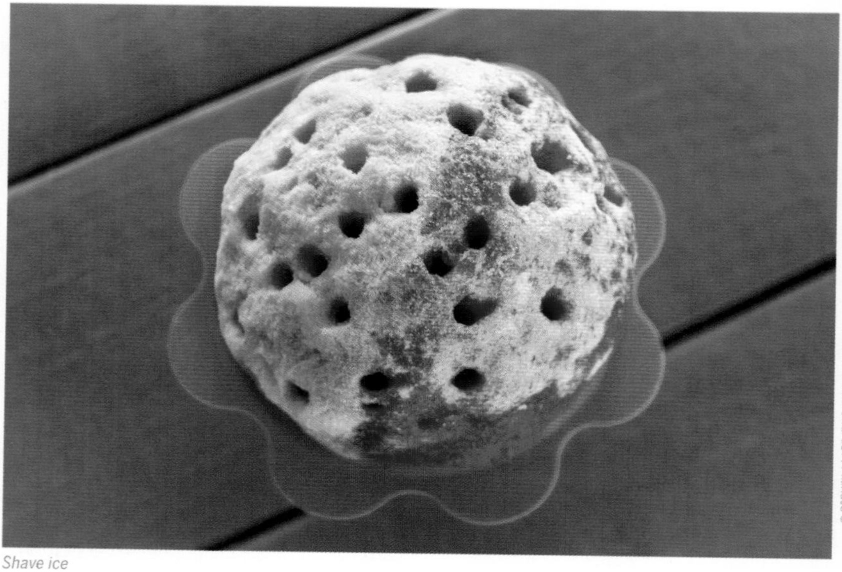

Shave ice

de 1,2 km pour descendre jusqu'à la balise lumineuse à la pointe du cap Hanamanioa. Sinon, prenez vers l'intérieur jusqu'au panneau Na Ala Hele et bifurquez à droite sur la King's Highway, qui grimpe vers l'intérieur à travers des champs de lave de type 'a'a, pleins d'aspérités, avant de revenir vers le littoral à Kanaio Beach, où se trouve une coulée de lave plus ancienne. Bien que le chemin continue, il devient plus difficile, et il est recommandé de faire demi-tour à Kanaio Beach. Sans le détour vers la balise, le trajet aller-retour fait environ 8,5 km.

Pour plus de renseignements et une carte très succincte, consultez le site Internet de l'État consacré aux sentiers de randonnée et à leur accessibilité : www.hawaiitrails.org.

✪ OÙ SE RESTAURER

L'offre de restauration de la région est très complète, des food trucks aux cantines aux ingrédients venus tout droit de la ferme et aux restaurants tendance de chefs renommés.

Fork & Salad   Salades $

(☎808-879-3675 ; www.forkandsaladmaui.com ; 1279 S Kihei Rd, Azeka Mauka Shopping Center ; plats 9-17 $; ⊙10h30-21h ; 🖉). Ce nouveau temple chic de la salade met à l'honneur les produits des fermes locales. Choisissez au comptoir une salade puis ajoutez poulet bio, crevettes issues de la pêche durable ou *ahi* juste saisi. Le personnel enrobe le tout d'une des succulentes vinaigrettes d'inspiration hawaiienne, comme la sauce crémeuse au *liliko'i* (fruit de la passion).

Kihei Caffe   Café $

(☎808-879-2230 ; www.kiheicaffe.com ; 1945 S Kihei Rd, Kihei Kalama Village ; plats 7-13 $; ⊙5h-14h). Des oiseaux parcourant furtivement la terrasse en quête de nourriture, un service rapide, mais le Kihei Caffee est une institution pleine de charme. Commandez à l'intérieur, remplissez votre tasse de café à la machine, dénichez une table à l'extérieur puis regardez défiler les *burritos* du petit-déjeuner, les œufs brouillés aux légumes et les *loco moco* (œuf frit, steak haché et riz). Espèces seulement.

Da Kitchen Express — Hawaiien $

(☎808-875-7782 ; www.dakitchen.com ; 2439 S Kihei Rd, Rainbow Mall ; petit-déj 11-15 $, déj et dîner 11-18 $; ☺9h-21h). Une super cantine sans chichis, qui sert des *plate lunches* parfaits. L'assiette la plus appréciée est la Da Lau Lau Plate (au porc cuit à l'étouffée dans des feuilles de taro), mais tout est bon, du poulet teriyaki grillé au charbon, au *loco moco* nappé de sauce au jus de viande. Le porc épicé *kalua* (cuit dans un four creusé dans la terre) est succulent.

Local Boys Shave Ice — Glaces $

(☎808-344-9779 ; www.localboysshaveice.com ; 1941 S Kihei Rd, Kihei Kalama Village ; shave ice à partir de 4,50 $; ☺10h-21h). Armez-vous de serviettes en papier pour déguster ces portions généreuses de glace pilée, nappée d'un arc-en-ciel de sirops parfumés. Espèces seulement.

Monkeypod Kitchen — Cuisine de pub $$

(☎808-891-2322 ; www.monkeypodkitchen.com ; 10 Wailea Gateway Pl, Wailea Gateway Center ; déj 15-27 $, dîner 15-41 $; ☺11h30-23h, happy hour 15h-17h30 et 21h-23h ; ☝). ✎ La happy hour du dernier établissement en date du chef Peter Merriman attire une foule conviviale. Le personnel, la clientèle et les 36 bières artisanales à la pression contribuent à l'ambiance *aloha* des lieux. L'adresse propose une cuisine de pub gourmande délicieusement revisitée à la hawaiienne, aux ingrédients généralement bio et locaux.

Café O'Lei — Hawaiien $$

(☎808-891-1368 ; www.cafeoleirestaurants.com ; 2439 S Kihei Rd, Rainbow Mall ; déj 8-16 $, dîner 17-29 $; ☺10h30-15h30 et 16h30-21h30). Ce bistrot de centre commercial ne paie pas de mine mais c'est l'un des meilleurs restaurants des environs. À l'intérieur, on découvre une ambiance raffinée, une cuisine régionale hawaiienne innovante, un excellent service et des prix raisonnables. Le *mahimani* noirci à la sauce de papaye fraîche est délicieusement relevé. Plats de déjeuner avec salade à des prix imbattables (moins de 10 $), et sushi chef à partir de 16h30 (mar-sam).

⊖ OÙ PRENDRE UN VERRE ET FAIRE LA FÊTE

La plupart des bars de Kihei sont alignés de l'autre côté du boulevard face à la plage, et proposent des animations en soirée. Le Kihei Kalama Village, aussi appelé "The Bar-muda Triangle" (ou juste "The Triangle"), est très fréquenté le soir pour ses nombreux bars trépidants.

5 Palms — Bar à cocktails

(☎808-879-2607 ; www.5palmsrestaurant. com ; 2960 S Kihei Rd, Mana Kai Maui ; ☺8h-23h, happy hour 15h-19h et 21h-23h). L'endroit incontournable pour savourer un cocktail près de la plage au soleil couchant, prisé des touristes et des résidents. Arrivez une heure avant que le soleil ne disparaisse à l'horizon, car le bar-terrasse, situé à deux pas de la superbe Keawakapu Beach, se remplit vite. Pendant la happy hour, les sushis et un bel assortiment d'en-cas succulents sont à moitié prix avec une boisson minimum ; *mai tai* et margaritas à 5,75 $.

ⓘ DEPUIS/VERS KIHEI ET WAILEA

Quelques agences de location de voiture se trouvent sur North Kihei Rd et South Kihei Rd ; elles proposent des tarifs plus bas et peuvent louer à la journée. **Kihei Rent A Car** (☎808-879-7257 ; www.kiheirentacar.com ; 96 Kio Loop ; à partir de 35/175 $ par jour/sem ; ☺7h30-21h) loue des voitures et des 4X4 aux plus de 21 ans, avec kilométrage inclus. Des transports Uber sont disponibles, actuellement à des tarifs semble-t-il plus élevés que ceux des taxis – de 53 à 101 $ par course depuis l'aéroport jusqu'à Kihei, selon la destination exacte.

ⓘ COMMENT CIRCULER

Le **Maui Bus** (☎808-871-4838 ; www. mauicounty.gov/bus ; aller simple 2 $, forfait journée 4 $) dessert Kihei selon deux itinéraires (toutes les heures entre 6h et 20h environ). Le premier, le Kihei Islander, relie Kihei à Wailea et à Kahalu. Le second, le Kihei Villager, dessert principalement la moitié nord de Kihei.

Mouflon sur Lana'i

Une journée à Lana'i

Lana'i est l'île la plus centrale de l'archipel. Les plantations d'ananas, maintenant abandonnées, constituent son principal patrimoine historique. Les habitants descendent de différentes populations immigrantes du monde entier, venues jadis travailler la terre.

Pour ceux qui aiment...

☑ **Ne ratez pas**

Cathedrals (p. 206), le site de plongée le plus spectaculaire de l'île, recèle un immense tunnel de lave orné d'arches et de grottes.

Ferry depuis Maui

Ce trajet en bateau vaut à lui seul le déplacement : la compagnie **Expeditions Maui–Lana'i Ferry** (☎800-695-2624 ; www. go-lanai.com ; aller simple adulte/enfant 30/20 $) relie Lahaina Harbor (Maui) à Manele Bay Harbor (Lana'i) plusieurs fois par jour (1 heure). En hiver, vous avez de bonnes chances de voir des baleines à bosse ; les dauphins à long bec sont communs toute l'année, surtout le matin. Les tour-opérateurs et prestataires de Lana'i attendent les passagers à l'arrivée du ferry sur demande préalable. Les excursions d'une journée à Lana'i depuis Maui sont populaires.

Itinéraire conseillé

Prenez le premier ferry du matin depuis Lahaina, sur Maui, et guettez les groupes de dauphins à l'approche de Manele Bay.

Formations rocheuses au Keahikawelo

LYNN Y/SHUTTERSTOCK ©

ⓘ Infos pratiques

La compagnie **Ohana** (☎800-367-5320 ; www.hawaiianairlines.com), assure des vols plusieurs fois par jour entre Lana'i et Honolulu. De plus, il y a généralement un vol depuis Moloka'i.

★ Bon à savoir

Lana'i suit un simple plan en quadrillage ; presque tous les magasins et prestataires de services bordent **Dole Park**.

Prenez la navette pour Lana'i City et petit-déjeunez au **Blue Ginger Café** (☎808-565-6363 ; www.bluegingercafelanai.com ; 409 7th St ; plats 5-15 $; ⏱6h-20h jeu-lun, jusqu'à 14h mar-mer) avant de faire du lèche-vitrine et de découvrir le superbe **Culture & Heritage Center** (www.lanaichc.org ; 111 Lana'i Ave ; ⏱8h30-15h30 lun-ven, 9h-13h sam) GRATUIT. L'après-midi, faites du snorkeling à Hulopo'e Beach (p. 206) ou plongez à Manele Bay avant de rentrer à Maui en ferry au coucher du soleil.

Une nouvelle vie avec Larry

Les décennies d'isolement paisible de Lana'i ont pris fin en 2012, lorsque le milliardaire Larry Ellison, cofondateur du groupe de développement de logiciels Oracle, a racheté la plus grande partie de l'île à son propriétaire de longue date, Castle & Cooke (qui gérait les omniprésentes plantations

d'ananas). Pour environ 600 millions de dollars, Ellison a ainsi obtenu 98% de Lana'i (le reste consiste en des propriétés privées ou des terres du domaine public) et un assortiment d'entreprises, notamment les complexes hôteliers.

Le "Jardin des dieux"

Étranges formations rocheuses, vue à couper le souffle et plages désertes sont les temps forts d'une visite du nord-ouest de Lana'i.

Pour vous rendre au plateau désertique de Keahikawelo, le "Jardin des dieux", et à la Kanepu'u Preserve, empruntez la route non goudronnée Polihua Rd, en bon état jusqu'à cet endroit, bien que souvent poussiéreuse (environ 30 minutes depuis la ville). Si vous continuez vers Polihua Beach, l'état de la route varie suivant la date de son dernier nivellement, et entre 20 minutes et 1 heure peuvent s'avérer nécessaires pour gagner la côte, 550 m plus bas.

De belles plages

La plus belle plage de Lana'i (et l'une des meilleures de l'archipel) est le croissant

Itinéraire automobile dans les terres

Le plus beau circuit en voiture de Lana'i emprunte la Keomuku Rd (Hwy 44) en direction du nord depuis Lana'i City, et traverse les collines plus fraîches de l'arrière-pays, où flotte un brouillard au-dessus de prairies herbeuses. En chemin, des belvédères inattendus offrent une vue directe sur le littoral sud-est de Moloka'i et son minuscule îlot adjacent, Mokuho'oniki.

La route longue de 13 km descend en douceur vers la côte en une série de virages en épingle, à travers un paysage quasi désertique ponctué de rochers aux formes insolites.

Il n'est pas rare d'apercevoir des mouflons dans les collines de l'intérieur des terres. Les mâles ont des cornes en spirale, et les dominants se déplacent avec leur harem. Vous verrez peut-être aussi des cerfs axis.

de sable doré de **Hulopo'e Bay** (près de la Hwy 440 ; 🚻). Vous y apprécierez le snorkeling dans la réserve marine, la balade vers un site archéologique légendaire ou une simple séance de détente à l'ombre des palmiers. À seulement 10 minutes à pied de Hulopo'e Beach, Manele Harbor offre ses mouillages protégés aux voiliers et petits esquifs, ainsi qu'au ferry de Maui.

Manele Bay et Hulopo'e Bay font partie d'un secteur marin protégé interdisant le prélèvement de coraux et limitant de nombreuses activités de pêche ; tous ces facteurs en font un excellent lieu de snorkeling et de plongée sous-marine. Les dauphins à long bec semblent apprécier ces fonds. En hiver, de forts courants et houles agitent ces baies et menacent les baigneurs.

Plongée à Cathedrals

La plongée est excellente dans la baie et aux alentours. Le corail est abondant près des falaises, où le fond descend rapidement jusqu'à près de 12 m. Au-delà de la limite occidentale de la baie, près du rocher de Pu'u Pehe, se trouve Cathedrals, le site de plongée le plus spectaculaire de l'île, dont les arches et les grottes ornent un large tunnel de lave d'environ 30 m de long.

Les pétroglyphes de Luahiwa

Lana'i compte la plus importante concentration de pétroglyphes, gravés dans une trentaine de rochers répartis sur 1,2 ha de terres poussiéreuses, sur un flanc isolé surplombant le bassin de Palawai.

Nombre de ces gravures sur roc ont souffert des assauts du temps, mais on distingue encore les silhouettes humaines linéaires et triangulaires, des chiens et une pirogue. Respectez l'esprit du site et ne touchez pas les fragiles gravures.

Littoral près de La Perouse Bay

Pour découvrir ce site peu visité depuis Lana'i City, prenez Manale Rd, bordée d'arbres, en direction du sud. Après 3,2 km, cherchez un bosquet de six arbres sur la gauche et tournez sur une large route non goudronnée ; continuez pendant environ 2 km. Quand vous verrez une maison et un portail, prenez immédiatement à gauche sur un chemin de terre et d'herbe ; continuez pendant 500 m. Les grands blocs de roche seront sur votre droite en haut de la colline ; il y a un endroit où tourner et une petite borne en pierre.

Lana'i pour les enfants

Lana'i a peu d'activités complexes à offrir aux enfants, mais ceux-ci adoreront **Hulopo'e Beach**, avec ses mares intertidales remplies de petites créatures captivantes ; les plus grands apprécieront l'excellent snorkeling,

Kapiha'a Village Interpretive Trail

Ce sentier d'interprétation constitue une belle promenade revigorante avec vue superbe sur le littoral. Départ juste en dessous du Four Seasons Resort Lana'i. Des panneaux relatent l'histoire des lieux en chemin. Le sentier est plat pour l'essentiel, mais plonge de temps à autre dans des ravins bordés de minuscules plages ; il fait très chaud le midi. Un détour mène au site d'un ancien village, Kapiha'a, puis continue jusqu'au club-house du golf.

✕ Une petite faim ?

Goûtez d'excellents sushis au restaurant **Nobu** (☎ 808-565-2832 ; www.noburestaurants.com/lanai ; près de Hwy 440, Four Seasons Resort Lana'i ; repas 50-200 $; ☉ dîner 18h-21h30, bar 16h30-22h30) **du complexe hôtelier Four Seasons.**

JOE WEST/SHUTTERSTOCK ©

HALEAKALĀ NATIONAL PARK (MAUI)

Haleakalā National Park (Maui)

Pour saisir l'âme de Maui, gagnez le sommet du Haleakalā. Là, l'immense cratère s'ouvre à vos pieds, dans toute sa splendeur volcanique brute, caressé par la brume et baigné par les premières lueurs de l'aube : un spectacle inoubliable. Les points de vue sur le paysage lunaire en contrebas, émaillé de cônes de cendres, sont aussi à couper le souffle.

Le reste du parc, lequel est divisé en deux parties distinctes, est entièrement dédié à l'interaction avec cette montagne de lave solide et les rares formes de vie de la région. On peut descendre dans le cratère, suivre les sentiers luxuriants des versants ou mettre son VTT à l'épreuve.

Le Haleakalā National Park en 1 jour

Faites un tour au **centre d'accueil des visiteurs**, au sommet, avant de partir pour une randonnée revigorante sur les cendres chauffées par le soleil du surnaturel **Keonehe'ehe'e (Sliding Sands) Trail** (p. 212). Continuez ensuite vers le point culminant de Maui, le **Pu'u'ula'ula (Red Hill) Overlook** (carte p. 220). Descendez jusqu'au **Kalahaku Overlook** (carte p. 220), sur le bord du cratère, puis promenez-vous sur le **Hosmer Grove Trail** (p. 213), dans une forêt animée par le chant des oiseaux.

Le Haleakalā National Park en 2 jours

Commencez votre second jour à Kipahulu, partie humide et sauvage du parc. Promenez-vous sur le **Kuloa Point Trail** (p. 215) en savourant la vue sur l'océan. Rejoignez le Pipiwai Trail pour une randonnée de 10 minutes qui mène aux **Makahiku Falls** (p. 214), chutes de 60 m de haut, puis à une magique forêt de bambous. Arrêtez-vous aux **Waimoku Falls** (p. 215), cascade de 120 m. Dressez votre tente au **Kipahulu Campground** (carte p. 220).

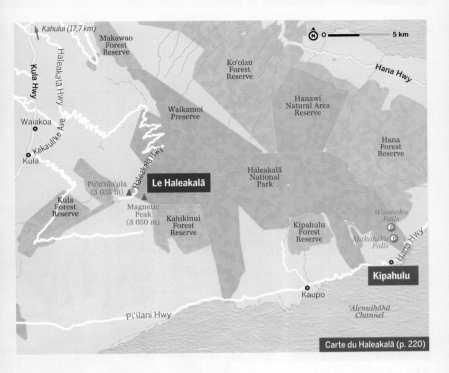

Carte du Haleakalā (p. 220)

Comment s'y rendre

Pour explorer le parc en profondeur, il vous faudra louer une voiture. Le sommet est à 64 km de Kahului, à un peu plus d'une heure de route. Kipahulu se situe à 88 km de Kahului par la route panoramique de Hana. Comptez au moins deux heures de route. Les circuits guidés s'arrêtent dans les deux parties du parc.

Où se loger

On trouve des campings et des bungalows basiques dans la zone du sommet du Haleakalā (Summit Area). Les réservations sont indispensables pour ceux situés dans le cratère. Le camping de Kipahulu n'accepte pas les réservations.

Kula se trouve à proximité du Haleakalā National Park. Choisissez d'y séjourner si vous souhaitez raccourcir le trajet jusqu'au sommet pour assister au coucher du soleil. On y propose des bungalows rustiques, ainsi que quelques chambres d'hôtes et logements de location.

Sabres d'argent, fleurs endémiques du Haleakalā

Randonnées sur le Haleakalā

Des randonnées de toutes sortes sont possibles sur ce site surnaturel, des courtes promenades dans la nature idéales pour les familles, aux éprouvants treks de deux jours.

Pour ceux qui aiment...

❶ Infos pratiques

Haleakalā National Park (📞808-572-4400 ; www.nps.gov/hale ; Summit District : Haleakalā Hwy, Kipahulu District : Hana Hwy ; forfait 3 jours voiture 20 $, moto 15 $, à pied ou à vélo 10 $/pers ; 🅿️ ♿)

Keonehe'ehe'e Trail

Ce fantastique itinéraire débute du côté sud du Haleakalā Visitor Center (2 970 m) et serpente vers le fond du cratère. Il n'y a pas d'ombre sur le parcours ; emportez de l'eau et un chapeau.

Le sentier descend en pente douce dans un univers surnaturel de monuments de lave bruts et de nuages en perpétuel mouvement. Le seul son que l'on entend est le craquement des cendres volcaniques sous ses pieds. Même si vous n'avez pas beaucoup de temps, une marche de 20 minutes vous permettra de découvrir l'intérieur du cratère et de prendre de fabuleuses photos. L'ascension retour prend près de deux fois plus de temps.

L'itinéraire complet s'étend sur 14,8 km jusqu'au Paliku Cabin & Campground. On atteint le Kapalaoa Cabin après environ

Hosmer Grove Trail

Halemau'u Trail

Holua Campground

Haleakalā Visitor Center

Paliku Cabin & Campground

Keonehe'ehe'e (Sliding Sands) Trail

★ **Bon à savoir**

Le temps peut subitement passer de sec et chaud à froid, venteux et pluvieux. Habillez-vous chaudement et prévoyez des vêtements de rechange.

4 heures de marche (9 km). Les 10 premiers kilomètres suivent la paroi sud. La vue est magnifique mais il n'y a pratiquement pas de végétation. Après 6,4 km et un dénivelé négatif de 760 m, le Keonehe'ehe'e Trail parvient à un embranchement qui mène au nord dans le désert de cendres, où il rejoint le Halemau'u Trail après 2,4 km.

En continuant sur Keonehe'ehe'e, on traverse le fond du cratère sur 3,2 km jusqu'à Kapalaoa. Des crêtes verdoyantes se dressent sur votre droite, faisant place à des étendues de *pahoehoe* (coulée de lave lisse). Entre le Kapalaoa Cabin et Paliku, le sentier descend doucement et la végétation augmente progressivement. Paliku (1 945 m) est dominé par un escarpement rocheux à l'extrémité est du cratère. Cette zone reçoit des pluies abondantes et des forêts d'*ohia* grimpent sur ses pentes.

Hosmer Grove Trail

Si vous recherchez un peu de végétation après avoir parcouru le cratère, vous apprécierez cette promenade dans les bois, d'autant plus si vous êtes amateur d'oiseaux. La boucle de 800 m commence au Hosmer Grove Campground, à 1,2 km au sud du Park Headquarters Visitor Center, dans une forêt de grands arbres.

Les essences exotiques furent introduites ici en 1910 en vue de développer une industrie forestière à Hawaii. Elles comprennent le cèdre à encens odorant, l'épicéa commun, le sapin de Douglas, l'eucalyptus et divers pins.

Après la forêt, le sentier pénètre dans un bosquet d'espèces locales, notamment *'akala* (framboisier de Hawaii), *māmane*, *pilo*, fougère *kilau* et bois de santal. L'*ohelo*, une baie endémique, et les baies rouge et blanche du *pukiawe*, sont prisées des bernaches néné, une oie originaire de Hawaii.

Halemau'u Trail

Le **Halemau'u Trail** (www.nps.gov/hale ; près de Haleakalā Hwy) donne sur les parois du cratère, des tubes de lave et des cônes de cendres ; cette randonnée aller-retour d'une journée (11,9 km) vers le Holua Campground peut être mémorable. Partez tôt pour éviter les nuages de l'après-midi masquant la visibilité. Le premier kilomètre et demi est plutôt plat et offre une belle vue sur le cratère, avec le Ko'olau Gap vers l'est.

MICHAEL GORDON/SHUTTERSTOCK ©

Randonnées autour de Kipahulu

'Ohe'o Gulch est le joyau de la zone du parc située autour de Kipahulu, avec ses magnifiques cascades qui se jettent successivement dans de vastes bassins.

Pour ceux qui aiment...

☑ **Ne ratez pas**

La bambouseraie magique du Pipiwai Trail.

Pipiwai Trail

Cet **itinéraire** (www.nps.gov/hale ; Kipahulu Area, Haleakalā National Park) qui monte le long du lit du ruisseau 'Ohe'o gratifie les randonneurs de perspectives splendides sur des cascades et d'un voyage mystique à travers une bambouseraie. Le sentier part du côté *mauka* (intérieur des terres) du centre d'accueil des visiteurs et mène aux Makahiku Falls (0,8 km), puis aux Waimoku Falls (3,2 km). Pour voir les deux cascades, prévoyez environ 2 heures aller-retour.

Le chemin passe près de grands manguiers et des bouquets de goyaviers avant d'atteindre un point de vue après environ 10 minutes. Les Makahiku Falls se trouvent un peu plus loin sur la droite. Ces chutes se jettent dans des gorges profondes du haut de falaises de basalte de 60 m aux parois densément couvertes de fougères.

Infos pratiques

Haleakala National Park (☎808-572-4400 ; www.nps.gov/hale ; Kipahulu District : Hana Hwy ; forfait 3 jours voiture 20 $, moto 15 $, à pied ou à vélo 10 $/pers)

✕ Une petite faim ?

Roulez jusqu'à Hana pour un hamburger de bœuf nourri à l'herbe au **Hana Burger Food Truck** (p. 189).

> ★ **Bon à savoir**
> Mettez vos chaussures de marche les plus adhérentes pour le glissant Pipiwai Trail.

Le sentier principal fait ensuite passer sous des banians, traverser le Palikea Stream (qui foisonne de moustiques agressifs) puis pénétrer dans la merveilleuse forêt de bambou. La partie supérieure est boueuse, mais des pontons couvrent les pires portions. Après la forêt, on atteint Waimoku Falls, une cascade ruisselant sur une paroi rocheuse escarpée de 120 m de haut. Ne vous baignez pas sous la cascade ; les chutes de pierres sont fréquentes.

Kuloa Point Trail

Cette promenade de 20 minutes est idéale pour les randonneurs pressés. Le **Kuloa Point Trail** (www.nps.gov/hale ; Kipahulu Area, Haleakală National Park), boucle de 800 m, part du centre d'accueil des visiteurs et descend vers les bassins inférieurs avant de remonter. Après quelques minutes de marche,

on atteint un vaste monticule qui offre une vue sublime sur la côte de Hana. Par temps clair, on aperçoit l'île de Hawaii, à 48 km de là. Des cascades relient les bassins en terrasses le long du sentier. Les services du parc déconseillent de s'y baigner, les crues subites ayant fait plusieurs victimes.

Le top des randonnées

Dix heures Si vous êtes en bonne forme physique et prévoyez une journée entière de randonnée, il n'y a pas mieux que l'itinéraire de 18 km qui suit le Keonehe'ehe'e (Sliding Sands) Trail, avant de revenir par le Halemau'u Trail. Il traverse le fond du cratère et donne sur un désert de cendres et une forêt de nuages.

Trois heures Pour admirer à loisir le cratère, suivez le Keonehe'ehe'e Trail jusqu'à l'endroit où il passe entre deux imposantes formations rocheuses, avant de redescendre en pente raide.

Une heure Gagnez la forêt sur le Hosmer Grove Trail pour découvrir le côté verdoyant du Haleakală National Park.

Lever du soleil sur le Haleakalā

Assister au lever du soleil

Haleakalā signifie "maison du Soleil", ce qui n'a rien d'étonnant puisqu'on se rend en pèlerinage à son sommet pour regarder le soleil se lever depuis l'époque des premiers Hawaiiens.

Pour ceux qui aiment...

☑ **Ne ratez pas**

La teinte rose vif des dômes de Science City au lever du soleil.

★ Bon à savoir

Vous prendrez les meilleures photos avant le lever du soleil. Une fois celui-ci levé, lignes argentées et nuances tendent à disparaître.

En haut et en bas : lever du soleil sur le cratère du Haleakalā

Une expérience mémorable

Voir le soleil se lever au-dessus du Haleakalā est une expérience quasi mystique. Pour Mark Twain, ce fut le "spectacle le plus sublime" qu'il eût jamais vu.

Prévoyez d'arriver au sommet une heure avant pour voir le monde s'éveiller. À ce moment-là, le ciel nocturne commence à s'éclairer et devient bleu-violet, les étoiles disparaissent et les crêtes des montagnes révèlent leur silhouette éthérée. Les plus belles couleurs apparaissent dans les instants éphémères qui précèdent l'aube. Le bas des nuages s'illumine d'abord, accentuant le ciel nocturne d'éclats argentés et de traînées roses. Environ 20 minutes avant le lever du soleil, la lumière s'intensifie sur l'horizon qui se pare de teintes orange et rouges. Pour le grand final, le moment où le disque du soleil apparaît,

le Haleakalā s'embrase entièrement. On a l'impression d'assister au réveil de la Terre.

Préparez-vous à affronter le froid. À l'aube, les températures sont glaciales, le vent est cinglant et du givre recouvre souvent la couche supérieure des cendres. Si vous n'avez pas de veste d'hiver ou un sac de couchage dans lequel vous envelopper, emportez une couverture chaude de votre hôtel. Et ne lésinez pas sur les couches de vêtements.

La pluie peut gâcher l'expérience, mais le ciel peut se dégager et vous pourrez faire une fantastique randonnée dans le cratère. Si vous ne pouvez pas vous lever aussi tôt, assistez plutôt au coucher du soleil sur le Haleakalā, qui a également inspiré les poètes.

Réservation

En raison de l'énorme affluence sur le sommet ces dernières années, une réservation est désormais exigée par le parc pour assister au lever du soleil. On peut réserver sur www.recreation.gov (1,50 $ par voiture). Les réservations sont possibles jusqu'à 60 jours à l'avance. Pour entrer dans le parc, le titulaire de la réservation doit présenter la confirmation de réservation et une pièce d'identité avec photo.

Visite du parc

On ne vend ni nourriture ni bouteilles d'eau dans le parc. Emportez des en-cas, en particulier si vous gagnez le sommet pour le lever du soleil. Il serait dommage que la faim vous oblige à quitter la montagne de manière précoce.

PIERRE LECLERC/SHUTTERSTOCK ©

✕ Une petite faim ?

Après le lever du soleil et une promenade, prenez un petit-déjeuner tardif au Kula Bistro (p. 223).

❶ Infos pratiques

Une réservation et 1,50 $ sont désormais exigés par le parc pour assister au lever du soleil.

Le Haleakalā

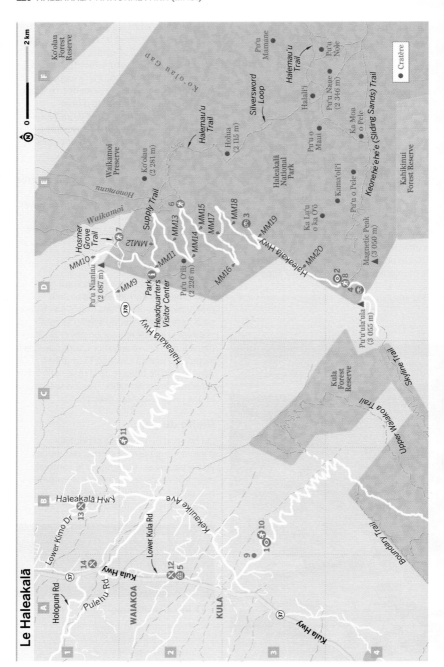

Ko'olau Forest Reserve

Kō'olau Gap

Pu'u Māmane

Halemau'u Trail

Pu'u Nole

Silversword Loop

Halali'i

Pu'u Naue (2 346 m)

Waikamoi Preserve

Ka Moa o Pele

Kō'olau (2 281 m)

Holua (2 115 m)

Honomanu

Haleakalā National Park

Pu'u o Maui

Kahikinui Forest Reserve

Waikamoi

Supply Trail

Keonehe'ehe'e (Sliding Sands) Trail

Hosmer Grove Trail

MM12

Kama'oli'i

MM13

MM10

MM11

Pu'u Nianiau (2 087 m)

Park Headquarters Visitor Center

Pu'u 'Ōʻili (2 226 m)

MM14

MM15

MM17

MM16

MM18

MM19

Ka Lu'u o ka 'Ō'ō

Pu'u o Pele

MM3

Haleakalā Hwy

MM20

Magnetic Peak (3 050 m)

MM9

MW8

Pu'u'ula'ula (3 055 m)

Skyline Trail

Haleakalā Hwy

378

Kula Forest Reserve

Upper Waiakoa Trail

Haleakalā Hwy

13

Haleakalā Hwy

Lower Kimo Dr

Kekaulike Ave

Lower Kula Rd

Boundary Trail

14

Holopuni Rd

Pulehu Rd

37

Kula Hwy

WAIAKOA

12

5

KULA

9

10

1

37

Kula Hwy

N

0   2 km

● Cratère

Le Haleakalā

Kula

◉ À VOIR

Ali'i Kula Lavender   Jardins
(☎808-878-3004 ; www.aklmaui.com ; 1100 Waipoi Rd ; 3 $; ☺9h-16h). Perchée sur un vaste coteau offrant une vue panoramique sur les West Maui Mountains et la côte centrale de Maui, cette charmante exploitation de lavande est un lieu pittoresque où passer du bon temps, avec ses sentiers parfumés, sa boutique de souvenirs aux produits à la lavande et son *lanai* (véranda), où l'on peut déguster un scone et une infusion de lavande en profitant de la vue.

Worcester Glassworks   Galerie
(☎808-878-4000 ; www.worcesterglassworks. com ; 4626 Lower Kula Rd ; ☺10h-17h lun-sam). Cette verrerie/galerie familiale très accueillante produit de superbes pièces, notamment en verre sablé travaillé dans des formes naturelles (coquillages par exemple). Les visiteurs peuvent voir les artistes à l'œuvre et les fours solaires utilisés. De magnifiques pièces sont en vente dans la boutique attenante. Appelez à l'avance pour vérifier que le lieu est ouvert. Repérez le petit panneau sur la maison située juste au sud du Kula Bistro.

⊕ ACTIVITÉS

O'o Farm   Alimentation, boissons
(☎808-667-4341 ; www.oofarm.com ; 651 Waipoli Rd ; circuits 58 $; ☺circuit ferme 10h30-14h lun-ven, circuit café 8h30-10h30 mer-jeu).

Que vous soyez jardinier ou gastronome, vous adorerez visiter cette ferme qui fournit le Pacifico Restaurant et le Feast at Lele. Vous aurez l'occasion d'aider à cueillir les fruits de la terre qui composeront votre repas, préparé par un chef gastronomique.

Le nouveau Seed to Cup (de la semence à la tasse) Coffee Tour est également interactif. Vous visiterez les champs où est cultivé le café, siroterez du café préparé dans une cafetière à piston et savourerez une frittata du jardin avec de la confiture et du pain maison.

Proflyght Paragliding   Parapente
(☎808-874-5433 ; www.paraglidemaui.com ; Waipoli Rd ; parapente 300 m 115 $, 900 m 225 $; ☺bureau 7h-19h, vols 2 heures après le lever du soleil). Envolez-vous en tandem avec un moniteur certifié depuis les falaises en contrebas de la Polipoli Spring State Recreation Area. L'expression "à vol d'oiseau" prendra tout son sens. Il faut avoir 8 ans minimum et peser moins de 100 kg.

Si vous voulez voir les parapentistes et leurs parachutes colorés portés par la brise, le matin, prenez Waipoli Road, arrêtez-vous juste après Ali'i Kula Lavender et levez les yeux pour profiter du spectacle !

Skyline Eco-Adventures   Sports d'aventure
(☎808-878-8400 ; www.zipline.com ; 18303 Haleakalā Hwy ; circuit tyroliennes adulte/-18 ans 120/60 $; ☺8h30-14h). Le premier parc aventure dans les arbres de Maui bénéficie d'un cadre de choix sur les versants

Observation des bernaches néné

La bernache néné, oiseau officiel de l'État de Hawaii, est une cousine éloignée de la bernache du Canada. Dans les années 1950, la chasse, la disparition de son habitat et les prédateurs avaient réduit sa population à seulement 30 individus. Grâce aux programmes d'élevage en captivité et de réintroduction en milieu naturel, le Haleakalā National Park abrite aujourd'hui 200 bernaches néné.

Les oies nichent dans les arbustes et les zones herbeuses entre 1 800 et 2 400 m d'altitude, entourés d'austères coulées de lave à la végétation clairsemée. Leurs pattes se sont progressivement adaptées en perdant une grande partie de leur palmure. Ces oiseaux sont extrêmement sociables et côtoient les êtres humains, que ce soit aux bungalows du fond du cratère ou au Park Headquarters Visitor Center.

Leur curiosité et leur témérité ont contribué à leur perte. Inadaptées à l'environnement asphalté, beaucoup d'entre elles se font écraser par les voitures. Surtout, ne les nourrissez pas. Cela ne ferait que compromettre leur retour à la vie sauvage.

L'organisation à but non lucratif Friends of Haleakalā National Park gère un programme d'adoption de *nene* (www.fhnp.org/nene.html).

Nene (oie hawaiienne endémique)

du Haleakalā. Si les 5 tyroliennes sont relativement courtes (de 30 à 260 m) comparées à la concurrence, l'original "pendulum zip" (tyrolienne balancier) ajoute un peu de piquant. Adapté aux débutants. Si vous êtes d'humeur plus aventureuse, essayez le nouveau circuit Haleakalā Hike & Bike (250 $). Au programme : lever du soleil au sommet, descente du volcan à vélo et tyrolienne. Mettez le réveil à 2h !

CIRCUITS ORGANISÉS

Plusieurs agences organisent des circuits touristiques en bus d'une demi-journée et d'une journée entière à Maui, notamment au parc national.

Polynesian Adventure Tours

(☏808-833-3000 ; www.polyad.com ; circuits adulte à partir de 114 $, enfant 3-11 ans à partir de 69 $). Un tour-opérateur phare de Hawaii, appartenant à Gray Line Hawaii. Les circuits comprennent le Haleakalā National Park, le centre de Maui et ʻIao Valley State Monument, ainsi que Road to Hana. Sont aussi organisées de courtes excursions à Pearl Harbor, sur Oʻahu (adulte/enfant à partir de 378/357 $).

Roberts Hawaii

(☏800-831-5541 ; www.robertshawaii.com ; circuits adulte/enfant 4-11 ans 108/79 $). En activité depuis plus de 70 ans, Roberts Hawaii propose 3 circuits : Hana, ʻIao Valley et Lahaina, et le Haleakalā National Park.

OÙ SE RESTAURER

Kula Lodge Restaurant   Hawaiien $$$

(☏808-878-1535 ; www.kulalodge.com ; 15200 Haleakalā Hwy ; petit-déj 12-27 $, déj 18-42 $, dîner 26-42 $; ⊙7h-21h). Aidé par sa vue stupéfiante, le Kula Lodge a su se réinventer et le résultat est excellent. Le chef vétéran Marc McDowell s'approvisionne auprès de producteurs locaux pour composer notamment de délicieuses salades. À l'extérieur, des pizzas sont cuites dans des fours de brique – choisissez votre garniture – et servies dans des kiosques (11h-20h). Admirer ici le spectaculaire coucher du soleil couronne à la perfection une journée au Haleakalā.

Ne perdez pas trop de temps à consulter la carte des desserts ; la dernière part de gâteau renversé à l'ananas risquerait de vous passer sous le nez. Réservez les jours fériés.

Kula Bistro   Italien $$$

(☎808-871-2960 ; www.kulabistro.com ; 4566 Lower Kula Rd ; petit-déj 9-17 $, déj et dîner 12-39 $; ⏰7h30-10h30 mar-dim, plus 11h-20h tlj). Tous les habitants de Kula semblent se réunir ici et nous pensons savoir pourquoi. Ce superbe bistrot familial propose une salle accueillante, un service vif et une délicieuse cuisine maison, notamment de fabuleuses pizzas et d'énormes parts de tarte à la crème et à la noix de coco (une part est suffisante pour deux). Achetez votre bouteille de vin de l'autre côté de la rue, au Morihara Store (pas de droit de bouchon).

La Provence   Café $

(☎808-878-1313 ; www.laprovencekula.com ; 3158 Lower Kula Rd, Waiakoa ; pâtisseries 3-6 $, déj 11-14 $, crêpes 4-13 $; ⏰7h-14h mer-dim). Fief du meilleur chef pâtissier de Maui, ce petit restaurant avec cour au milieu de nulle part est l'un des secrets les mieux gardés de Kula. Les croissants au jambon et au fromage, les pâtisseries fourrées au chocolat et les crêpes garnies sont particulièrement prisés. Le week-end, les clients viennent de loin pour le menu brunch. Goûtez le fromage de chèvre chaud et la salade de légumes verts de Kula. Les horaires pouvant varier, appelez avant de vous y rendre. Espèces et chèques uniquement.

Dîner servi les deuxième et quatrième vendredis du mois (18h-21h, plats 26-33 $).

❶ RENSEIGNEMENTS

Ni nourriture ni boissons ne sont vendues dans l'une ou l'autre partie du parc. Achetez un pique-nique en chemin ou prenez un repas avant votre visite. Approvisionnez-vous à Kula ou dans une localité de l'arrière-pays.

❶ DEPUIS/VERS LE HALEAKALĀ NATIONAL PARK

Sommet du Haleakalā (Summit Area)

Le trajet vers le Haleakalā fait partie intégrante de l'expérience. Sur la route qui serpente dans la montagne, l'île tout entière s'offre à vos yeux, les champs de cannes à sucre et d'ananas composant une mosaïque de verts au fond de la vallée. La route décrit d'innombrables lacets et le regard embrasse par endroits quatre à cinq lacets à la fois.

La Haleakalā Highway (Hwy 378), route asphaltée de 18 km en bon état mais sinueuse et escarpée, relie la Highway 377, près de Kula, à l'entrée du parc, puis continue sur 16 km jusqu'au sommet du Haleakalā. Ne roulez pas trop vite, en particulier le soir et par temps brumeux. Faites attention au bétail qui traverse librement la route.

Le trajet jusqu'au sommet prend environ 1 heure 30 de Pa'ia ou Kahului, 2 heures de Kihei et un peu plus depuis Lahaina. Il n'y a pas de station-service sur la Haleakalā Hwy ; faites le plein la veille au soir.

Dans la descente, rétrogradez dans les virages pour éviter d'user vos freins.

Aucun bus public ne dessert le parc.

Région de Kipahulu (Kipahulu Area)

La Kipahulu Area se trouve sur la Highway 31, à 16 pittoresques kilomètres au sud de Hana. Aucune route d'accès ne la relie au reste du Haleakalā National Park ; le sommet doit se visiter séparément. Aucun bus public ne dessert le parc. Si vous ne conduisez pas, participez à l'un des circuits guidés quotidiens qui desservent le parc.

❶ COMMENT CIRCULER

Il n'y a pas de bus dans le parc. Une voiture est indispensable pour une exploration en profondeur.

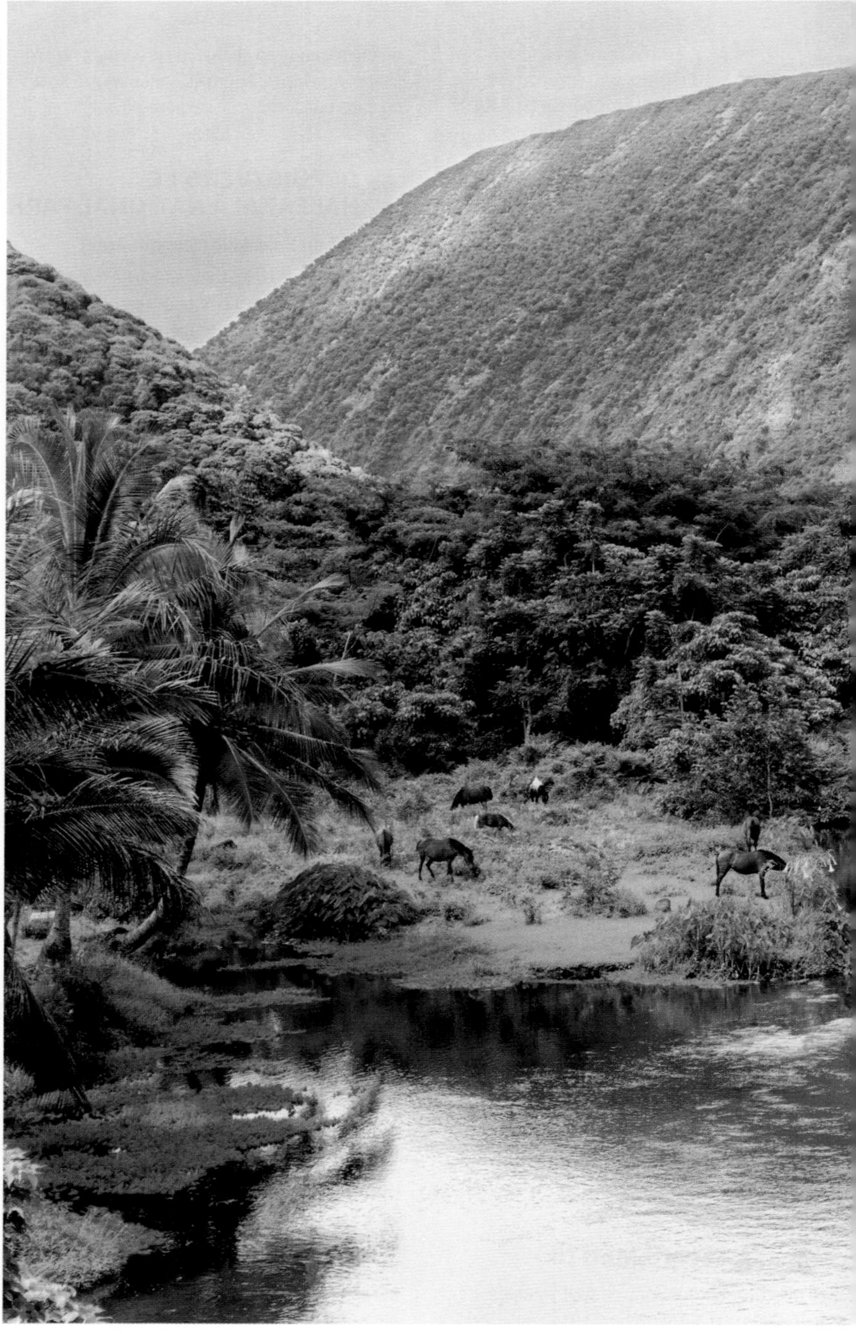

WAIPI'O VALLEY (HAWAI'I)

Waipi'o Valley (Hawai'i)

Spectaculaire amphithéâtre naturel, Waipi'o ("eau incurvée") Valley est l'une des sept vallées sculptées dans les falaises au vent des Kohala Mountains, à l'extrémité nord de l'île d'Hawai'i. Elle pénètre dans l'intérieur des terres sur près de 10 km, son fond plat couvert d'une mosaïque verte de jungle, de cabanes et de carrés de taros.

Cachée (et inaccessible sans traverser des propriétés privées), Hi'ilawe, la plus longue cascade de l'État, apparaît au loin comme un mince ruban blanc qui se déroule sur 440 m. L'eau se déverse dans une rivière qui termine sa course sur la plage de sable noire de Waipi'o, une beauté sauvage entourée de superbes falaises.

Waipi'o Valley en 1 jour

Petit-déjeunez au **Gramma's Kitchen** (p. 232), puis admirez la vue sur la vallée depuis le **Waipi'o Valley Lookout** (p. 233). Passez la journée à **randonner** (p. 230) sur le sentier escarpé menant à Waipi'o Beach, ou, pour une plus grande immersion, participez à un circuit guidé dans la vallée. Après votre marche, dégustez un *plate lunch* suivi d'un dessert au **Tex Drive-In** (p. 333).

Waipi'o Valley en 2 jours

Le second jour, visitez une petite **ferme familiale** (p. 232) ; faites votre choix entre champignons, vanille, thé et café. Offrez-vous un plat de pâtes au **Cafe il Mondo** (p. 233), puis allez voir ce qui se joue au **Honoka'a People's Theatre** (p. 233).

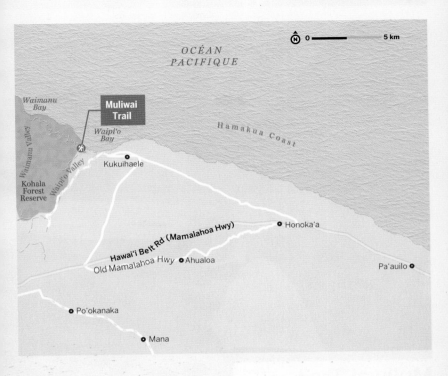

OCÉAN
PACIFIQUE

Waimanu
Bay

**Muliwai
Trail**

Waipi'o
Bay

Hamakua Coast

Waimanu Valley

Waipi'o Valley

Kukuihaele

Kohala
Forest
Reserve

Honoka'a

Hawai'i Belt Rd (Mamalahoa Hwy)

Old Mamalahoa Hwy Ahualoa

Pa'auilo

Po'okanaka

Mana

0 ———— 5 km

Comment s'y rendre

Le Waipi'o Valley Lookout (belvédère)
est à moins de 16 km de Honoka'a par
la Highway 240. Vers le panneau Mile 8,
la route bifurque dans Kukuihaele
Road, qui débouche de nouveau sur
la Highway 240 près du point de vue.
Aucun bus ne s'y rend.

Où se loger

On trouve des hébergements
mémorables à Kukuihaele,
communauté résidentielle au bord de
la vallée, notamment des établissements
au sommet des falaises, offrant une
vue spectaculaire. En général, les prix
reflètent la qualité de l'emplacement.

Si vous envisagez de camper dans la
vallée, demandez un permis en ligne
auprès de la **Division of Forestry
& Wildlife** (p. 230), basée à Hilo.

Camping sur le Muliwai Trail

MAVRICK/SHUTTERSTOCK ©

Muliwai Trail

Réservé aux trekkeurs chevronnés, cet itinéraire de 13,7 km en pleine nature entre Waipi'o Valley et Waimanu Valley est escarpé, glissant et potentiellement dangereux. Mais il est également charmant, avec ses petites cascades et ses bassins dans lesquels se rafraîchir.

Pour ceux qui aiment...

☑ **Ne ratez pas**

Waimanu Valley, un Waipi'o miniature, les touristes en moins.

Vue d'ensemble de l'itinéraire

Le trajet aller prend de 6 heures 30 à 8 heures, traversant 13 ravins, ardus à gravir et à descendre. Envisagez de camper à Waimanu Valley au moins 2 nuits. Pour des raisons de sécurité, ne tentez pas cette randonnée lorsqu'il pleut ou après la pluie. Pour des informations détaillées sur l'itinéraire, contactez Na Ala Hele (www.hawaiitrails.org/trails) à Hilo.

Départ du sentier et Z Trail

Le Muliwai Trail débute au pied des falaises situées, de l'autre côté de la vallée. À l'extrémité de la plage, un chemin mène à un embranchement : le sentier de droite monte vers Muliwai (celui qui va tout droit conduit au King's Trail). Le sentier des premiers Hawaiiens s'élève de 360 m sur 1,6 km, zigzaguant sur la face de la falaise ;

Kiosque d'information (Waipi'o Valley ;
⊙8h-crépuscule)

✗ Une petite faim ?

Après votre randonnée, commandez un
kalua loco moco au **Waipi'o Cookhouse**
(☎808-775-1443 ; 48-5370 Honoka'a-Waipi'o
Rd ; plats 12-14 $; ⊙7h30-18h) ☙.

★ Bon plan
Garez-vous sur l'aire
de stationnement signalée,
ouverte 24h/24.

consommer. Repérez l'Emergency
Helipad n°2 à mi-course environ depuis
Waipi'o Beach. Plus loin se trouvent
un abri d'urgence ouvert sur les côtés
et l'Emergency Helipad n°3.

Reposez-vous à l'Helipad n°3 avant
d'affronter la rude descente finale.
Après l'abri, l'itinéraire franchit trois autres
ravins et passe l'Emergency Helipad n°4
à moins de 1,6 km de Waimanu Valley.
La partie finale en lacets commence
plutôt gentiment, avec quelques marches
en pierre naturelles et artificielles,
mais le sentier qui descend ensuite
de 360 m est mal entretenu et périlleux.

À la vue des Wai'ilikahi Falls (accessibles
en 45 minutes de marche) de l'autre
côté de la vallée, vous pouvez être tenté
de presser le pas, mais restez prudent :
le chemin est étroit et érodé par endroits,
avec des à-pics vers l'océan et aucune
prise, si ce n'est des rochers moussus et
des plantes épineuses. Si la descente vous
paraît risquée, regagnez l'abri pour la nuit.

un parcours éprouvant surnommé "Z Trail".
Les chasseurs utilisent toujours ce sentier
pour traquer les porcs sauvages. Cette
partie de l'itinéraire étant exposée au soleil,
parcourez-la tôt.

L'itinéraire

Le sentier parcourt une forêt de filaos
et de pins de Norfolk, et franchit un petit
monticule avant de descendre en pente
douce, devenant boueux et infesté de
moustiques. La vue sur l'océan fait place
au fracas d'un ruisseau tumultueux.
L'itinéraire traverse un ravin et monte
après un panneau indiquant l'Emergency
Helipad (hélistation d'urgence) N°1. Les
heures suivantes, on franchit des ravins
et gravit des forêts à un rythme régulier.
Au troisième ravin, une cascade offre une
source d'eau douce ; traitez-la avant de la

Waimanu Valley constitue une étendue verdoyante absolument exceptionnelle. S'y trouvait autrefois une localité plutôt importante, dont on peut voir nombre de vestiges, notamment terrasses de maisons et *heiau* (temples en pierre), enclos en pierre et *lo'i* (champs de taros) anciens. Au début du XIXe siècle, environ 200 personnes vivaient ici, mais après le tsunami de 1946, les trois dernières familles abandonnèrent la vallée. Aujourd'hui, le visiteur a pour lui seul cette profonde vallée extraordinaire encadrée de falaises et sa plage jonchée de gros cailloux.

Depuis le bas du sentier en lacets, on atteint Waimanu Beach en 10 minutes après le panneau présentant le règlement relatif au camping. Il faut franchir un ruisseau à gué pour rejoindre les campings du côté ouest. Évitez de traverser là où une corde a été tendue en travers du cours d'eau ; le niveau de l'eau est plus bas près de l'entrée de l'océan. Pour camper, un permis d'État (pour 6 nuits maximum) doit être demandé auprès de la **Division of Forestry & Wildlife** (☏808-973-9778 ; dlnr.hawaii.gov/dofaw/ ; 2135 Makiki Heights Dr, Greater Honolulu ; ☺7h45-16h30 lun-ven).

Des 9 campings, nous recommandons le n°2 (vue imprenable sur la vallée, proximité du ruisseau, emplacements herbeux), le n°6 (vue sur les Wai'ilikahi Falls, accès à la seule plage de sable) et le n°9 (très intimiste à l'extrémité de la vallée, sièges en pierre de lave et table). Les sites comprennent des *fire pits* (braséros) et des toilettes sèches. À environ 10 minutes derrière le camping n°9, un tuyau en PVC achemine l'eau d'une cascade ; toute eau doit être traitée.

Trajet retour

Au retour, assurez-vous de prendre le bon sentier. En direction de l'intérieur des terres depuis Waimanu Beach, ne prenez pas à gauche le faux sentier qui semble vouloir escalader un lit de ruisseau rocailleux. Continuez plutôt tout droit vers l'intérieur des terres après le panneau du règlement

---

★ Randonnée dans la Waipi'o Valley

Pour rejoindre le fond de la vallée et Waipi'o Beach, il faut emprunter à pied ou en 4x4 la route extrêmement raide qui part du point de vue. Si vous avez l'endurance nécessaire pour le trajet aller et retour, préférez la marche. Sinon, participez à un circuit organisé à destination du fond de la vallée. Conduire sur cette route non seulement escarpée mais également étroite et sinueuse est dangereux. Lorsqu'il pleut, la route non asphaltée boueuse et parsemée de flaques au bas de la vallée se change en marécage.

Si le parking proche du kiosque d'information est plein, garez-vous le long de la route qui y mène. Verrouillez votre voiture.

---

de camping jusqu'au sentier menant aux lacets. Il faut environ 2 heures pour atteindre l'abri et 2 autres pour gagner le ravin à la cascade ; remplissez-y votre gourde (n'oubliez pas de la traiter). Le sentier quitte peu après la forêt de filaos et redescend au fond de la Waipi'o Valley.

King's Trail

Si la randonnée jusqu'à Waipi'o Beach n'est pas assez sauvage à votre goût, mettez la barre plus haut avec cet itinéraire. De la plage, franchissez le cours d'eau (seulement si c'est sans risques) jusqu'à l'extrémité ouest. Le King's Trail s'avance dans les terres jusqu'aux Nanaue Falls (45 minutes), une série de 3 bassins échelonnés ; c'est un site de baignade apprécié des habitants.

Le sentier longe les flancs de la vallée et traverse un jardin botanique naturel comprenant entre autres plants de café, *liliko'i* (fruit de la passion), arbres de pluie immenses, papayes, oreilles d'éléphant et avocats, révélant la prodigalité de la vallée. Vous rencontrerez aussi de petits groupes de chevaux sauvages amicaux, les descendants d'animaux domestiqués abandonnés après le tsunami.

Cascade dans la Waipi'o Valley

Honoka'a

◉ À VOIR

Lorsque l'on voit la paisible rue principale de Honoka'a, difficile d'imaginer que celle-ci fut la troisième ville de l'archipel, après Honolulu et Hilo. Autrefois centre majeur des industries du bétail et du sucre, elle dut se réinventer lorsque celles-ci s'effondrèrent. Après la dernière récolte de la Honoka'a Sugar Company en 1993, la ville déclina, luttant pour trouver de nouvelles perspectives économiques. Finalement, de nouveaux agriculteurs prospérèrent avec des produits alimentaires spécialisés, comme les champignons de Hamakua, aujourd'hui prisés des chefs gastronomiques.

Seule véritable ville de la Hamakua Coast, Honoka'a reste aujourd'hui un centre animé quoique modeste. Elle accueille agricultures et habitants ruraux de Pa'auilo et d'Ahualoa, ainsi que les touristes qui visitent la Waipi'o Valley, 16 km à l'ouest. Les bâtiments rétros donnent à la ville une sympathique atmosphère de western, qui atteint son paroxysme lors de la Honoka'a Western Week.

✪ ACTIVITÉS ET CIRCUITS ORGANISÉS

Les petites routes de campagne de Pa'auilo et d'Ahualoa, certes moins connues pour leurs possibilités d'activités que la Waipi'o Valley voisine, offrent un superbe cadre pour une excursion à vélo. Si vous n'osez pas partir seul, réservez un circuit organisé. Big Island Bike Tours (p. 150), basé à Waimea, propose quelques sorties de groupe à vélo dans la région de Honoka'a.

Si vous aimez la campagne et êtes intéressé par l'agriculture locale, visitez l'une des petites fermes familiales de Pa'auilo ou d'Ahualoa, du côté *mauka* (intérieur des terres) de la grande route. Ces fermes étant en activité, les réservations sont absolument indispensables.

Mauna Kea Tea   Ferme
(☎808-775-1171 ; www.maunakeatea.com ; 46-3870 Old Mamalahoa Hwy, Ahualoa ; visite de 1 heure 30 groupe de 2/3/4 et plus 30/25/20 $; ☺visites 10h lun, mer et jeu). ☞ Si vous aimez le thé, l'agriculture bio et la réflexion philosophique, visitez (sur réservation) cette plantation familiale de près de 1 ha, dont les thés verts et oolong renfermeraient l'"arôme" inhérent à la terre hawaiienne.

Hawaiian Vanilla Company   Alimentation
(☎808-776-1771 ; www.hawaiianvanilla.com ; 43-2007 Pa'auilo Mauka Rd, Pa'auilo ; visite 25 $, afternoon tea 34 $, déj 39/19 $ par adulte/enfant ; ☺visite 13h lun-ven, afternoon tea 15h sam, déj 12h30 lun-ven ; 🚻). ☞ Première exploitation commerciale de vanille des États-Unis, cette ferme familiale est une belle réussite agrotouristique. Les prisés circuits culinaires (déjeuner ou *afternoon tea*) sont chers, mais la simple visite de la ferme est trop superficielle pour le prix.

Long Ears Coffee   Ferme
(☎808-775-0385 ; www.longearscoffee.com ; visite 35 $). ☞ Goûtez dans cette ferme familiale de l'exceptionnel café de Hamakua de "trois ans d'âge". Wendell et Irmanetta Branco transforment les grains de café issus de leur exploitation et d'autres fermes de Hamakua, assurant une économie durable pour les agriculteurs. L'ensemble du processus est présenté lors de la visite : culture, récolte, extraction, séchage, décorticage et torréfaction. Lors de la réservation, on vous indiquera comment rejoindre la ferme.

✪ OÙ SE RESTAURER

Gramma's Kitchen   Américain $
(☎808-775-9943 ; www.facebook.com/grammaskitchenhonokaa ; 45-3625 Mamane St ; plats 12-20 $; ☺8h-15h tlj, plus 17h-20h ven-sam). Comme l'indique le panneau à l'entrée du restaurant, vous goûterez ici une "cuisine très familiale". Gramma's Kitchen offre un tour d'horizon des saveurs locales : copieuse soupe de haricots portugaise,

cheeseburgers teriyaki (à l'ananas et au bacon), rouleaux de thon saisis et panés à la perfection, etc. Salle simple, personnel jovial et ambiance aloha des petites localités.

Tex Drive-In   Boulangerie $

(☑808-775-0598 ; www.texdriveinhawaii. com ; 45-690 Pakalana St ; malasadas 1,20 $, plats 5-10 $; ⊘6h-20h). Les *malasada*s sont de simples beignets, mais ceux de Tex Drive-In, servis chauds ou froids, nature ou fourrés, attirent les gourmands des quatre coins de l'île. Sont aussi servis de bons *plate lunches* (assiettes-déjeuners) et *loco moco* (riz, œuf au plat et steak haché ou autre plat agrémenté de sauce), ainsi que des hamburgers de taro en saison.

Contigu au drive-in, le Tex Store (9h-17h) vend des souvenirs de fabrication locale (T-shirts, articles de toilette, etc.).

Hamakua Harvest
Farmers Market   Marché

(www.hamakuaharvest.org ; angle Hwy 19 et Hwy 240 ; ⊘9h-14h dim). ✎ Avec plus de 35 marchands, des concerts et des discussions, ce marché vaut le détour. Tout est cultivé ou fabriqué localement : fruits et légumes, miel, fromage de chèvre, glace au lait de coco, poisson fumé, etc. Pour vous y rendre, sortez de la Highway 19 côté mer (*makai*), à l'extrémité est de Mamane Street.

Cafe il Mondo   Italien $$

(☑808-775-7711 ; www.cafeilmondo.com ; 45-3580 Mamane St ; calzones 14 $, pizzas 15-20 $; ⊘11h-14h et 17h-20h lun-sam). Ce restaurant italien établi de longue date et adresse la plus chic de Honoka'a propose pizzas à pâte fine, pâtes et énormes calzones pleines à craquer. Si la magnifique terrasse au dallage de pierre, le mobilier en bois brillant, le bar élégant et la musique live confèrent au lieu une atmosphère romantique, la clientèle est conviviale et éclectique.

☆ OÙ SORTIR

Honoka'a People's Theatre Théâtre

(☑808-775-0000 ; honokaapeople.com ; 45-3574 Mamane St ; tickets de cinéma adulte/enfant/

👀 Waipi'o Valley Lookout

Au bout de la Highway 240, ce point de vue sur l'amphithéâtre émeraude, la plage de sable noir et les vagues déferlantes de Waipi'o offre un panorama à couper le souffle ; la quintessence du paysage hawaiien.

senior 6/3/4 $; ⊘horaires habituels 17h et 19h mar-dim). Construit en 1930, cet ancien théâtre doté d'un écran de 15 m et de plus de 500 places accueille toujours projections et événements spéciaux. Il n'y a pas meilleur endroit pour voir un film sans se ruiner et se mêler à la population. Consultez le site Internet et appelez pour vérifier les horaires.

ℹ DEPUIS/VERS HONOKA'A ET COMMENT CIRCULER

Plusieurs embranchements de la Highway 19 mènent à Honoka'a, notamment Plumeria Road à son extrémité ouest et Mamane Street à son extrémité est. Tex Drive-In est un point de repère pratique ; la route juste à l'est du drive-in conduit en ville. Le trajet en voiture depuis Hilo prend en principe 1 heure environ.

Les **Hele-On Bus** (☑808-961-8744 ; www.heleonbus.org ; par trajet tarif plein/ senior et étudiant 2/1 $, billet 10 trajets 15 $, forfait mensuel 60 $) desservent Honoka'a au départ de Hilo ou de Kailua-Kona, mais ils sont peu fréquents. Plus d'informations sur le site Internet.

Pour vous déplacer dans Honoka'a et ses environs, il vous faudra une voiture.

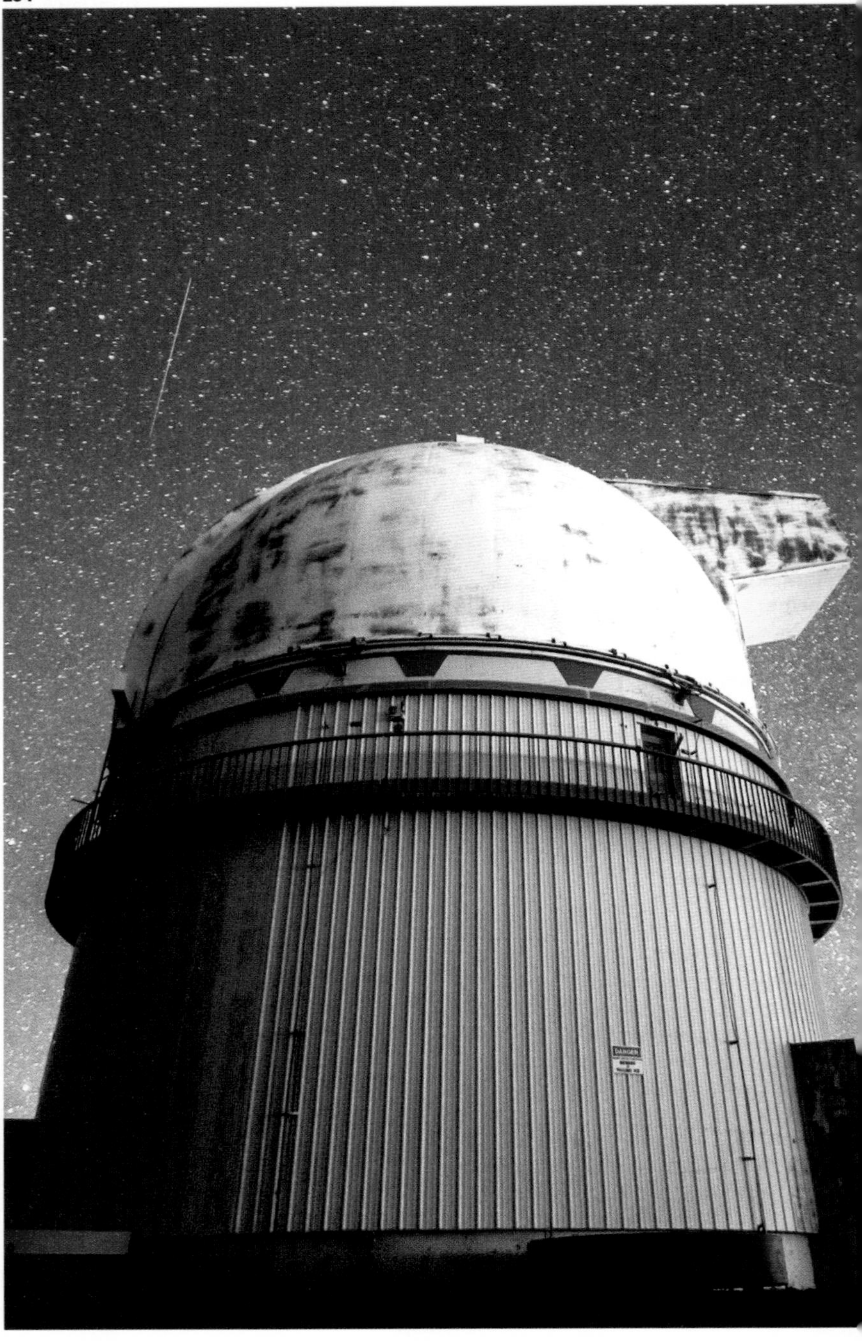

MAUNA KEA (HAWAI'I)

Mauna Kea (Hawai'i)

Le Mauna Kea ("montagne blanche") est appelé Mauna O Wakea par les spécialistes de la culture hawaiienne. Si l'île de Hawai'i dans son ensemble est considérée comme le premier enfant de Wakea (Père-Ciel) et de Papahanaumoku (Mère-Terre), le Mauna Kea est depuis toujours le piko (nombril) sacré qui relie la terre au ciel.

Son histoire scientifique débuta en 1968, lorsque l'Université de Hawai'i entreprit des observations sur la montagne. Treize observatoires sont aujourd'hui installés au sommet, si élevé et exempt de pollution qu'il permet d'étudier les confins de l'Univers observable.

Le Mauna Kea en 2 jours

Partez de Kailua-Kona, où les rayons du soleil régleront votre horloge interne sur le fuseau horaire local. Consacrez les deux jours aux sports aquatiques : bodyboard à **Magic Sands Beach** (p. 248), snorkeling à Kahalu'u Beach, plongée ou pêche en haute mer. Entre deux activités, intéressez-vous à l'histoire de l'île au **Hulihe'e Palace** (p. 248), où la royauté hawaiienne passait ses vacances.

Le Mauna Kea en 3 jours

Commencez votre troisième jour avec un brunch et une vue sur l'océan au **Daylight Mind** (p. 252), à Kona. L'après-midi, gravissez le **Mauna Kea** (p. 238) pour contempler un coucher de soleil inoubliable, puis un ciel étoilé extraordinaire.

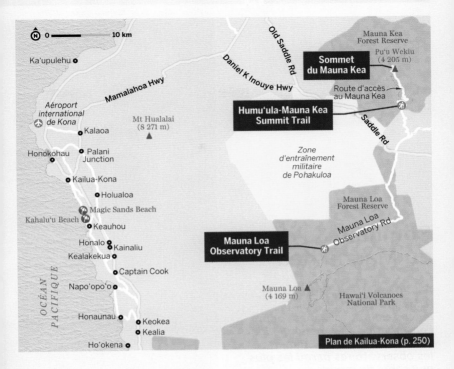

Comment s'y rendre

De Waimea ou Kona, prenez Saddle Road (Hwy 200) ou la déviation Daniel K. Inouye. Depuis Hilo, roulez vers l'intérieur des terres (*mauka*) sur Kaumana Drive (Hwy 200) ou Puainako Extension (Hwy 2000), lesquelles deviennent Saddle Road. Faites le plein avant de partir ; vous ne trouverez aucune station-service en chemin.

Où se loger

Les bungalows de la Mauna Kea Recreation Area (zone récréative du Mauna Kea), sur Saddle Road, sont les options d'hébergement les plus proches. Sinon, séjournez à Waimea ou Hilo.

Observatoires du Mauna Kea au coucher du soleil

Sommet du Mauna Kea

À 4 205 mètres d'altitude, le Mauna Kea est le point le plus clair de la planète pour l'observation astronomique. Ainsi ont fleuri à son sommet les observatoires parmi les plus puissants du monde.

Télescope Subaru — W. M. Keck Observatory
▲ Pu'u Wekiu (4 205 m)
Sommet du Mauna Kea
Mauna Kea Forest Reserve
Route d'accès au Mauna Kea
Mauna Kea Visitor Information Station

Pour ceux qui aiment...

☑ Ne ratez pas

Les sabres d'argent, spectaculaires fleurs endémiques de Hawai'i, qui poussent dans une zone délimitée près du parking du centre d'accueil des visiteurs.

ⓘ Infos pratiques

**Mauna Kea Visitor Information
Station** (MKVIS ; ☎808-961-2180 ;
www.ifa.hawaii.edu/info/vis ; ⊘9h-22h)

Mauna Kea Visitor Information Station

De dimension modeste, la MKVIS foisonne d'affiches et de vidéos sur l'astronomie et l'exploration spatiale, ainsi que d'informations sur l'histoire, l'écologie et la géologie de la montagne. La boutique de souvenirs enchante les scientifiques en herbe, et le personnel expert aide les visiteurs à s'acclimater à l'altitude de 2 800 m.

Consultez le site Internet pour connaître les événements spéciaux à venir comme les conférences sur la science et la culture hawaiienne, qui ont généralement lieu le samedi soir. D'excellents programmes gratuits d'observation des étoiles sont proposés chaque soir de 18h à 22h, lorsque les conditions météo le permettent.

À la boutique de souvenirs, on peut acheter chocolat chaud, café, nouilles instantanées et aliments lyophilisés pour astronautes, sweats à capuche, chapeaux et gants, ainsi que des livres sur la science et la culture hawaiienne.

Coucher du soleil

En face de la MKVIS, une montée de 15 minutes mène au sommet du Pu'u Kalepeamoa (2 863 m), un cône de cendres qui offre une splendide vue sur le coucher du soleil.

Télescope Subaru

Lors de sa mise en service en 1999, ce télescope japonais de 8,2 m de diamètre était l'observatoire le plus cher jamais construit. Son miroir optique de 22 tonnes

Vue depuis le sommet du Mauna Kea

est l'un des plus grands existants.
Le télescope a récemment contribué
à créer une carte en trois dimensions
de 3 000 galaxies qui montre que la théorie
de la relativité d'Einstein reste valide. Des
visites de l'observatoire (qui ne permettent
hélas pas de regarder dans le télescope)
sont données en anglais ou japonais ;
inscrivez-vous à l'avance car elles affichent
rapidement complet.

Les enfants de moins de 16 ans ne
sont pas admis et il n'y a pas de toilettes
publiques sur place.

W. M. Keck Observatory

Les miroirs de plus de 8 m sont si lourds
que la gravité les déforme lorsqu'ils
bougent. W. M. Keck surmonta cette
limitation en 1993 grâce à une conception

révolutionnaire : une série de 36 segments
de miroir hexagonaux réglés de manière
indépendante formant un grand miroir
de 10 m de diamètre. Les résultats furent
tels que le Keck II fut construit à côté
en 1996. Les visiteurs sont les bienvenus
dans la galerie, qui comprend une petite
exposition, des toilettes publiques
et une vue sur le dôme du Keck I.

★ Bon à savoir

Visitez cette zone sacrée avec respect
et emportez tous vos déchets.

✗ Une petite faim ?

Après le coucher du soleil, rejoignez
en voiture **Kona Brewing Company**
(p. 249) pour des tacos au poisson
et une bière.

Observatoire du sommet du Mauna Kea

Humu'ula-Mauna Kea Summit Trail

Cette impressionnante randonnée d'une journée sur un sentier découvert est comme un voyage dans le ciel. L'itinéraire débute à 2 800 m, puis grimpe de près de 1 400 m sur environ 10 km pour atteindre le sommet du Mauna Kea.

Pour ceux qui aiment...

☑ Ne ratez pas

Un arrêt au centre d'accueil des visiteurs pour en savoir plus sur l'histoire et la géologie de la montagne.

Départ du sentier

Attendez-vous à des conditions météo difficiles. Neige et vents à 160 km/h sont probables. Garez-vous à la Visitor Information Station et montez 300 m sur la route en direction de l'**Onizuka Center for International Astronomy**, où résident les chercheurs invités et le personnel des observatoires. Au bout de la route goudronnée, prenez le chemin de terre à gauche et suivez les panneaux "Humu'ula Trail" jusqu'au départ du sentier.

Ascension

Piquets réfléchissants et cairns marquent le sentier, qui franchit la zone de végétation à 3 000 m. Lorsque vous serpenterez autour de cônes de cendres et progresserez sur la lave 'a'a fragmentée et les éboulis glissants, vous passerez

MHGSTAN/SHUTTERSTOCK ©

❶ Infos pratiques

Inscrivez-vous à la Visitor Information Station, où l'on peut aussi obtenir des conseils auprès du personnel.

✕ Une petite faim ?

Pour prendre des forces avant votre randonnée, commandez des pancakes et du café à l'**Evolution Bakery & Cafe** (p. 252), à Kona.

★ Bon plan
Partez avant 6h si possible. Comptez 5 heures pour atteindre le sommet et 2 heures 30 pour le retour.

Retournez à l'intersection et grimpez vers le nord ; un dernier effort vous mènera à une aire de stationnement sur Mauna Kea Summit Road. L'itinéraire se termine officiellement au panneau Mile 7 de la route d'accès, mais pour gagner le véritable sommet, vous devrez encore parcourir 2,4 km.

Retour

Le retour se fait par le même chemin, mais vous aurez cette fois le vaste panorama en face de vous (de même que la brise). On peut aussi redescendre en empruntant le bas-côté de la route d'accès. Ce dernier itinéraire est plus long de 3 km mais plus facile.

Un sommet sacré

Pour les Hawaiiens indigènes, le sommet est une région, un domaine, et non un point sur une carte. Mais si vous tenez réellement à fouler le véritable sommet du Mauna Kea, le Pu'u Wekiu, continuez jusqu'au télescope de 2,2 m de l'Université de Hawai'i (UH), d'où part le court sentier vers le sommet. Gardez toutefois à l'esprit qu'il s'agit d'une montagne sacrée, que le développement aurait déjà suffisamment profanée selon certains.

divers embranchements ; tous ramènent à la route d'accès.

L'itinéraire passe en grande partie par la Mauna Kea Ice Age Natural Area Reserve. Autrefois, le Mauna Kea était presque entièrement couvert de glaciers, ce qui explique les formes de lave et d'érosion caractéristiques.

À partir du Mile 3.1, vous apercevrez des affleurements de pierre noire ou gris foncé. Lors d'éruptions sous la glace, de denses formations de basalte à grains fins peuvent se créer en raison du rapide refroidissement. Les premiers Hawaiiens établirent ici une importante exploitation minière pour la fabrication de têtes d'herminettes. Le sentier passe juste à l'ouest d'un impressionnant monticule de fragments de pierre accumulés sur des centaines d'années.

Photo en pose longue des étoiles au Mauna Kea

MARCELCLEMENS/SHUTTERSTOCK ©

Observation des étoiles

Observer les étoiles au sommet du Mauna Loa est une expérience extraordinaire et inoubliable. Lors d'une nuit ordinaire, on peut y admirer la Nébuleuse de la Lyre, la galaxie d'Andromède, un amas galactique et les lunes de Jupiter.

Pour ceux qui aiment...

☑ Ne ratez pas

L'ombre gigantesque que jette le Mauna Kea sur Hilo, vers l'est, au coucher du soleil.

MKVIS Stargazing Program

Le Mauna Kea Visitor Information Station propose chaque soir un fantastique programme d'observation des étoiles. Il commence à 18h avec le film *First Light*, un documentaire sur le Mauna Kea. Ce que les télescopes permettent d'observer dépend de la couverture nuageuse et de la phase lunaire ; appelez à l'avance pour savoir ce qu'il en est. Les soirs les plus fréquentés sont vendredi et samedi ; il n'y a pas de réservation et les files d'attente peuvent être longues. Les visiteurs en chaise roulante bénéficient d'équipements spéciaux.

Lors d'importantes pluies d'étoiles filantes, la station affecte du personnel aux télescopes toute la nuit. Le week-end, elle accueille souvent invités spéciaux et conférenciers.

ℹ **Infos pratiques**

Les visiteurs peuvent gagner le sommet en voiture pendant la journée mais doivent redescendre au plus tard 30 minutes après le coucher du soleil.

🍴 **Une petite faim ?**

Après une soirée fraîche, réchauffez-vous avec un phô au **Ba-Le Kona** (p. 252).

★ **Bon à savoir**

Il n'y a ni restaurant, ni station-service, ni services d'urgence sur le Mauna Kea et le long de Saddle Road.

Circuits organisés : avantages et inconvénients

Les circuits organisés offrent nombre d'avantages : le transport jusqu'à la Visitor Information Station, l'ascension du sommet en 4x4, le prêt de vêtements chauds, une boîte-repas, d'excellents guides aux connaissances approfondies en astronomie et la commodité de n'avoir rien à organiser. Côté inconvénients, on peut citer le coût élevé (environ 200 \$/pers), le programme fixe et limité, et le fait de faire partie d'un groupe.

Un circuit "coucher du soleil" type commence en début d'après-midi et comprend une halte pour le dîner, l'arrivée au sommet juste avant le coucher du soleil, environ 40 minutes sur place, une séance privée d'observation des étoiles avec un seul télescope dans la zone de la Visitor Information Station et le retour après 21h.

Considérons à présent une visite en indépendant. Si vous disposez d'un véhicule, vous pouvez randonner seul, faire un tour au Keck Observatory, découvrir la montagne sacrée à votre rythme et profiter des multiples télescopes de la Visitor Information Station. Et vous n'aurez rien dépensé, à part pour la voiture.

Les meilleures périodes

Voici des conseils d'experts sur les meilleures périodes – astronomiquement parlant – pour visiter le Mauna Kea.

• Éclipses lunaires et pluies d'étoiles filantes sont des événements spéciaux dans cet air raréfié ; les léonides de novembre sont particulièrement impressionnantes. StarDate (stardate.org/nightsky/meteors) fournit entre autres des informations sur les pluies d'étoiles filantes, les éclipses et les phases lunaires.

• La Voie lactée est clairement visible dans le ciel nocturne entre janvier et mars.

• N'oubliez pas chaque mois la pleine lune, absolument spectaculaire lorsqu'elle monte au-dessus de vous, en apparence si proche qu'on croirait pouvoir la toucher (elle compromet en revanche l'observation des étoiles).

PETR KLABAL/SHUTTERSTOCK ©

Mauna Loa Observatory Trail

L'ascension du Mauna Loa, 10,3 km et 760 m de dénivelé, part du Mauna Loa Observatory. C'est une aventure d'une journée entière, épuisante mais exceptionnelle.

Pour ceux qui aiment...

☑ Ne ratez pas

La Mauna Loa Observatory Road, route qui court entre des monticules de lave *'a'a* (un type de lave rugueux et irrégulier).

Informations et conditions météo

Partez tôt ; mieux vaut être redescendu ou en train de redescendre avant l'arrivée de nuages l'après-midi. Selon la distance parcourue, la randonnée peut prendre de sept à dix heures aller et retour.

L'itinéraire est marqué par des *ahu* (cairns), qui disparaissent dans le brouillard. En cas de brouillard, arrêtez-vous et trouvez refuge dans l'un des petits tubes ou creux le long du parcours jusqu'à ce que la visibilité soit de nouveau bonne, quitte à attendre jusqu'au matin, car il est facile de se perdre.

On ne trouve pas de toilettes ni autres infrastructures pour visiteurs au départ du sentier et au Mauna Loa Observatory.

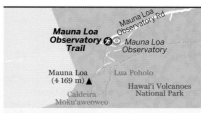

ℹ Infos pratiques

Attendez-vous à la neige quelle que soit la période et emportez une lampe torche, au cas où la randonnée prendrait plus longtemps que prévu.

✕ Une petite faim ?

Après l'ascension, reprenez des forces à l'**Ultimate Burger** (p. 252), à Kona.

★ Bon à savoir

Emportez de grandes quantités d'eau, de la nourriture, une lampe torche et des vêtements de pluie. Mettez des chaussures de marche, un manteau d'hiver et une casquette.

L'itinéraire

Il y a plus de 6 km jusqu'à l'intersection avec le Mauna Loa Trail. Comptez 3 heures pour cette montée douce d'environ 600 m, qui serait une promenade de santé s'il n'y avait pas l'altitude. Avancez lentement mais régulièrement, et faites des pauses courtes. Si vous commencez à ressentir le mal des montagnes, redescendez. Après 2 heures environ, vous entrez dans le Hawai'i Volcanoes National Park et les coulées de lave anciennes apparaissent en un arc-en-ciel de saphir, turquoise, argent, ocre, orange, or et magenta.

À l'intersection, la majesté de la caldeira Moku'aweoweo du sommet vous laissera sans voix. Là, deux possibilités s'offrent à vous : continuer sur encore 4,2 km (3 heures environ) sur le Summit Trail jusqu'au sommet à 4 168 m (visible au loin), ou explorer la caldeira en suivant le Mauna Loa Cabin Trail, de 3,4 km. Si vous ne tenez pas absolument à gagner le sommet, cette dernière option est extrêmement intéressante, menant à des perspectives encore plus belles et à une vue vertigineuse sur les impressionnantes profondeurs du Lua Poholo (Falling Pit), un cratère-puits qui s'est effondré lorsque la lave a quitté le sommet. Choisissez l'itinéraire qui vous convient ; faire les deux tient de l'exploit.

Permis de camping

Pour passer la nuit au Mauna Loa Cabin, demandez un permis (10 $/groupe) la veille au Backcountry Office du Hawai'i Volcanoes National Park, où les rangers fournissent des informations sur l'état des sentiers et les niveaux de captage d'eau au bungalow.

Kailua-Kona

À VOIR

Magic Sands Beach   Plage

(La'aloa Beach Park ; Ali'i Dr ; ☺aube-crépuscule ; 🅿️⛱️). On profite sur cette plage sublime (nommée officiellement La'aloa Beach) d'eaux turquoise, de magnifiques couchers de soleil et d'un petit abri. C'est aussi sans doute le meilleur site de l'île pour le bodyboard et le bodysurf, avec des vagues régulières et suffisamment puissantes pour vous transporter jusqu'à une baie sablonneuse (attention aux rochers du côté nord de la baie). Lors des hautes vagues d'hiver, la plage peut littéralement disparaître du jour au lendemain, d'où son surnom de Magic Sands ("sables magiques"). Le parc se situe à environ 6 km au sud du centre de Kailua-Kona.

Lorsque les rochers et coraux situés au-delà des sables qui disparaissent sont exposés, la plage devient trop dangereuse pour la plupart des baigneurs. Petit à petit, le sable revient, redonnant à la plage son aspect d'origine. On trouve sur place toilettes, douches, tables de pique-nique et un terrain de volley-ball ; un maître-nageur surveille la plage.

Les habitants ont une attitude un peu possessive vis-à-vis de White Sands, même si elle est presque toujours noire de monde. Les couchers de soleil vous rapporteront de nombreux "J'aime" sur les réseaux sociaux.

Hulihe'e Palace   Édifice historique

(☎808-329-1877 ; daughtersofhawaii.org ; 75-5718 Ali'i Dr ; adulte/enfant 10/1 $; ☺9h-16h lun-sam, 10h-15h dim). 🖊 Ce fascinant palais témoigne de la rapide mutation de la famille royale hawaiienne entre rois-dieux polynésiens et monarques occidentalisés. En 1838, le deuxième gouverneur de Hawaii, "John Adams" Kuakini, fit construire une simple maison sur deux niveaux en pierre de lave comme résidence privée. Après sa mort, la maison devint le lieu de vacances favori de la royauté hawaiienne. Le palais contient des antiquités rapportées d'Europe par la famille royale et des objets hawaiiens anciens, notamment plusieurs lances de guerre de Kamehameha le Grand.

Ahu'ena Heiau   Temple

(ahuenaheiau.org ; 75-5660 Palani Rd ; ♿). Après avoir unifié les îles hawaiiennes en 1810, Kamehameha le Grand établit la cour royale du royaume à Lahaina, sur Maui, mais retourna fréquemment sur l'île de Hawai'i. Quelques années plus tard, il restaura ce site sacré pour en faire son temple et lieu de retraite personnel (aujourd'hui à côté d'un hôtel). Remarquez l'imposant *ki'i* (divinité) sculpté au pluvier doré sur le casque ; ces oiseaux qui parcourent de longues distances auraient guidé les premiers Polynésiens jusqu'à Hawaii.

⊕ ACTIVITÉS

De nombreux prestataires et tour-opérateurs sont basés à Kailua-Kona et à Keauhou, à environ 8 km plus au sud.

Kailua Bay Charter Company   Sortie en bateau

(☎808-324-1749 ; www.konaglassbottomboat. com ; Kailua-Kona Pier ; circuit de 50 min adulte/moins de 12 ans 50/25 $; ☺11h et 12h30 ; ♿). Admirez le littoral de Kailua-Kona, ses récifs sous-marins et sa vie marine à bord d'un bateau de 11 m à fond de verre en compagnie d'un équipage sympathique et d'un naturaliste. Un embarquement facilité est prévu pour les personnes à mobilité réduite. Les horaires varient : consultez le site Internet ou appelez à l'avance.

Paradise Sailing   Promenade en bateau

(www.paradisesailinghawaii.com ; Honokohau Marina ; 94 $). La beauté de l'île peut être difficile à apprécier sur un hors-bord rugissant. Paradise Sailing propose une plaisante alternative : une excursion en petit groupe à bord d'un catamaran de 11 m poussé par le vent. Les passagers ont l'opportunité de diriger le bateau eux-mêmes.

Kona Boys
Beach Shack Stand-up paddle

(Kona Boys ; ☎808-329-2345 ; www.konaboys.
com ; Kamakahonu Beach ; location de planches
de surf/stand-up paddles à partir de 29 $, cours
et excursions en stand-up paddle groupes/
privé 99/150 $ par pers ; ☺8h-17h). Cours
de stand-up paddle (SUP) et excursions
plus ambitieuses le long de la côte, ainsi
que location de matériel de SUP et de
planches de surf sur Kamakahonu Beach,
plage abritée idéale pour apprendre les
bases du SUP. Appelez à l'avance pour
organiser des cours en groupe. On peut
aussi réserver à la boutique de **Kealakekua**
(☎808-328-1234 ; www.konaboys.com ; 79-7539
Mamalahoa Hwy ; kayak simple/double 54/74 $
par jour, excursions 139-189 $; ☺7h30-17h).

HYPR Nalu Hawai'i Surf

(☎808-960-4667 ; www.hyprnalu.com ; 75-5663A
Palanai Rd ; cours de surf semi-privés/privés
120/175 $). Si le HYPR Nalu est avant tout
un magasin de surf et de SUP, son équipe
propose de bons cours de surf qui mettent
l'accent sur le travail de préparation :
avant d'affronter les vagues, votre technique
sera évaluée à la boutique et vous recevrez
des explications sur la discipline et sa
philosophie.

Kona Coast
by Air Vols panoramiques

(☎808-646-0231 ; konacoastbyair.com ; 73-200
Kupipi St, Airport ; vol de 45/75 min 230/330 $;
☺6h30-11h et 17h-18h30). Kona Coast by Air
organise des vols en deltaplane à moteur
à travers les nuages. Vous aurez même
l'occasion grisante de diriger le "tricycle
volant".

Kona Brewing Company Circuits

(☎808-334-2739 ; konabrewingco.com ;
74-5612 Pawai Pl ; ☺circuits de 30 min 10h30
et 15h). ⚑GRATUIT Cette entreprise soucieuse
de l'environnement est la micro-brasserie
phare de Hawai'i. Petite affaire familiale
lors de sa création en 1994, elle est
aujourd'hui l'une des micro-brasseries les
plus florissantes des États-Unis. Les visites
gratuites comprennent des dégustations ;
les moins de 15 ans ne sont pas admis.

Kona Boys Beach Shack (p. 249), Kailua Kona

Kailua-Kona

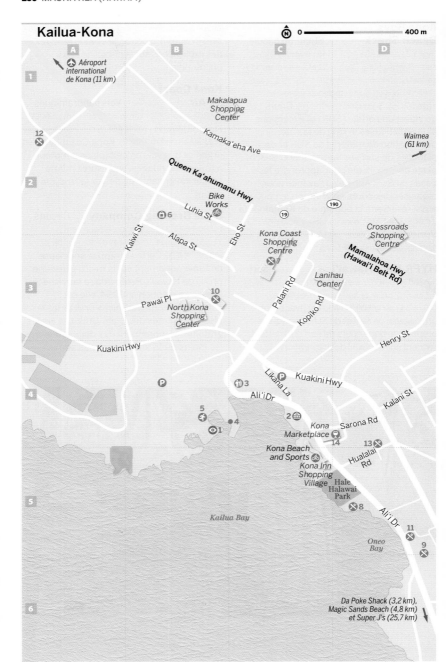

N 0 ———————————— 400 m

Aéroport
international
de Kona (11 km)

Makalapua
Shopping
Center

Kamaka'eha Ave

Waimea
(61 km)

Queen Ka'ahumanu Hwy

Bike
Works

Luhia St

6

Kaiwi St

Alapa St

Eho St

190

Kona Coast
Shopping
Centre

19

Crossroads
Shopping
Centre

Mamalahoa Hwy
(Hawai'i Belt Rd)

Lanihau
Center

Pawai Pl

North Kona
Shopping
Center

10

Palani Rd

Kopiko Rd

Henry St

Kuakini Hwy

Likana La

Kuakini Hwy

Kalani St

3

Ali'iDr

5

1

4

2

Kona
Marketplace

Sarona Rd

14

13

Kona Beach
and Sports

Kona Inn
Shopping
Village

Hale
Halawai
Park

Hualalai
Rd

Ali'i Dr

8

Kailua Bay

Oneo
Bay

11

9

Da Poke Shack (3,2 km),
Magic Sands Beach (4,8 km)
et Super J's (25,7 km)

Kailua-Kona

🅖 CIRCUITS ORGANISÉS

Mauna Kea Summit Adventures
Circuits

(☎808-322-2366 ; www.maunakea.com ; circuits 212 $/pers). Le vétéran des circuits au Mauna Kea emmène les visiteurs au sommet depuis plus de 30 ans. Un repas chaud devant la MKVIS, des parkas pour se protéger du froid et l'observation des étoiles dans un télescope 280 mm Celestron sont inclus. On peut venir vous chercher à Kailua-Kona, à Waikoloa ou à l'intersection des Highways 190/200. Les enfants doivent avoir au moins 13 ans.

🅐 ACHATS

Kona Bay Books
Livres

(☎808-326-7790 ; konabaybooks.com ; 74-5487 Kaiwi St ; ◷10h-18h). Le plus grand choix de livres, de CD et de DVD d'occasion de l'île, notamment des titres hawaiiens, empilés du sol au plafond dans cette librairie de la taille d'un entrepôt.

🅧 OÙ SE RESTAURER

Da Poke Shack
Poisson $

(☎808-329-7653 ; dapokeshack.com ; 76-6246 Ali'i Dr, Castle Kona Bali Kai ; plats et repas 5-12 $; ◷10h-18h ; ⊕). Le *poke* est une spécialité locale à mi-chemin entre ceviche et sushi : des cubes de poisson cru marinés que l'on mélange avec de la sauce soja, de l'huile de sésame, du piment, des algues et toutes sortes d'autres ingrédients. Et pour goûter ce délice hawaiien, le Da Poke Shack est l'adresse incontournable. Dégustez votre *poke* à une table de pique-nique ou, mieux encore, emportez-le à la plage.

Umekes
Cuisine régionale hawaiienne $

(☎808-329-3050 ; www.umekespoke808.com ; 75-143 Hualalai Rd ; plats 5-14 $; ◷10h-19h lun-sam ; ⊕⊕). L'Umekes sublime la cuisine des îles. Le *plate lunch* ("assiette-déjeuner") aux ingrédients locaux, par exemple *ahi* (thon), salade de crabe épicée et bœuf de Waimea salé, est servi avec d'excellents accompagnements originaux comme des algues assaisonnées et un kimchi de concombre, ainsi que de généreuses portions de riz. L'une des adresses au meilleur rapport qualité-prix de l'île. Annexe au 74-5563 Kaiwi St.

Sushi Shiono
Japonais $$$

(☎808-326-1696 ; www.sushishiono.com ; 75-5799 Ali'i Dr, Ali'i Sunset Plaza ; plats à la carte 4-18 $, lunch plates 10-19 $, plats dîner 20-40 $; ◷11h30-14h lun-sam, 17h30-21h lun-sam, 17h-21h dim). Des sushis et sashimis ultrafrais, complétés par une liste de sakés longue comme l'archipel nippon. Le restaurant, dans un mini-centre commercial, appartient à un expatrié japonais, qui emploie une prestigieuse brigade de chefs sushi japonais derrière le comptoir. Réservation recommandée pour le dîner.

Ka'aloa's Super J's
Hawaiien $

(Ka'aloa's Super J's ; ☎808-328-9566 ; 83-5409 Mamalahoa Hwy ; assiettes 8-12 $; ◷10h-18h30

En partant de la gauche : gecko ; poisson tropical ;
Ahu'ena Heiau (p. 248), Kona Bay

lun-sam ; P). Tout le monde appelle
simplement "Super J's" ce petit restaurant
ultraconvivial – on mange pour ainsi dire
dans la cuisine d'une famille hawaiienne
accueillante. Le *laulau* (porc, poulet ou
poisson cuit à l'étouffée dans des feuilles
de taro ou de ti) est divinement tendre,
et le saumon *lomilomi* salé à la perfection.
Du côté *makai* (mer) de la Highway 11,
entre les Miles 106 et 107.

Ba-Le Kona   Vietnamien $

(808-327-1212 ; 74-5588 Palani Rd, Kona
Coast Shopping Center ; plats 5-12 $; 10h-21h
lun-sam, 10h-16h dim ;). Ne vous laissez
pas tromper par la salle éclairée au néon
et les assiettes en polystyrène : le Ba-Le
sert une cuisine vietnamienne aux saveurs
simples, rafraîchissantes et intenses : salade
de papaye verte, phô (soupe de nouilles)
traditionnel et plats de riz au tofu, bœuf,
porc rôti ou poulet épicé à la citronnelle.

Ultimate Burger   Hamburgers $

(www.ultimateburger.net ; 74-5450 Makala
Blvd ; hamburgers 6-15 $). Si Kailua-Kona
est votre premier contact avec l'île de
Hawai'i, faites d'Ultimate Burger votre

premier contact avec le merveilleux bœuf
de Big Island. Les produits bio et locaux
sont à l'honneur et les hamburgers sont
absolument délicieux. À accompagner
d'une citronnade maison.

Daylight Mind   Fusion $$$

(808-339-7824 ; daylightmind.com ; 75-5770
Ali'i Dr ; brunch 10-18 $, dîner 15-38 $; 8h-21h).
Un joli point de vue sur l'eau, un espace
repas aéré et des mets variés, notamment
des plats régionaux hawaiiens (plats
de côtes braisés dans du café local)
et une cuisine fusion du Pacifique
(polenta aux champignons de Hamakua).
Tout est délicieux, mais le brunch du matin
est particulièrement excellent.

Evolution Bakery
& Cafe   Boulangerie $

(808-331-1122 ; www.evolutionbakerycafe.
com ; 75-5813 Ali'i Dr ; plats 5-10 $; 7h-
11h30 ;). Un lieu à la fois branché
et alternatif proposant smoothies, bagels,
pancakes et sandwichs végétaliens, café
de Kona et délicieux pain à la banane
et aux noix de macadamia. Carte en grande
partie végane et sans gluten. Wi-Fi gratuit.

STEVE BOWER/SHUTTERSTOCK ©

🍷 OÙ PRENDRE UN VERRE ET FAIRE LA FÊTE

Les bars de Kailua-Kona sont plutôt touristiques, mais on trouve quelques adresses sympas pour un cocktail ou une bière. Valeur sûre, **Kona Brewing Company** (☎808-334-2739 ; konabrewingco.com ; 75-5629 Kuakini Hwy ; plats 13-25 $; ☺11h-22h ; 🏄) ⚓ propose généralement de la musique hawaiienne en live de 17h à 20h le dimanche.

Sam's Hideaway   Bar
(☎808-326-7267 ; 75-5725 Ali'i Dr ; ☺9h-2h). Le Sam's est un petit bar sombre et douillet (bon, peut-être un peu vieillot). Les touristes y sont rares, contrairement aux habitants toujours nombreux, surtout lors des soirées karaoké ; vous pourrez vraiment dire que vous connaissez Kailua-Kona lorsque vous aurez vu un Samoan de 2 m chanter *The Snows of Mauna Kea* les larmes aux yeux.

🛈 DEPUIS/VERS KONA

Une voiture est presque une nécessité à Hawai'i. Si vous n'en louez pas une à votre arrivée à l'**aéroport international de Kona** (p. 325),

prenez un taxi le long du trottoir (réservez si vous arrivez tard le soir). Comptez 25 $ pour Kailua-Kona et 35 $ pour Keauhou, pourboire non compris.

La navette **Speedi Shuttle** (☎877-242-5777, 808-329-5433 ; www.speedishuttle.com ; transfert aéroport-Kailua Kona collectif/privé 32/124 $, Mauna Lani 59/186 $; ☺9h-dernier vol) est économique si l'on est en groupe. Réservez.

🛈 COMMENT CIRCULER

Lors de nos recherches, un service de **vélos en libre-service** (3,50 $/demi-heure) venait d'être mis en place. On trouve des bornes à Hale Halawai Park, au Huggo's On the Rock's et au Courtyard King Kamehameha's Kona Beach Hotel. Les cartes de crédit sont acceptées.
Bike Works (☎808-326-2453 ; www.bikeworkskona.com ; 74-5583 Luhia St, Hale Hana Center ; location de vélos 40-60 $/jour ; ☺9h-18h lun-sam, 10h-16h dim) loue des VTT et des vélos de route de premier choix. On peut aussi louer des vélos à **Kona Beach and Sports** (☎808-329-2294 ; www.konabeachandsports.com ; 75-5744 Ali'i Dr, Kona Inn Shopping Village ; location de vélos 25-30 $/jour ; ☺9h30-20h).

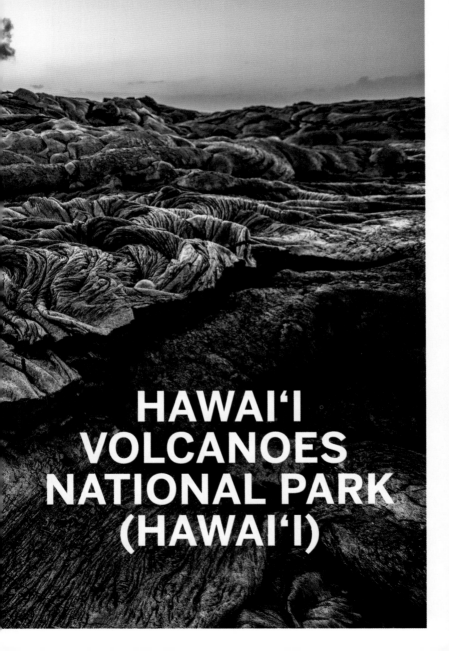

HAWAI'I VOLCANOES NATIONAL PARK (HAWAI'I)

Hawai'i Volcanoes National Park (Hawai'i)

Du sommet souvent enneigé du Mauna Loa, le volcan le plus imposant du monde, à la côte bouillonnante où la lave se déverse dans la mer, le Hawai'i Volcanoes National Park est un micro-continent réunissant forêts tropicales humides foisonnantes, déserts créés par les volcans, prairies de haute montagne, plaines côtières et, çà et là, d'innombrables merveilles géologiques.

En son cœur s'élève le Kilauea, le volcan-bouclier le plus jeune et le plus actif de la planète. Depuis 1983, le Pu'u 'O'o, cheminée volcanique sur le rift est du Kilauea, est en éruption quasi continue, ajoutant à l'île environ 200 ha de nouvelles terres.

Le Hawai'i Volcanoes National Park en 1 jour

Gagnez le **Kilauea Visitor Center & Museum** (p. 258) pour obtenir les dernières informations, puis empruntez Crater Rim Drive pour découvrir les sites d'intérêt autour de la caldeira du Kilauea. Parcourez ensuite le **Kilauea Iki Trail** (p. 258), sentier de randonnée qui traverse un cratère. Dînez et passez la soirée dans le village de Volcano. Ne manquez pas la vue sur la lave en fusion depuis le **belvédère du Jaggar Museum** (p. 268).

Le Hawai'i Volcanoes National Park en 2 jours

Commencez votre seconde journée par deux randonnées faciles, **Pu'u Loa Petroglyphs** (p. 262) et **Footprints Trail** (p. 264). Écoutez une ou deux présentations de rangers, puis admirez les œuvres d'art du **Volcano Arts Center** (p. 266). Dînez en profitant d'une fabuleuse vue sur le cratère au **Rim Restaurant** (p. 269), avant d'assister à une conférence **Art After Dark in the Park** (p. 259).

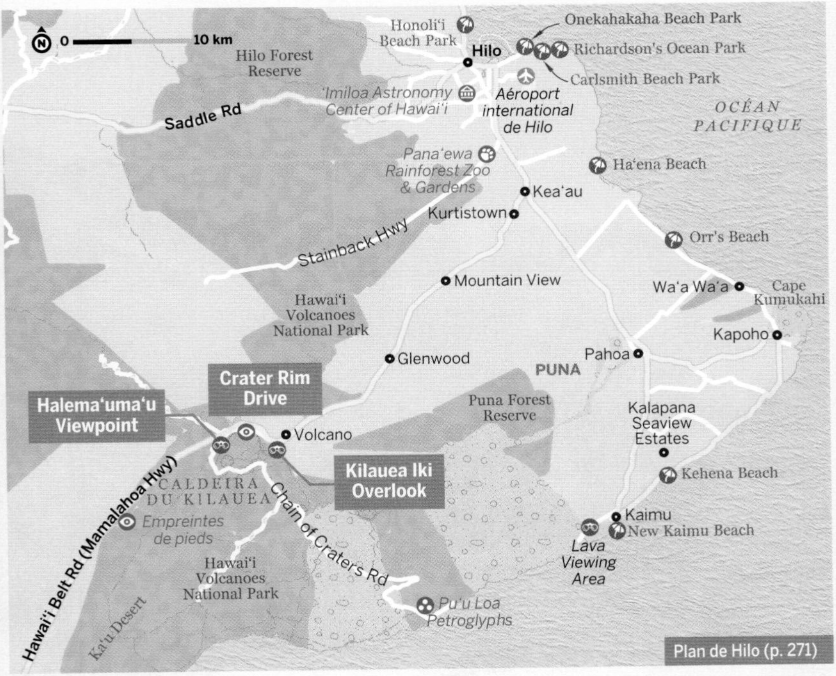

Ô N   0 ———— 10 km

Honoli'i Beach Park
Onekahakaha Beach Park
Hilo
Richardson's Ocean Park
Hilo Forest Reserve
'Imiloa Astronomy Center of Hawai'i
Aéroport international de Hilo
Carlsmith Beach Park
OCÉAN PACIFIQUE

Saddle Rd

Pana'ewa Rainforest Zoo & Gardens
Kea'au
Ha'ena Beach

Stainback Hwy
Kurtistown
Orr's Beach

Hawai'i Volcanoes National Park
Mountain View
Wa'a Wa'a
Cape Kumukahi

Glenwood
Pahoa
Kapoho

PUNA

Crater Rim Drive
Puna Forest Reserve

Halema'uma'u Viewpoint
Volcano
Kalapana Seaview Estates

CALDEIRA DU KILAUEA
Kilauea Iki Overlook
Kehena Beach

Hawai'i Belt Rd (Mamalahoa Hwy)
Empreintes de pieds

Chain of Craters Rd
Kaimu
New Kaimu Beach

Hawai'i Volcanoes National Park
Lava Viewing Area

Ka'u Desert
Pu'u Loa Petroglyphs

Plan de Hilo (p. 271)

Comment s'y rendre

Le parc se situe à 48 km (45 minutes) de Hilo et à 153 km (2 heures 45) de Kailua-Kona par la Highway 11. Les embranchements pour le village de Volcano sont à quelques kilomètres à l'est de l'entrée principale du parc.

Où se loger

Les deux campings du parc accessibles en voiture sont relativement peu fréquentés en dehors des mois d'été. Les nuits peuvent être fraîches et humides. Aucune réservation n'est acceptée et les séjours se limitent à sept nuits. Ceux qui préfèrent dormir sous un toit trouveront le plus grand choix d'hébergements dans le village de Volcano.

Randonnée sur le cratère du Kilauea Iki

FOMINAYAPHOTO/SHUTTERSTOCK ©

Kilauea Iki Trail et Overlook

Sur Crater Rim Drive, le point de vue de Kilaueu Iki domine un cratère fumant de 1,6 km. Loin en contrebas s'étend l'impressionnant sentier de randonnée Kilaueu Iki Trail.

Pour ceux qui aiment...

☑ **Ne ratez pas**

Les intéressantes et instructives conférences **Art After Dark in the Park** dans le Visitor Centre.

Kilauea Visitor Center & Museum

Arrêtez-vous ici dès votre arrivée. Les bénévoles et les rangers, remarquablement serviables, donnent des informations sur l'activité volcanique, la qualité de l'air, les routes fermées et l'état des sentiers de randonnée, et peuvent vous aider à tirer le meilleur parti du temps dont vous disposez. Le petit musée interactif, idéal pour les familles, présente le patrimoine hawaiien et l'écosystème fragile du parc. Tous les films présentés en alternance sont excellents. Cahiers d'activités "Junior Ranger Program" pour enfants (en anglais).

Dans le centre, une librairie bien approvisionnée vend souvenirs, ponchos de pluie, bâtons de randonnée et lampes torches. Sur place, toilettes, téléphone public et point d'eau. Des fauteuils roulants sont à disposition gratuitement.

Kilauea Iki Trail

ⓘ Infos pratiques

Kilauea Visitor Center & Museum
(☎808-985-6000 ; www.nps.gov/havo ;
Crater Rim Dr ; ☺9h-17h, projections de films
ttes les heures 9h-16h ; 🏛) ✎

✕ Une petite faim ?

Après votre randonnée, dégustez le
savoureux "curry spécial" au **Thai Thai
Restaurant** (☎808-967-7969 ; 19-4084 Old
Volcano Rd ; plats 15-26 $; ☺11h30-21h ; 🍴)

★ Bon à savoir

Consultez les panneaux extérieurs
près de l'entrée du Kilauea Visitor
Center pour connaître les prochaines
présentations et randonnées
encadrées par des rangers.

Le cratère

Lorsque le Kilaueu Iki (Petit Kilauea)
entra en éruption en novembre 1959,
une fontaine de lave de 580 m de haut,
projetant jusqu'à 2 millions de tonnes de
lave de l'heure, illumina le ciel nocturne
et remplit le cratère de roche en fusion
bouillonnante. Il fallut plus de 30 ans pour
que ce lac se solidifie complètement.

Kilauea Iki Trail

Cette boucle de 6,4 km (à effectuer dans
le sens inverse des aiguilles d'une montre)
dévoile un stupéfiant microcosme du parc.
Le sentier descend à travers des forêts
d'ohias jusqu'à un lac fumant créé par une
fontaine volcanique.

Le Kilauea Iki fut en éruption pendant
cinq semaines à la fin de 1959, la lave tantôt
remplissant le cratère de plusieurs mètres,
tantôt s'écoulant de nouveau dans la
fissure. La fontaine de lave atteignit 580 m,
la plus haute jamais enregistrée à Hawaii.
Ce spectacle saisissant devint soudain
dramatique lorsque des blocs de roche
bouchèrent le passage et qu'un jet de lave
gicla en direction des foules de visiteurs.

Rejoignez le sentier avant 8h pour éviter la
foule. Le vague sentier qui traverse le cratère
est jalonné d'*ahu* (cairns de pierres) pour
faciliter l'orientation. Ne vous en écartez
pas ; la croûte peut être plus fine ailleurs.

Conférences

Des experts en science, préservation, art
ou histoire dévoilent les mystères du parc
dans le cadre d'une série de conférences
intitulées "After Dark in the Park". Nous
les avons trouvées si intéressantes que
nous nous y serions rendus même si la vie
nocturne des environs avait été plus animée.

Le lac de lave du Halema'uma'u

MARISA ESTIVILL/SHUTTERSTOCK ©

Observation du Halema'uma'u

Y a-t-il plus fascinant qu'un cratère rempli de lave bouillonnante projetant dans le ciel une colonne de vapeur tourbillonnante ? Quel que soit le moment de la visite, on n'est jamais déçu.

Pour ceux qui aiment...

☑ **Ne ratez pas**

Les expositions historiques et géologiques du **Jaggar Museum** (☎808-985-6051 ; Crater Rim Dr ; ⏱10h-20h tlj ; ♿) et son formidable belvédère.

Histoire et géologie

L'ensemble de l'archipel est le territoire de Pélé, déesse du feu et des volcans, mais le Halema'uma'u en est la demeure, ce qui en fait un site sacré pour les Hawaiiens.

Le Halema'uma'u est un véritable cratère à l'intérieur de la caldeira du Kilauea. En 1823, le missionnaire William Ellis décrit pour la première fois le chaudron bouillonnant du Halema'uma'u à un large public, et son fantastique récit attire les voyageurs du monde entier. En 1866, Mark Twain, à son tour saisi par le spectacle, écrivit ces lignes : "Cercles, serpents et éclairs se tressaient, s'enroulaient et s'enchevêtraient... J'ai vu le Vésuve depuis, mais en comparaison, ce n'est qu'un simple jouet, un volcan pour enfants, une soupière."

En 1924, le sol du cratère s'affaissa subitement, provoquant une série

VOLCANO

Halema'uma'u Viewpoint

CALDEIRA DU KILAUEA

ℹ️ Infos pratiques

Kilauea Visitor Center & Museum
(📞808-985-6000 ; www.nps.gov/havo ;
Crater Rim Dr ; 🕐9h-17h, projections de films
ttes les heures 9h-16h ; 🦽) 🖊️

🍴 Une petite faim ?

Après avoir admiré le cratère, dégustez
une pizza – par exemple – au **'Ōhelo
Café** (📞808-339-7865 ; www.ohelocafe.
com ; 19-4005 Haunani Rd, angle Old Volcano
Rd ; pizza 12-15 $, plats 21-40 $; 🕐11h30-
14h30 et 17h30-21h30, fermé le 1er mar
du mois), à Volcano.

★ Bon à savoir

Profitez d'une nuit claire juste
après le coucher du soleil pour jouir
de la meilleure vue.

d'éruptions explosives. Une pluie de blocs
de roche et de boue tomba pendant des
jours. Les éruptions terminées, le cratère
avait doublé de taille, atteignant environ
90 m de profondeur et 900 m de largeur.
La lave se refroidit, formant une croûte.
Mais le Halema'uma'u ne resta pas
silencieux très longtemps. Depuis lors,
il est entré en éruption 18 fois, ce qui
en fait la zone la plus active du sommet
du Kilauea.

Lac de lave

Le 19 mars 2008, une immense explosion
de vapeur sortit le cratère Halema'uma'u
d'un silence d'un quart de siècle,
disséminant des rochers et des "cheveux
de Pélé" (filaments de roche volcanique)
sur 30 ha. Une série d'explosions suivit,
ouvrant une cheminée de 90 m sur le sol

du cratère qui continua à cracher une
colonne de gaz et de cendres sur le désert
de Ka'u.

Quoi de neuf au lac ?

En avril 2015, le lac de lave déborda et
inonda le sol du cratère, ajoutant une
couche de lave fraîche d'environ 9 m.

Si le niveau du lac reste élevé, la lave en
fusion est visible depuis le belvédère du
Jaggar Museum (p. 268).

Le spectacle dépend du niveau
d'activité du Kilauea. Avec de la chance,
Pélé vous offrira un spectacle rare : des
éclaboussures et des rochers jaillissant
vers le tronçon aujourd'hui fermé de Crater
Rim Drive. Une nuit claire après le coucher
du soleil offre la meilleure vue, mais une
ouverture entre des nuages orageux peut
créer un beau cadre surnaturel.

Pu'u Loa Petroglyphs

Randonnées dans le parc

Admirer l'intérieur du cratère Halema'uma'u est une expérience extraordinaire, mais la véritable magie du Hawai'i Volcanoes National Park se révèle sur ses 240 km de sentiers de randonnée.

Pour ceux qui aiment...

☑ **Ne ratez pas**

Les empreintes de pieds sur le Footprints Trail, conservées dans des sédiments fragiles, que le sable couvre et découvre au gré du vent.

Mauna Iki Trail

Pour vous retrouver seul au cœur d'un fascinant paysage de lave, parcourez environ 3 km à travers le désert de Ka'u pour gagner : le sommet aride du Mauna Iki (924 m). Le panorama embrasse l'imposant Mauna Loa, le Kilauea fumant et le vaste désert de Ka'u. L'extrémité nord du sentier est parfois appelée Footprints Trail ("sentier des empreintes de pieds").

Du sommet, une marche de 11 km mène à Hilina Pali Road en passant par des cônes de cendres escarpés, des crevasses et des gouffres. Les niveaux de dioxyde de soufre dans la zone des retombées expliquent la nette absence de végétation.

Pu'u Loa Petroglyphs

La marche aller-retour tranquille de 1,6 km vers Pu'u Loa ("colline de la longue vie")

ⓘ Infos pratiques

Faites une halte au **Kilauea Visitor Center & Museum** (☏808-985-6000 ; www.nps.gov/havo ; Crater Rim Dr ; ⊙9h-17h, projections de films ttes les heures 9h-16h ; 👪) ✐ pour vous renseigner sur l'état des routes avant de partir.

✕ Une petite faim ?

Pour votre pique-nique, achetez un wrap à emporter au Eagle's Lighthouse Café (☏808-985-8587 ; eagleslighthouse.com ; 19-4005 Haunani Rd ; plats 5-11 \$; ⊙7h-17h lun-sam ; 📶✐).

mène à l'une des plus fortes concentrations de pétroglyphes anciens de Hawaii, vieux pour certains de plus de 800 ans. Le site compte plus de 23 000 dessins gravés dans la *pahoehoe* (lave lisse) par des Hawaiiens à l'aide d'herminettes en pierre extraite du Keanakako'i. Ne quittez pas la promenade en planches ; certains pétroglyphes ne sont pas clairement visibles et peuvent être endommagés si l'on marche dessus. Le parking au départ du sentier est indiqué entre les Miles 16 et 17 de Chain of Craters Road.

Outre des pétroglyphes aux motifs abstraits, d'animaux et de personnages humains, les rochers du site présentent des milliers de creux (ou cupules) qui servaient de réceptacles pour les *piko* (cordons ombilicaux). On plaçait le *piko* du nouveau-né dans une cupule et on le couvrait de pierres pour assurer santé et longévité à l'enfant. Selon les archéologues, le trou était entouré d'un cercle pour un premier-né et de deux cercles pour le premier-né d'un *ali'i* (chef).

Napau Crater Trail

Cet itinéraire de 11 km (aller simple) sur un terrain onduleux et accidenté peut être éreintant par endroits, mais sa diversité et ses panoramas valent largement la peine. Il commence par l'excellent Mauna Ulu Eruption Trail avant de se poursuivre à travers des hectares de *pahoehoe* jusqu'au bord du cratère Makaopuhi, long de 1,6 km. On traverse ensuite une forêt de fougères boueuse, passant par la Old Pulu Factory, pour rejoindre le bord du cratère Napau, le Pu'u 'O'o fumant silencieusement à l'horizon.

Pu'u Huluhulu Trail

Première partie du Napau Crater Trail, cet itinéraire plus facile, d'environ 5 km, débute au plus près de la fissure volcanique multicolore de 1969 (qui détruisit la route baptisée Chain of Craters Road avant que celle-ci n'atteigne son 10e anniversaire), et se termine au sommet du Pu'u Huluhulu ("colline broussailleuse"), offrant une vue imprenable sur le Mauna Ulu : le résultat final de cette éruption.

Ne manquez pas la discrète fissure, l'élément le plus caractéristique de cette randonnée. À la boîte d'auto-inscription, ne traversez pas l'étendue de *pahoehoe* mais tournez à droite et repérez le départ de la boucle de 800 m de l'autre côté de l'ancienne route.

Ensuite, continuez vers le *kipuka* (îlot de végétation) envahi de lave 'a'a scoriacée, à la surface rugueuse et déchiquetée, et d'une multitude d'arbres de lave aussi grands que vous. Un arbre de lave se forme lorsqu'une coquille de lave refroidie se forme autour d'un arbre tandis que le reste de la roche en fusion s'écoule, laissant derrière elle une colonne de roche creuse.

Footprints Trail

En 1782, le Kilauea cracha un énorme nuage de vapeur, de sable brûlant, de gaz asphyxiant, de pierres et de cendres, poussé par des vents de force 12, qui balaya le désert de Ka'u. Guerriers et civils furent pris dans cette tempête infernale humide et poisseuse. Tandis qu'ils suffoquaient et agonisaient, leurs pieds laissèrent des empreintes fantomatiques dans la boue. Cette boue sécha, immortalisant le funeste événement. C'est en tout cas la théorie avancée par le volcanologue Thomas A. Jaggar au début du XXe siècle.

Gecko sur une pierre de lave noire

Une courte marche de 1,2 km sur le Mauna Iki Trail depuis le départ du sentier du désert de Ka'u, sur la Highway 11, conduit à un champ émaillé d'empreintes de pieds conservées dans des sédiments fragiles, que le sable couvre et découvre au gré du vent.

Kipuka Puaulu

Ce parcours de 1,9 km ombragé et suffisamment facile pour les jeunes enfants décrit une boucle à travers un *kipuka* de forêt tropicale humide. Grâce à une restauration radicale après des années d'un pâturage intensif qui l'avait transformée en

prairie, cette parcelle présente aujourd'hui plus d'espèces d'arbres indigènes par hectare qu'ailleurs dans le parc, ce qui en fait un havre pour oiseaux et ornithologues.

Le départ du sentier se situe à 2,4 km en remontant Mauna Loa Road, au rond-point. Effectuez la randonnée tôt le matin ou au crépuscule pour être entouré du chant des guit-guits – 'amakihi (guit-guit émeraude), 'apapane (picchion cramoisi) et peut-être 'i'iwi (iiwi rouge) – et des 'elepaio (monarque élépaïo) curieux. Le petit tunnel de lave est attrayant, mais le parc déconseille son exploration afin de protéger les espèces uniques d'araignées chasseuses à grands yeux et de grillons des arbres de lave.

Halema'uma'u Trail

Autrefois parcourue par des personnalités comme Mark Twain, la portion de cet itinéraire qui traverse la caldeira est fermée depuis plusieurs années en raison de l'activité explosive à l'autre extrémité. La partie accessible est un agréable sentier entre les terrasses boisées descendant en contrebas du Volcano House vers le fond de la caldeira du Kilauea.

Eau potable

Bien que bordée de forêt tropicale humide, la région est étonnamment sèche et l'on peut facilement souffrir de déshydratation. Aucune eau potable n'étant disponible, à part peut-être aux campings rudimentaires (l'eau doit néanmoins être traitée avant consommation), emportez au moins 3 litres d'eau par personne et par jour.

> ### ★ Bon à savoir
> Un temps chaud et ensoleillé peut en un instant devenir froid et humide ; prévoyez des vêtements en conséquence.

LUC KOHNEN/SHUTTERSTOCK ©

Randonner avec de nouveaux amis

Si vous souhaitez vous joindre à un groupe, l'organisation à but non lucratif Friends of Hawai'i Volcanoes National Park organise des sorties pédagogiques et des randonnées le week-end, ainsi que des activités bénévoles comme la restauration des forêts indigènes.

Entrée des Thurston Lava Tubes (p. 268)

BILDAGENTUR ZOONAR GMBH/SHUTTERSTOCK ©

Crater Rim Drive

Cette incroyable boucle goudronnée de 18 km part du Kilauea Visitor Center et contourne le bord de la caldeira du Kilauea, passant par des crevasses et des fumerolles, des départs de sentiers de randonnée et de fabuleux points de vue sur le cratère fumant.

Pour ceux qui aiment...

ⓘ **Infos pratiques**

Le parc est généralement ouvert 24h/24.

Volcano Arts Center

Près du Visitor Center, cette élégante galerie d'art local présente différentes pièces remarquables – entre autres poteries, peintures, ouvrages en bois, sculptures, bijoux et courtepointes hawaiiennes – dans une série d'expositions tournantes. Il vaut la peine de visiter la boutique à but non lucratif, aménagée dans l'hôtel historique Vocano House (1877), pour en admirer l'architecture. Renseignez-vous sur les prochains cours d'art et ateliers culturels comme les Aloha Fridays (11h-13h ven), une immersion culturelle proposée chaque semaine.

Sulphur Banks

Une promenade en bois serpente entre des cheminées rocheuses teintées de vert chartreuse, de jaune, d'orange

★ **Bon plan**
Partez tôt. Les bus touristiques et les foules commencent à arriver vers 10h.

qui laissent échapper des gaz de la poche de magma au-dessous. Ces puissants gaz créent les petites structures cristallines qui donnent aux rochers leurs couleurs.

Steam Vents et Steaming Bluff

Accessibles en voiture, les photogéniques Steam Vents (fumerolles) génèrent d'impressionnantes volutes dans la fraîcheur des premières heures du matin. Les rochers brûlants sous la surface font bouillir l'eau de pluie qui s'infiltre, produisant la vapeur. Si les cheminées de la zone du parking sont impressionnantes, la Steaming Bluff ("falaise fumante"), à une courte marche de là en direction du bord, l'est encore davantage. Ici, des rideaux de vapeur encadrent les falaises au-dessus d'un panorama post-apocalyptique.

Kilauea Overlook

Ce point de vue mérite particulièrement une halte pour la bombe volcanique de 6 tonnes trônant sur le bord, qui laisse imaginer la violence des éruptions. On ne jouit d'aucune vue depuis les tables de pique-nique couvertes, mais l'abri permet de se protéger du vent et de la pluie.

Jaggar Museum

Ce petit musée géologique d'une salle (p. 267) donne nombre de choses à voir, notamment des sismographes et tiltmètres enregistrant en temps réel les activités sismiques dans le parc (et sous vos pieds).

et d'autres couleurs psychédéliques par les tonnes de vapeurs sulfureuses s'élevant des profondeurs de la terre. Plantes envahissantes et autres changements de l'environnement ont rendu le lieu moins hospitalier pour les oiseaux rares qui le fréquentaient autrefois (d'où son nom hawaiien Ha'akulamanu), notamment les *nene* (oies hawaiiennes indigènes) et les *kolea* (pluviers fauves). Le parcours facile de 1,1 km (aller simple) est relié à Crater Rim Drive près du parking pour Steaming Bluff. Accessible en fauteuil roulant.

Il y a 500 ans environ, le sommet du Kilauea s'est effondré vers l'intérieur, laissant une série de falaises concentriques descendant vers son centre. Les Sulphur Banks ("talus de soufre"), sur le cercle le plus extérieur, se sont formés en raison de profondes crevasses le long de la faille

D'autres espaces présentent les dieux et déesses hawaïens ou relatent brièvement l'histoire du Hawai'i Volcano Observatory voisin (fermé aux visiteurs), fondé en 1912 par le volcanologue Thomas A. Jaggar. Les rangers du parc donnent régulièrement des explications géologiques dans le musée. À l'extérieur, les visiteurs envahissent la terrasse pour profiter de la plus belle vue sur le lac de lave du cratère Halema'uma'u.

Le musée et l'observatoire sont juchés sur le bord du Kilauea, au-dessus des falaises sacrées d'Uwekahuna ("prêtres gémissants"). Ces terrasses se formèrent lorsque la caldeira s'effondra vers l'intérieur, formant un trou de 500 m de profondeur, rempli depuis par 360 m de lave.

Belvédère du Jaggar Museum

Le belvédère sur le Halema'uma'u d'origine, près de Crater Rim Drive, est fermé depuis 2008 en raison de l'activité volcanique et des risques mortels bien réels ! Heureusement, le point de vue qu'offre la terrasse du Jaggar Museum (p. 267), le deuxième le plus proche du cratère, est aussi extraordinaire.

Il n'y a rien de tel que de voir un cratère rempli de lave bouillonnante projeter dans le ciel une colonne de vapeur tourbillonnante, en particulier après la tombée de la nuit, lorsque les lumières vacillantes de la création embrasent tout.

Thurston Lava Tube

Sur le versant est du Kilauea, Crater Rim Drive traverse une forêt tropicale humide remplie de fougères arborescentes et d'ohias pour rejoindre le parking plein à craquer de l'incontournable **Thurston Lava Tube** (Nahuku ; près de Crater Rim Dr ;). La boucle pédestre de 500 m débute dans une forêt d'ohias où résonne le chant des oiseaux, avant de s'engouffrer dans un tunnel de lave gigantesque, éclairé artificiellement sur une cinquantaine de mètres. Pour une expérience plus mémorable, visitez le gouffre flamboyant après la tombée de la nuit.

Un tunnel de lave se forme lorsque la croûte supérieure d'une coulée de lave se solidifie tandis que le liquide sous la surface continue de s'écouler. Lorsque l'éruption cesse, la coulée se tarit, ne laissant qu'une coquille dure. Le Nahuku, le nom hawaïen de ce tunnel, fut "découvert" par le controversé Lorrin Thurston, le magnat de la presse (et mécène de Thomas A. Jaggar) qui contribua au renversement du royaume de Hawaii.

Au plus près de la lave

Les voyageurs chanceux peuvent observer la roche en fusion parcourir les 10,2 km qui séparent le Pu'u O'o de l'océan. Au plus fort du spectacle, on voit des coulées en surface, des "lucarnes" de lave et des arbres embrasés. Lorsque l'écoulement ralentit ou change de direction, il est possible d'apercevoir une volute de vapeur pendant la journée ou une lueur rouge irréelle à la nuit tombée, encore plus inquiétante lorsqu'elle part d'une fissure entre vos pieds.

Il est impossible de savoir à l'avance où aura lieu la coulée de lave et si l'on peut ou non rejoindre le site. Renseignez-vous au Kilauea Visitor Center, appelez le parc ou consultez le site Internet du NPS (www.nps.gov/havo) pour obtenir les dernières informations. Sachez toutefois que l'expérience nécessite parfois de parcourir à pied jusqu'à 16 pénibles kilomètres ou plus (aller et retour) depuis l'extrémité de la Chain of Craters Road. Tenez-vous informé sur les coulées pour éviter les désillusions (surtout avec des enfants).

L'écoulement de la lave dans l'océan est sublime mais extrêmement dangereux. Le choc explosif entre l'eau de mer et la lave à 1 100°C peut pulvériser de l'eau bouillante et de la vapeur toxique à des dizaines de mètres dans les airs et projeter de gros blocs de lave en feu loin à l'intérieur des terres. Les bords instables de la croûte de lave (appelés "bancs de lave") s'effondrent parfois subitement. Plusieurs observateurs ont été blessés, mortellement pour certains, au cours de la dernière décennie. Restez bien à l'intérieur des terres loin de la coulée de lave et tenez bien compte de tous les avertissements officiels.

La randonnée depuis l'autre côté, entre l'extrémité de la Highway 130, à Puna, et la **Lava Viewing Area** (Zone d'observation de la lave ; www.hawaiicounty.gov/lava-viewing ; extrémité de la Hwy 130 ; ☺15h-21h), gérée par le comté, peut être plus facile. À Puna, des habitants louent souvent des vélos, lesquels permettent de gagner du temps, et les guides sont légion.

Quel que soit le point de départ, emportez une lampe torche et beaucoup d'eau, et envisagez de rester après le coucher du soleil.

Chain of Craters Road

Probablement la route la plus pittoresque parmi les nombreuses routes superbes que compte l'île. Partant de Crater Rim Drive vers le sud, la route goudronnée Chain of Craters Rd serpente sur près de 30 km, à 1 100 m en contrebas du versant sud du Kilauea, pour se terminer subitement aux coulées de lave rejoignant la côte.

✖ Une petite faim ?

Profitez d'une vue exceptionnelle en prenant votre repas au **Rim Restaurant** (www.hawaiivolcanohouse.com/dining ; Volcano House, Crater Rim Dr ; déj 14-20 $; dîner 20-40 $; ☺7h-10h, 11h-14h, 17h30-20h30 ♿🅿), à l'emplacement spectaculaire.

★ Bon plan

Roulez lentement, surtout par temps pluvieux ou brumeux, et repérez les espèces d'oiseaux en voie de disparition.

Lave coulant dans l'océan depuis le Kilauea

Hilo

La plupart des sites d'intérêt se trouvent dans le centre-ville de Hilo, où des édifices historiques du début du XXe siècle donnent sur la côte, que les habitants appellent Bayfront ("front de baie"). Plus à l'est, on trouve les docks emblématiques de Hilo, le Suisan Fish Market (p. 277) et le **quartier de Keaukaha**, qui rassemble toutes les plages de Hilo, à l'exception de Honoli'i Beach Park. Le week-end, les parkings sont souvent pleins et la circulation dense le long de Kalaniana'ole Avenue. Ailleurs, il est facile de stationner, que ce soit dans la rue ou dans un parking.

PLAGES

Carlsmith Beach Park   Plage

(Kalaniana'ole Ave ; 🚻). Cette plage peut sembler rocailleuse mais les familles en apprécient la zone de baignade protégée par un récif. Les étangs anchialins, qui s'écoulent vers l'océan, sont idéals pour les enfants. Le site convient pour le snorkeling lorsque les eaux sont calmes. La plage est surveillée par des maîtres-nageurs le week-end et les jours fériés, et on trouve sur place toilettes, douches et aires de pique-nique.

Onekahakaha Beach Park   Plage

(Kalaniana'ole Ave ; ⊙7h-21h ; 🚻). Parfaite pour les enfants, cette vaste plage présente un grand bassin peu profond au fond sablonneux, protégé par un bloc de roche qui fait office de brise-lames. La profondeur de l'eau n'est que de 30 à 60 cm par endroits, créant une zone sécurisée pour les enfants en bas âge. La crique non protégée au nord du bassin possède des eaux plus profondes mais peut être dangereuse en raison des fortes vagues et des *wana* (oursins de mer), aux piquants acérés. Les pelouses environnantes, herbeuses et ombragées, sont idéales pour pique-niquer. La plage est surveillée par des maîtres-nageurs le week-end et les jours fériés, et on trouve sur place toilettes, douches et aires de pique-nique.

Richardson's Ocean Park   Plage

(Kalaniana'ole Ave ; ⊙7h-19h ; 🚻). Près de l'extrémité de Kalaniana'ole Avenue, cette petite poche de sable noir est très prisée. Lorsqu'elles sont calmes, ses eaux protégées sont appréciées pour la baignade et le snorkeling, et on peut fréquemment y apercevoir des tortues de mer (gardez vos distances, au moins 50 m dans l'eau). Les hautes vagues, prisées des bodyboarders locaux, peuvent cependant être dangereuses. Prévoyez des chaussures de protection adaptées de pour protéger vos pieds des rochers. La plage est surveillée par des maîtres-nageurs tous les jours, et on trouve sur place toilettes, douches, aires de pique-nique et parking.

⊙ À VOIR

Pacific Tsunami Museum   Musée

(☏808-935-0926 ; www.tsunami.org ; 130 Kamehameha Ave ; adulte/enfant 8/4 $; ⊙10h-16h mar-sam). On ne peut comprendre Hilo sans connaître son histoire : elle a survécu à deux tsunamis (en 1946 et 1960). Ce musée en apparence modeste est une mine d'informations fascinantes. Une partie est notamment consacrée au tsunami japonais de 2011 qui a frappé Kona. Prévoyez suffisamment de temps pour découvrir les installations multimédias, dont des simulations informatiques qui donnent des frissons et des témoignages poignants.

Pana'ewa Rainforest Zoo and Gardens   Zoo

(☏808-959-9233 ; www.hilozoo.org ; près de Hwy 11 ; ⊙9h-16h, zoo pour enfants 13h30-14h30 sam ; 🚻). Modeste mais intéressant, le zoo de Hilo, de 5 ha, est une excellente destination pour les familles. Baladez-vous dans les jardins tropicaux pour voir singes, reptiles, paresseux, perroquets et autres animaux. Le couple de tigres du Bengale, Sriracha (femelle orange) et Tzatziki (mâle blanc), est la grande attraction du lieu. Les deux structures de jeu et l'aire de pique-

Hilo

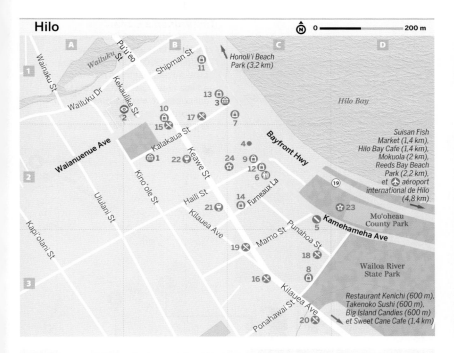

Hilo

⊙ À voir

⊙ Activités

⊙ Achats

⊙ Où se restaurer

⊙ Où prendre un verre et faire la fête

⊙ Où sortir

nique ombragée sont idéales
pour les enfants. Généralement peu
fréquenté et accessible en fauteuil roulant.

Sur Volcano Highway, prenez West
Mamaki Street vers l'intérieur des terres
(*mauka*) juste après le panneau Mile 4.

'Imiloa Astronomy Center of Hawai'i

Musée

(📞808-969-9700 ; www.imiloahawaii.org ; 600
'Imiloa Pl ; adulte/enfant 6-17 ans 17,50/9,50 $;
🕑9h-17h mar-dim ; 👪). Le musée planétarium

Centre-ville de Hilo

Découvrez l'histoire et la vie locale animée de Hilo à l'occasion de cette balade dans le charmant centre-ville. L'itinéraire comprend des parcs, des plages, un espace vert sur Kamehameha Avenue et des édifices historiques.

Départ Mo'oheau Bandstand
Distance 1,6 km
Durée une demi-journée

4 Le **Mokupapapa Discovery Center**, dans le F. W. Koehnen Building (1910), à la façade bleue tape-à-l'œil, aux murs intérieurs en koa et aux parquets en ohia, est consacré aux îles hawaiiennes du Nord-Ouest et à leur environnement marin préservé.

5 Traversez le joli petit espace vert de **Kalakaua Park**, au centre duquel est installée une statue en bronze du roi David Kalakaua (le "monarque joyeux"). Le bassin couvert de nénuphars rend hommage aux anciens combattants de la guerre de Corée. Une capsule témoin a été enterrée sous la pelouse lors de la dernière éclipse solaire totale (le 11 juillet 1991) ; elle sera ouverte lors de la prochaine.

6 Le remarquable **Hawaiian Telephone Company Building** voisin a été conçu dans les années 1920 par C. W. Dickey, influencé par les styles espagnol, italien et des Missions de Californie. Admirez le haut toit en croupe de tuiles vertes et les carreaux de terre cuite aux couleurs vives dans l'édifice.

2 Le **S. Hata Building** est un édifice néo-Renaissance datant de 1912. Admirez sa rangée de fenêtres cintrées au 2e niveau. Le gouvernement américain le confisqua à son propriétaire japonais d'origine durant la Seconde Guerre mondiale. Après la guerre, la fille de ce dernier le racheta pour 100 000 $.

N 0 ⸺ 100 m

Hilo Bay

3 Visitez le **Pacific Tsunami Museum**, qui vous fait revivre les tsunamis catastrophiques de 1946 et 1960. Il occupe l'ancien bâtiment de la First Hawaiian Bank, dessiné par le célèbre architecte de Honolulu C. W. Dickey en 1930.

1 Le kiosque à musique **Mo'oheau Bandstand** (1905 environ) est l'un des rares rescapés du tsunami de 1946. Avec de la chance, vous pourrez assister au concert mensuel de la fanfare du comté.

Kamehameha Ave

Bayfront Hwy

Haili St

Furneaux La

Punahoa St

Mamo St

Kilauea Ave

DÉPART ①

Mo'oheau County Park

②

⑦ **ARRIVÉE**

⑲

Wailoa River State Park

7 Le **Hilo Farmers Market** est noir de monde dès l'aube les mercredis et samedis, lorsque habitants et touristes déambulent entre les innombrables étals de fruits, de légumes, de fleurs et autres produits locaux. Prévoyez des espèces et un sac.

Une petite faim ? Goûtez au chocolat du Hawaiian Crown (p. 277), fabriqué avec du cacao cultivé sur l'île.

En partant de la gauche : tortue verte ; *ki'i* hawaiien ;
Richardson's Ocean Park (p. 270)

'Imiloa, qui signifie "découvrir de nouvelles
connaissances", et dont la construction
coûta 28 millions de dollars, se distingue
par sa juxtaposition entre l'astronomie
moderne sur le Mauna Kea et l'exploration
océanique des Polynésiens anciens. Cet
excellent site pour les familles est un
complément naturel à une excursion
au sommet du volcan. Un spectacle du
planétarium est inclus dans le prix d'entrée.
Le vendredi, des soirées spéciales sont
organisées, notamment l'époustouflant
Led Zeppelin Planetarium Rock Show.

✪ ACTIVITÉS

Si la côte de Hilo est plutôt bordée de récifs
que de sable, ses eaux tranquilles sont
idéales pour le stand-up paddle (SUP) ;
partez de **Reeds Bay Beach Park** (251
Banyan Dr ; 👪) ou de **Mokuola** (Coconut
Island ; 👪). Pour le surf, les pratiquants
expérimentés rejoindront **Honoli'i Beach
Park** (180 Kahoa St).

Les meilleurs sites de plongée sont
du côté de Kona, mais Hilo et ses environs
comptent aussi de bons spots ; renseignez-
vous au Nautilus Dive Center.

Hawaii Forest & Trail — Randonnée
(📱808-331-3657 ; www.hawaii-forest.com ;
224 Kamehameha Ave ; excursion au sommet
du Mauna Kea 215 $; ◷9h-17h lun-ven, 9h-16h
sam). Cette agence fiable organise des
circuits guidés d'aventure dans toute
l'île : randonnée, tyrolienne, baignade,
observation d'oiseaux, etc. L'excursion au
sommet du Mauna Kea comprend le dîner,
ainsi que les parkas à capuchon et les
gants. Le bureau est le point de départ de
tous les circuits partant de Hilo. L'aimable
personnel peut vous renseigner sur les
divers circuits.

Hilo Bayfront Trails — Promenade
(www.hilobayfronttrails.org). Promenez-vous
à pied ou à vélo entre le centre-ville de
Hilo et Banyan Drive sur un chemin côtier
goudronné, très pittoresque même
s'il ne donne pas sur l'océan sur toute sa
longueur. Garez-vous à l'un ou l'autre bout,
en centre-ville ou à Lili'uokalani Park,
et parcourez la boucle à votre rythme,
en prenant le temps de vous arrêter

en chemin pour une *shave ice* (glace pilée au sirop) ou le déjeuner.

Nautilus Dive Center — Plongée

(☎808-935-6939 ; www.nautilusdivehilo.com ; 382 Kamehameha Ave ; baptême de plongée en bateau 85 $; ☺9h-17h lun-sam).
Le centre de plongée phare de Hilo propose des plongées guidées, des cours de certification PADI et des conseils généraux sur la plongée depuis le rivage.

Orchidland Surfboards — Surf

(☎808-935-1533 ; www.orchidlandsurf.com ; 262 Kamehameha Ave ; ☺9h-17h lun-sam, 10h-15h dim). Stan Lawrence, le propriétaire, a ouvert le premier magasin de surf de Big Island en 1972. Location de planches, matériel de surf et conseils.

🛍 ACHATS

Si les habitants affluent vers le **Prince Kuhio Plaza** (☎808-959-3555 ; www. princekuhioplaza.com ; 111 E Puainako St ; ☺10h-20h lun-jeu, 10h-21h ven-sam, 10h-18h dim), centre commercial aux grandes enseignes au sud de l'aéroport, le centre-ville compte des boutiques indépendantes bien plus intéressantes, notamment quelques excellents magasins d'objets anciens. Veillez à bien distinguer les produits authentiques fabriqués à Hawaii des importations bon marché.

Basically Books — Livres

(☎808-961-0144 ; basicallybooks.com ; 1672 Kamehameha Ave ; ☺9h-17h lun-sam, 11h-15h30 dim). Cette librairie spécialisée en cartes, guides de voyage et livres sur Hawaii, dont un grand choix pour les enfants, est un lieu idéal où flâner. Souvenirs, notamment jouets et CD, sont aussi disponibles. Personnel serviable et compétent.

Still Life Books — Livres

(☎808-756-2919 ; 58 Furneaux Lane ; ☺11h-15h mar-sam). Bibliophiles et audiophiles prendront le temps d'explorer cette boutique de livres (littérature, histoire, art, voyages, philosophie) et de vinyles d'occasion de qualité, soigneusement sélectionnés. L'agréable espace du sous-sol réserve de nombreuses bonnes surprises.

Carlsmith Beach Park (p. 270)

MARIUSZ S. JURGIELEWICZ/SHUTTERSTOCK ©

Extreme Exposure Fine Art Gallery
Photographie

(☎808-936-6028 ; www.extremeexposure.com ; 224 Kamehameha Ave ; ⊙10h-20h lun-sam, 11h-17h dim). Cette galerie sans prétention présente les excellentes photos de la nature hawaiienne – faune, lave, paysages terrestres et marins – prises par les photographes Bruce Omori et Tom Kuali'i. Il y en a pour tous les budgets, des posters encadrés aux cartes de vœux.

Local Antiques & Stuff
Objets anciens

(104 Keawe St ; ⊙10h30-16h30 mar-sam). Cette boutique vaut le détour pour son foisonnement d'objets locaux et anciens accessibles pour tous les budgets : bouteilles en verre rétros, articles ménagers de l'époque des plantations, poupées japonaises *kokeshi*, chemises hawaiiennes vintage, bibelots variés et mobilier en koa précieux. Une véritable affaire familiale tenue par un couple local qui a constitué sa collection éclectique sur de nombreuses années.

Bryan Booth Antiques
Mobilier

(☎808-933-2500 ; www.bryanboothantiques. com ; 94 Ponahawai St ; ⊙10h-17h lun-sam). Même si vous n'aviez pas prévu de rapporter chez vous un rocking-chair ou une table à manger, il se peut que vous craquiez pour l'un des meubles en bois brillamment restaurés de Bryan Booth. Admirez dans sa salle d'exposition de magnifiques pièces de la fin du XIXe et du début du XXe siècle, ainsi que de la porcelaine, des lampes et des tableaux anciens. Les prix vont d'environ 500 $ à 5 000 $ et plus.

Sig Zane Designs
Vêtements

(☎808-935-7077 ; www.sigzane.com ; 122 Kamehameha Ave ; ⊙9h30-17h lun-ven, 9h-16h sam). 🍃 Sig Zane, une légende au sein de la communauté *hula*, crée des tissus personnalisés caractéristiques, aux riches couleurs et aux motifs inspirés de la flore hawaiienne ; on reconnaît un "Sig" au premier coup d'œil.

Most Irresistible
Shop in Hilo
Souvenirs

(☑808-935-9644 ; www.facebook.com/
mostirresistibleshop ; 256 Kamehameha Ave ;
☺9h-18h lun-ven, 9h-17h sam, 10h30-15h30 dim).
La "boutique la plus irrésistible de Hilo"
porte bien son nom, avec ses innombrables
trésors : bijoux, vaisselle japonaise, jeux
et jouets pour enfants, vêtements, linge
de maison, articles Hello Kitty et divers jolis
objets. Le personnel est aimable et discret,
vous laissant regarder en paix.

Big Island Candies
Douceurs

(☑800-935-5510, 808-935-8890 ; www.
bigislandcandies.com ; 585 Hinano St ; ☺8h30-
17h). Autrefois modeste affaire familiale,
cette confiserie au succès considérable
est aujourd'hui une destination à part
entière. Généreux échantillons, fabuleux
présentoirs, et confiseries et biscuits
magnifiquement conditionnés vous
attendent dans la boutique-fabrique
immaculée. Attendez-vous à une foule
dense d'habitants et de touristes japonais.
Ne manquez pas les sablés aux noix
de macadamia, la spécialité maison.

🍴 OÙ SE RESTAURER

Two Ladies
Kitchen
Douceurs japonaises $

(☑808-961-4766 ; 274 Kilauea Ave ; boîte
de 8 pièces 6 $; ☺10h-17h mar-sam). Cette
minuscule boutique est réputée dans
tout l'État pour ses remarquables
mochi japonais (gâteaux de riz gluant),
traditionnels ou aux saveurs locales
comme *liliko'i* (fruit de la passion) et *poha*
(groseille à maquereau). Ils sont vendus
dans des boîtes de six à huit pièces.
Examinez la liste des parfums sur le mur
avant de commander.

Paul's Place
Café $

(☑808-280-8646 ; paulsplcafe.wixsite.
com/paulsplacecafe ; 132 Punahoa St ; plats
8-12 $; ☺7h-15h mar-sam). Dans une salle
de six couverts, Paul sert d'exquises
interprétations de classiques, notamment
des gaufres belges légères et croustillantes,

de nourrissantes salades et, sa spécialité,
des œufs Bénédicte au saumon fumé et
aux asperges, à la sauce caractéristique.
Tout est sain, servi avec beaucoup de fruits
et de légumes frais. Réservation vivement
recommandée.

Suisan Fish
Market
Produits de la mer $

(☑808-935-9349 ; 93 Lihiwai St ; *poke* à
emporter 10-12 $, poke 18 $/livre ; ☺8h-18h
lun-ven, 8h-16h sam, 10h-16h dim). Le Suisan
offre une fabuleuse variété de *poke* (cubes
de poisson cru mélangés avec du shōyu,
de l'huile de sésame, du sel, du piment,
de l'*inamona* ou d'autres condiments ;
vendus au poids) fraîchement préparés.
Commandez à emporter un bol de *poke*
accompagné de riz et régalez-vous devant
la boutique ou de l'autre côté de la rue,
au Lili'uokalani Park.

KTA Super Store
– Puainako
Supermarché

(☑808-959-9111, pharmacie 808-959-8700 ;
50 E Puainako St, Puainako Town Center ;
☺alimentation 5h30-minuit, pharmacie 8h-19h
lun-ven, 9h-19h sam). 🍃 Le magasin phare
de KTA, remarquable entreprise familiale,
comprend une boulangerie, une pharmacie,
un traiteur et un superbe choix de *poke*
frais (sans doute les meilleurs de Hilo).
Fruits, légumes, lait et produits préparés
d'origine locale portent le label maison
Mountain Apple. Ne ratez pas les bentos à
emporter, en rupture de stock dès le milieu
de la matinée.

Hawaiian Crown Plantation
& Chocolate Factory
Douceurs $

(☑808-319-6158 ; www.hawaiiancrown.com ;
160 Kilauea Ave ; chocolats 6,50-8,50 $; ☺8h30-
17h30 mar-sam, 11h30-16h dim). 🍃 Des barres
chocolatées et des "tortues" (jusqu'à 80%
de cacao) fabriquées localement à partir
de cacao cultivé localement, à offrir ou
à déguster soi-même. Les amateurs de
cacao peuvent aussi acheter des éclats
de fèves, non sucrés ou sucrés à l'agave,
et en apprendre davantage sur le produit
auprès du propriétaire accueillant.

La boutique propose également du café Big Island chaud ou glacé, de bons smoothies et des bols d'açaï sains.

Hilo Bay Cafe   Hawaiien, sushis $$
(📞808-935-4939 ; www.hilobaycafe.com ; 123 Lihiwai St ; plats 18-32 $; ⊘11h-21h lun-jeu, 11h-21h30 ven-sam ; 🖉). L'atmosphère de ce restaurant au raffinement discret, à la vue panoramique sur la baie et à l'excellente cuisine hawaiienne est étonnamment décontractée. Une foule variée s'y régale de mets éclectiques végétariens et non végétariens, comprenant des versions gastronomiques de plats réconfortants telles que la tourte aux champignons de Hamakua. Les sushis sont frais, les makis créatifs et la salade de sashimi aux généreux morceaux d'*ahi* (thon) pleine de peps.

Moon & Turtle   Hawaiien $$
(📞808-961-0599 ; www.facebook.com/ moonandturtle ; 51 Kalakaua St ; tapas 8-22 $; ⊘11h30-14h et 17h30-21h mar-sam). 🖉 Prisé des gastronomes, ce restaurant de tapas travaille viande, poisson, fruits et légumes locaux de façon étonnamment créative. La carte régulièrement renouvelée est courte mais chaque plat est élaboré avec soin avec des ingrédients méticuleusement sélectionnés. Le sashimi fumé, les choux de Bruxelles croquants et le riz sauté au sanglier vous laisseront certainement un souvenir impérissable. Gardez de la place pour la divine tarte au *liliko'i*.

Pineapples   Hawaiien $$
(📞808-238-5324 ; www.pineappleshilo.com ; 332 Keawe St ; plats 14-24 $; ⊘11h-21h30 dim et mar-jeu, 11h-22h ven-sam ; 🖉). Il n'y a pas un jour où la salle ouverte du Pineapples n'est pas remplie de clients enjoués, principalement des touristes mais aussi des habitants. La cuisine, aux ingrédients de l'île, satisfait tous les palais : tacos des îles garnis de porc *kalua*, hamburger de bœuf nourri à l'herbe surmonté d'ananas grillé, et curry de potiron savoureux et divinement onctueux. Des œuvres d'art

locales agrémentent les murs et des musiciens locaux jouent chaque soir.

Restaurant Kenichi   Japonais $$
(📞808-969-1776 ; www.restaurantkenichi.com ; 684 Kilauea Ave ; plats 13-15 $; ⊘10h-14h et 17h-21h lun-sam ; 🖐). Si vous cherchez un bon restaurant peu touristique, le Kenichi saura vous satisfaire avec sa cuisine généreuse et pleine de saveurs, son personnel souriant et sa salle simple toujours comble. Parmi les spécialités phares : bols de ramen fumants au *dashi* (bouillon) maison, succulent *saba* (maquereau) grillé, poulet sans os à la coréenne et entrecôte servie à votre table encore grésillante et agrémentée d'aromates. Gardez une place pour les desserts empreints de nostalgie comme la tarte à la crème et à la banane.

Sweet Cane Cafe   Bio, végétarien $
(📞808-934-0002 ; www.sweetcanecafe.com ; 48 Kamana St ; plats 7,50-9 $, bols de fruits 8-10 $; ⊘8h-18h lun-sam ; 🖉). 🖉 Dans ce café simple, tout est frais, local et végétarien. Dégustez le sandwich garni de légumes grillés, le hamburger au steak d'*ulu jalapeno* ou les *pesto zoodles* (nouilles de courgettes crues), à la texture parfaite, immergées dans un succulent pesto de noix de macadamia. Les smoothies et les bols d'açaï et de pitaya sont appréciés, idéals pour un en-cas sain. Places de parking limitées.

Takenoko Sushi   Sushis $$$
(📞808-933-3939 ; 681 Manono St ; nigiri 2,50-8 $, choix du chef 40 $; ⊘11h30-13h30 et 17h-21h jeu-lun). Pour vous asseoir à l'une des huit places de ce superbe bar à sushis, il vous faudra réserver une année à l'avance. Votre patience sera récompensée par une cuisine japonaise haut de gamme préparée par un chef expert avec du poisson de premier choix (principalement importé frais du Japon), un cadre impeccable et un service courtois. Chaque bouchée est une expérience mémorable. Les trois services du soir ont lieu à 17h, 19h et 21h.

OÙ PRENDRE UN VERRE ET FAIRE LA FÊTE

Hawai'i Nui Brewing Brasserie

(☎808-934-8211 ; www.hawaiinuibrewing. com ; 275 E Kawili ; ⊙12h-17h lun, mar et jeu, 12h-18h mer et ven, 12h-16h sam). Dans la petite salle de dégustation de cette micro-brasserie, on peut goûter d'excellentes bières artisanales, notamment celles issues de Mehena Brewing, la première micro-brasserie de Hilo, que Hawai'i Nui a reprise en 2009. La Mehana Mauna Kea Pale Ale est la plus demandée, mais nous recommandons la Hawai'i Nui Southern Cross, une puissante ale de style belge qui n'a rien à envier aux bières trappistes.

Bayfront Kava Bar Bar

(☎808-345-1698 ; www.bayfrontkava.com ; 264 Keawe St ; tasse de kava 5 $; ⊙16h-22h lun-sam). Pour découvrir le kava ('awa en hawaiien), rendez-vous dans ce bar minimaliste où le barman sympathique vous servira dans une coquille de noix de coco de la racine de kava cultivée localement et fraîchement infusée. Vous ressentirez des picotements dans la bouche et un léger engourdissement. Concerts et expositions d'art réguliers.

Hilo Town Tavern Bar

(www.hilotavern.com ; 168 Keawe St ; plats 9-11 $; ⊙11h30-2h). Touristes et habitants fréquentent cette taverne à l'ambiance hyperdécontractée, indifférente aux modes, qui propose des scènes intérieure et extérieure, une salle de billard et de la musique entraînante. L'un des seuls endroits où profiter de cuisine de bar de style local, de bières fraîches et d'animation nocturne après minuit.

⊕ OÙ SORTIR

Palace Theater Théâtre

(☎808-934-7010 ; hilopalace.com ; 38 Haili St ; ⊙guichet 10h-15h). Ce théâtre historique est le joyau culturel de Hilo. Sa programmation éclectique comprend films d'art et d'essai et muets (accompagnés par l'orgue du lieu), concerts, spectacles de danse, comédies musicales de Broadway et festivals culturels.

ⓘ DEPUIS/VERS HILO

L'**aéroport international de Hilo** (p. 325) se situe dans le coin nord-est de la ville, à moins de 5 km du centre. Il accueille en grande majorité des vols inter-îles, la plupart de Honolulu. Les comptoirs de location de voitures et les taxis se trouvent juste après la zone de retrait des bagages.

Le trajet entre Hilo et Kailua-Kona par la Highway 19 (via Waimea) prend environ 2 heures 30 (153 km). Passer par Saddle Road permet de gagner 15 minutes environ.

ⓘ COMMENT CIRCULER

Des places de stationnement gratuites sont généralement disponibles à travers la ville. On peut stationner gratuitement dans les rues du centre-ville pendant deux heures (ou plus, les contrôles étant rares) ; il est facile de trouver une place sauf lors des marchés de producteurs du mercredi et du samedi.

Intérieur du cratère à Haleakalā National Park

En savoir plus

Hanauma Bay, O'ahu

Hawaii aujourd'hui

*La devise de l'État, "Ua Mau ke Ea o ka ʻĀina i Ka Pono" ("La vie du pays se perpétue dans la vertu"), n'est pas seulement un slogan idéaliste. Le mouvement souverainiste moderne de Hawaii et les politiques de développement durable puisent leurs origines dans l'*aloha ʻaina *(amour et respect de la Terre), une valeur traditionnelle profondément ancrée.*

La Renaissance hawaiienne

Issue d'anciennes traditions polynésiennes, la culture hawaiienne a été attaquée et partiellement occultée pendant les deux siècles qui ont suivi la première prise de contact avec l'Occident en 1778. La "renaissance hawaiienne" des années 1970 a permis à Hawaii de renouer avec ses traditions culturelles et artistiques d'origine. Des programmes d'immersion linguistique hawaiienne dans les écoles publiques existent depuis plus de 40 ans, et des écoles privées donnant une place prépondérante à la culture hawaiienne.

Aujourd'hui, cette culture ne réside pas seulement dans les noms de lieux et les spectacles *luau*. Les arts traditionnels comme le tressage des feuilles *lauhala*, la fabrication de *kapa* (tissu d'écorce écrasée), et la sculpture sur bois et sur calebasse, connaissent un renouveau. Les pratiques thérapeutiques tels le massage *lomilomi* ("toucher d'amour") et la *la'au lapa'au* (médecine par les plantes) sont transmises aux jeunes. Des *heiau* (temples)

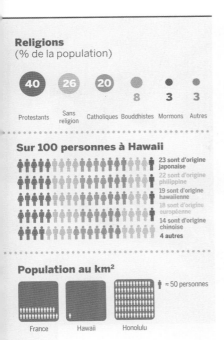

Religions
(% de la population)

40 — Protestants
26 — Sans religion
20 — Catholiques
8 — Bouddhistes
3 — Mormons
3 — Autres

Sur 100 personnes à Hawaii

23 sont d'origine japonaise
22 sont d'origine philippine
19 sont d'origine hawaiienne
18 sont d'origine européenne
14 sont d'origine chinoise
4 autres

Population au km²

≈ 50 personnes

France · Hawaii · Honolulu

sont restaurés, les forêts replantées, et les oiseaux et les mammifères marins menacés bénéficient d'une protection.

Même si tous les autochtones hawaiiens ne sont pas souverainistes, l'activisme politique des plus engagés porte ses fruits. En 1994, après des décennies de lutte et un procès fédéral, l'armée américaine a été obligée de rendre l'île de Kahoʻolawe, utilisée comme terrain d'entraînement au bombardement depuis 1941. De 2014 à 2016, les souverainistes ont réussi à bloquer le projet de construction en haut du Mauna Kea du Thirty Meter Telescope (TMT), un télescope géant ; l'État de Hawaii a toutefois accordé le permis de construire en 2017.

En quête de durabilité

Avant l'arrivée des premiers Occidentaux au XIXᵉ siècle, l'archipel comptait environ 200 000 habitants, contre plus de 1,4 million en 2017. Et la population augmente encore, ce qui exerce une pression immobilière, mais aussi sur les ressources en eau, les réseaux de transport, les écoles publiques et le traitement des déchets.

Aujourd'hui, l'économie de Hawaii est loin d'être stable, car l'archipel est devenu dépendant de l'extérieur. Malgré d'abondantes ressources énergétiques naturelles, plus de 80% de l'énergie hawaiienne est encore d'origine fossile. Cependant, Hawaii s'efforce de devenir pionnier en matière d'énergie propre. En 2015, 35% de l'électricité produite sur l'île était d'origine solaire – plus qu'aucun autre État américain. L'archipel possède déjà la quatrième plus basse consommation d'énergie par habitant des États-Unis. C'est aussi le seul État à avoir fixé une date butoir légale (2045) à laquelle 100% de l'électricité produite sur son territoire devra être d'origine renouvelable. Le gouvernement de Hawaii et l'industrie privée explorent toutes les pistes en matière d'énergie propre et renouvelable – dont les fermes éoliennes sur Maui.

Diversifier l'économie

Après la perte des plantations d'ananas et sucrières au profit d'importations bon marché des pays en développement, l'économie de Hawaii s'est tournée vers le tourisme. Lorsqu'une récession a torpillé l'économie nationale en 2008, le tourisme hawaiien a aussi souffert. Depuis 2011, l'économie des îles a peu à peu repris le dessus. Le tourisme restera probablement le premier secteur économique de Hawaii pour les années à venir, avec un coût certain. Plus de huit millions de visiteurs s'y rendent chaque année – soit cinq fois plus que sa population –, saturant les routes et faisant grimper les prix de l'immobilier.

Aujourd'hui, Hawaii est à la croisée des chemins. L'État peut soit continuer à subir les effets de sa dépendance envers le tourisme, les importations de biens et d'énergies fossiles, soit opter hardiment pour la recherche d'un avenir plus sûr, autosuffisant et écologiquement soutenable.

Train utilisé jadis sur une plantation sucrière

Histoire

Le peuplement de Hawaii commence dans les premiers siècles de notre ère lorsque les premiers Polynésiens rejoignent à la rame ces îles minuscules – les plus isolées du monde –, au cœur du plus vaste océan de la planète. Puis, il faut attendre plus de 1 000 ans pour voir l'arrivée des explorateurs, missionnaires et entrepreneurs occidentaux. Durant le XIXᵉ siècle, des immigrés viennent travailler dans les plantations, puis le royaume de Hawaii est renversé et l'archipel annexé par les États-Unis.

**30 millions
d'années av. J.C.**
Kure, la première île
hawaiienne, émerge des
flots à l'endroit où figure l'île
de Hawai'i aujourd'hui.

300-600
Une première vague de
Polynésiens, probablement
en provenance des îles
Marquises, rejoint l'archipel
hawaiien en pirogue.

1000-1300
Une deuxième vague
de Polynésiens arrive
depuis Tahiti.

Sculptures traditionnelles en bois

GEORGE BURBA/SHUTTERSTOCK ©

Les premiers voyageurs polynésiens

Entre 300 et 600, les Polynésiens – pour qui l'océan Pacifique n'est pas un obstacle mais un passage reliant les îles entre elles – découvrent l'archipel hawaïen après le plus long périple de leur histoire. Cette découverte marquera la plus septentrionale de leurs migrations – James Cook sera le premier explorateur occidental à prendre pleinement la mesure de cet exploit, avouant son incrédulité devant la capacité de ce peuple à s'installer "dans le moindre recoin de l'océan Pacifique".

Si la découverte de Hawaii relève peut-être du hasard, les voyages suivants n'ont rien d'accidentel. Les Polynésiens sont des navigateurs hors pair, capables de couvrir des milliers de miles en haute mer en se repérant grâce au soleil, aux étoiles et aux courants. À bord de leurs pirogues à double coque, ils importent à Hawaii une bonne vingtaine de cultures comestibles et d'animaux domestiques, ainsi que leurs croyances religieuses et leur structure sociale. Ce qui leur fait défaut à l'époque est tout aussi notable : ils ne possèdent ni métaux, ni roues, ni alphabet, ni langue écrite, ni argile pour faire de la poterie.

1778
Le capitaine Cook découvre les principaux îles de Hawaii, qu'il baptise les "îles Sandwich".

1779
Deuxième voyage de Cook à Hawaii. Il perd son sang-froid au sujet d'un bateau volé et abat un îlien. Il est tué à son tour par des Hawaiiens.

1810
Kamehameha le Grand négocie en vue de prendre le contrôle de Kaua'i et finit par unir les îles en un seul royaume.

★ **Temples hawaiiens**

Pu'uhonua O Hōnaunau National
Historical Park, Hawai'i (Big Island)

Pi'ilanihale Heiau (p. 174), Maui

Pu'ukoholā Heiau National Historic
Site, Hawai'i (Big Island)

Ahu'ena Heiau (p. 248), Hawai'i
(Big Island)

Vestiges dans le Pu'ukohola Heiau National Historic Site

GEORGE BURBA/SHUTTERSTOCK ©

La culture hawaiienne d'autrefois

Vers 1300, les voyages transpacifiques depuis la Polynésie cessent pour des motifs inconnus. La culture hawaiienne poursuit son évolution propre même tout en conservant des points communs avec diverses cultures polynésiennes.

La société hawaiienne, très stratifiée, est gouvernée par les *ali'i*, une classe dominante qui tire son pouvoir de sa lignée : ils descendraient des dieux. Dans cette société ancestrale, la loyauté clanique prime sur l'individu, les traditions à base d'offrandes et de festins sont source de prestige et un panthéon de dieux polymorphes préside aux éléments naturels. Chaque île est gouvernée par des *ali'i* de rangs divers qui tentent tous de s'affirmer, ce qui occasionne de fréquents conflits. L'unité géopolitique la plus importante est le *mokupuni* (île), présidé par un membre des *ali'i nui* (classe royale). Les îles sont divisées en *moku* (districts), des zones géographiques de forme triangulaire qui s'étendent des crêtes des montagnes jusqu'à la mer. Enfin, chaque *moku* est constitué d'*ahupua'a* ; ces sous-divisions plus modestes sont autonomes pour l'essentiel et gouvernées par des chefs locaux.

Dans cette société essentiellement agraire et féodale, la mutualité et la réciprocité sont des valeurs essentielles. Les chefs sont les gardiens de leur peuple, et les humains les gardiens de la nature, dont chaque élément est sacré – l'expression vivante du concept de mana (essence spirituelle). Chacun, à travers le travail et les rituels, joue un rôle en vue d'assurer le bien-être de la communauté et sa bonne entente avec les dieux. Les Hawaiiens développent également une riche tradition dans les domaines de l'art, de la musique, de la danse et des sports de compétition.

Le capitaine Cook et les premiers contacts avec les Occidentaux

Pendant une décennie, le capitaine Cook écume le Pacifique à l'occasion de trois voyages. Il cherche le mythique passage du Nord-Ouest entre le Pacifique et l'Atlantique, mais

1820
Les premiers missionnaires chrétiens débarquent à Kailua-Kona.

1846
736 baleiniers font halte dans l'archipel. Quatre compagnies sucrières (bientôt membres du "Big 5") les ravitaillent.

1852
Les premiers employés des plantations arrivent de Chine ; à la fin de leur contrat, la plupart décident de rester.

s'intéresse également à la découverte pure. À bord, des scientifiques et des artistes l'accompagnent et décrivent leurs trouvailles. Lors de son troisième périple, en 1778, Cook atteint par hasard l'archipel hawaiien. Après presque 1 000 ans d'isolement, son arrivée bouleverse irrévocablement le cours de l'histoire locale.

Cook jette l'ancre au large d'O'ahu et, comme il l'avait fait ailleurs dans le Pacifique, marchande avec la population autochtone pour obtenir de l'eau et de la nourriture. À son retour l'année suivante, Cook commence par faire le tour de Big Island, puis jette l'ancre à Kealakekua Bay. Ses navires sont alors accueillis par un millier de pirogues, tandis que les chefs et prêtres locaux honorent l'explorateur avec force rituels et déférence. L'arrivée de Cook coïncide avec le *makahiki*, une fête donnée en l'honneur du roi Lono. L'affabilité des Hawaiiens est telle que Cook et ses hommes se sentent suffisamment en confiance pour se déplacer sans armes.

Cook repart quelques semaines plus tard, avant que le mauvais temps ne l'oblige à faire demi-tour. Mais l'humeur à Kealakekua a changé entre-temps. Le *makahiki* a pris fin, et la suspicion remplace bientôt la cordialité. Après une série d'incidents mineurs, dont le vol d'un bateau, Cook décide de mener une expédition pour capturer le chef Kalani'ōpu'u. À peine à terre, les Anglais se retrouvent entourés par un groupe de Hawaiiens en furie. Dans un rare accès de colère, Cook fait feu et tue un îlien. Les Hawaiiens se jettent alors sur lui : l'explorateur meurt le 14 février 1779.

Kapu et refuge

Dans le Hawaii d'autrefois, un code de comportement très strict – le système des *kapu* (tabous) – régissait la vie quotidienne. Par exemple, le fait pour un citoyen ordinaire de manger du *moi*, un poisson réservé aux *ali'i* (personnes de rang royal ou chefs), constituait une violation des *kapu*. Très lourdes, les sanctions pouvaient aller jusqu'à la mort. Dans cette société fondée sur le respect mutuel, le non-respect de l'honneur ne pouvait être toléré.

Parfois inflexible, la société hawaiienne de l'époque autorisait néanmoins le droit à l'erreur. Toute personne ayant enfreint les *kapu* ou perdu une bataille avait la possibilité d'éviter la mort en ralliant un *pu'uhonua* (lieu de refuge). Un *kahuna* (prêtre) y accomplissait des rituels de purification dans un *heiau* (temple en pierre). Une fois absous de leurs transgressions, les coupables pouvaient regagner leur maison en toute sécurité.

Kamehameha le Grand

Au cours des années qui suivent la mort de Cook, un nombre croissant de navires d'explorateurs et de négociants vient se ravitailler auprès du royaume de Hawaii. Les articles les plus convoités par les chefs locaux sont les armes à feu, que les Européens troquent volontiers.

1868
Des ouvriers arrivent du Japon pour travailler dans les plantations. Le Mauna Loa entre en éruption sur Hawai'i.

1893
Le 17 janvier, la monarchie hawaiienne est renversée par un groupe d'hommes d'affaires américains, appuyé par des militaires.

1895
Robert Wilcox mène une contre-révolution pour restaurer la monarchie, sans succès. La reine est placée en résidence surveillée.

Mousquets et canons à l'appui, Kamehameha, un chef de Big Island, entreprend en 1790 de conquérir l'ensemble des îles hawaiiennes. D'autres chefs ont échoué avant lui, mais Kamehameha dispose d'armes occidentales ; il possède en outre une détermination inflexible et un charisme exceptionnel, sans compter le succès qu'on lui a prophétisé. Cinq ans plus tard, il parvient à unir, dans le sang, les principales îles, à l'exception de Kaua'i (qui finira par se rallier au royaume en 1810). L'ultime accrochage de sa campagne militaire, la bataille de Nu'uanu, survient à O'ahu en 1795.

Le règne de Kamehameha, personnage singulier, aura été le plus paisible de l'histoire hawaiienne. Point notable, Kamehameha Ier absorbe un nombre croissant d'influences étrangères tout en honorant scrupuleusement les traditions autochtones de l'archipel. Il réussit cette dernière prouesse malgré les doutes croissants de son peuple quant à l'équité du système des *kapu* (tabous) et de la conception traditionnelle de la hiérarchie sociale d'origine divine.

Kamehameha s'éteint en 1819, laissant à Liholiho, son fils et héritier de 22 ans, le soin de résoudre ces problèmes ardus. Moins d'un an plus tard, ce dernier signe un acte de répudiation éclatant pour rompre avec la religion traditionnelle du royaume.

Missionnaires et chasseurs de baleines

Après le retour en Grande-Bretagne de l'expédition Cook, l'existence de Hawaii se répand à travers l'Europe et les Amériques, ouvrant la voie à un flot d'explorateurs et de négociants. Dès les années 1820, des baleiniers mouillent à Hawaii pour s'approvisionner en eau, nourriture et alcool. Un nombre croissant d'échoppes, de tavernes et de maisons closes voit le jour autour des ports animés, notamment à Honolulu (O'ahu) et à Lahaina (Maui). Dans les années 1840, l'archipel s'affirme comme la capitale officieuse du commerce des baleines dans le Pacifique.

Le premier bateau de missionnaires chrétiens entre dans le port de Honolulu le 14 avril 1820. Les fervents protestants à son bord entendent bien sauver les Hawaiiens de leurs "manières païennes". Leur arrivée coïncide avec l'abolition de la religion traditionnelle un an plus tôt, qui a laissé les habitants face à un grand vide spirituel. Missionnaires et chasseurs de baleines, bien que tous originaires de Nouvelle-Angleterre, se retrouvent vite en désaccord : les premiers veulent sauver des âmes, les seconds affirment qu'il n'y a "aucun Dieu à l'ouest du cap Horn".

Attiré par un dieu qui leur paraît puissant, les Hawaiiens se tournent vers le christianisme, à l'instar de la reine Kaahumanu. Mais nombre de ces conversions manquent de conviction ; les habitants abandonnent rapidement les enseignements de l'Église pour revenir à leur mode de vie traditionnel.

En revanche, un domaine suscite partout un intérêt avide : l'écriture et la lecture. Les missionnaires composent un alphabet pour la langue hawaiienne, grâce auquel les habitants apprennent à lire.

1898	**1909**	**1916**
Le 7 juillet, le président McKinley signe la résolution annexant Hawaii au territoire américain.	7 000 employés japonais des plantations font grève pour protester contre les faibles salaires et les mauvais traitements.	Le US National Park Service est créé par le Congrès américain ; le Hawaii National Park est fondé.

La grande confiscation

Tout au long de la période monarchique, les souverains locaux repoussent les tentatives incessantes des colons européens et américains de prendre le contrôle du royaume.

En 1848, sous la pression des étrangers avide de terres, une réforme agraire, dite du "Grand Mahele", est instituée. Pour la première fois, une personne est autorisée à posséder ses propres terres, privilège jusque-là réservé aux plus puissants. Les chefs ne possédaient pas la terre au sens occidental du terme : ils la protégeaient, ainsi que les habitants qui y vivaient et travaillaient, tout en accordant au souverain une partie de la récolte en échange de leur droit d'y résider.

Les implications du "Grand Mahele" sont colossales. Pour les étrangers ayant les moyens de s'acheter des terres, cela signifie un pouvoir économique et politique accru. Pour les Hawaiiens, qui ne possèdent que peu d'argent – voire pas d'argent du tout –, cela équivaut à une perte d'indépendance liée à la terre mais aussi à une entrée forcée sur un marché du travail peu rémunéré et majoritairement géré par les Occidentaux.

Lorsque David Kalakaua parvient au pouvoir en 1874, les hommes d'affaires américains contrôlent déjà une bonne partie de l'économie locale et visent désormais la sphère politique. Le roi Kalakaua, dit le "joyeux monarque", est un fervent partisan du revivalisme hawaiien. Il remet à la mode le *hula*, cette "danse païenne" réprimée par les missionnaires pendant des décennies, et compose le "Hawaii Ponoi", hymne du royaume – et actuel hymne de l'État. Le souverain s'efforce en outre de garantir un certain degré d'autonomie aux autochtones, devenus minoritaires sur leur propre terre.

Le roi sucre et l'ère des planteurs

La canne à sucre (*kō*) débarque à Hawaii avec les premiers colons polynésiens. Toutefois, il faut attendre 1835 pour que le Bostonien William Hooper y perçoive un intérêt économique suffisant et crée la toute première plantation sucrière de l'archipel. Hooper convainc des investisseurs de Honolulu de financer son pari et négocie avec Kamehameha III le droit de louer des terres cultivables à Koloa (Kaua'i). Il entreprend ensuite de trouver une abondante main-d'œuvre à bas coût en vue d'assurer la rentabilité des plantations.

En toute logique, son premier choix se porte sur les Hawaiiens, dont la bonne volonté ne peut toutefois compenser le faible nombre. Touchée par des maladies apportées de l'étranger (typhoïde, grippe, variole, syphilis), la population locale a fortement décru. Des quelque 800 000 Hawaiiens vivant dans l'archipel avant l'arrivée des Occidentaux, on estime qu'il n'en reste plus que 250 000 environ en 1800, et moins de 70 000 en 1860.

Les riches propriétaires de plantations commencent alors à chercher des travailleurs étrangers capables de travailler de longues heures sous la chaleur en échange de faibles salaires. Dans les années 1850, ils recrutent en Chine, puis au Japon et au Portugal. Après l'annexion de Hawaii en 1898, les quotas imposés par les États-Unis sur les immigrants chinois et japonais poussent les planteurs d'O'ahu à se tourner vers Porto Rico, la Corée et les Philippines. Ces différents groupes de travailleurs immigrés, qui communiquent via

1922
James Dole devient le propriétaire de Lana'i à 98%. Il lance une plantation d'ananas qui deviendra la plus grande au monde.

1941
Le 7 décembre, la base de Pearl Harbor est attaquée par l'armée japonaise ; les États-Unis entrent dans la Seconde Guerre mondiale.

1946
Le 1er avril, le tsunami le plus destructeur de l'histoire hawaiienne fait 159 victimes dans tout l'archipel.

un pidgin (créole) de leur création, donnent ainsi naissance à une communauté unique, dont le résultat est la société métissée et cosmopolite qu'on trouve à Hawaii aujourd'hui.

Durant la ruée vers l'or en Californie, puis la guerre de Sécession, les exportations de sucre vers le continent explosent, accroissant la richesse et le pouvoir des propriétaires de plantations. Cinq grandes compagnies sucrières – Castle & Cooke, Alexander & Baldwin, C. Brewer & Co, American Factors (l'actuelle Amfac, Inc), et Theo H. Davies & Co – finissent par dicter le moindre aspect de l'industrie sucrière. Les hommes d'affaires *haole* (blancs) qui gèrent ces géants, souvent des descendants de missionnaires, estiment comme leurs ancêtres que les Hawaiiens ne sont pas dignes de se gouverner eux-mêmes. Dans le plus grand secret, le "Big Five" conçoit alors un plan visant à mettre fin à la monarchie hawaiienne.

Le "joyeux monarque"

Le roi Kalakaua, qui a régné de 1874 à 1891, s'est battu pour restaurer la culture et la fierté hawaiiennes. On lui doit notamment d'avoir sauvé le *hula* et ses disciplines annexes d'une disparition imminente. Cet enthousiasme, combiné à un goût pour la boisson, le jeu et la fête, lui vaudra le surnom de "joyeux monarque" – au grand dam des missionnaires chrétiens. Dédaigné par les hommes d'affaires étrangers pour ses occupations légères, Kalakaua est également un souverain aux humeurs changeantes, capable de congédier tout son gouvernement sur un coup de tête.

Le monarque dépense sans compter, accumulant des dettes colossales. Soucieux de faire de la monarchie hawaiienne l'égale de ses pairs dans le monde, il commande la construction de l'Iolani Palace, où il organise une fastueuse cérémonie de couronnement en 1883. Il veut aussi voir Hawaii jouer un rôle sur la scène internationale. En 1881, il part à la rencontre des chefs d'État étrangers et renforce les liens avec le Japon notamment, devenant le premier roi de l'archipel à parcourir le monde.

Pour autant, les jours de la monarchie hawaiienne sont comptés. Kalakaua refuse de renouveler le traité de Réciprocité de 1875, qui avait assuré la rentabilité du sucre hawaiien. Il conteste une clause qui accorde aux États-Unis une base navale permanente à Pearl Harbor – une condition considérée par les autochtones comme une menace pour la souveraineté du royaume. La Ligue hawaiienne, un groupe secrètement opposé à la monarchie et emmené par un comité majoritairement composé d'avocats et d'hommes d'affaires américains, impose une nouvelle Constitution à Kalakaua en 1887 sous la menace, d'où son surnom de Constitution "de la baïonnette".

Ce nouveau texte prive la monarchie de la plupart de ses prérogatives, réduisant le monarque à un rôle de figurant. En outre, il modifie les règles du scrutin afin d'en exclure les Asiatiques et d'assujettir le vote à certaines exigences de revenu et de propriété – ce qui revient à empêcher à peu près tout le monde de voter, hormis les riches propriétaires en majorité blancs. Bientôt, les États-Unis obtiennent leur base navale à Pearl Harbor, tandis que les hommes d'affaires étrangers voient leur pouvoir renforcé.

1959	**1961**	**1971**
Le 21 août, Hawaii devient le 50ᵉ État américain. Le Hawaiien Daniel Inouye est le premier Nippo-Américain à être élu au Congrès.	Elvis Presley joue dans la comédie musicale *Sous le ciel bleu de Hawaii*, donnant le *la* du boom touristique à venir.	Le Merrie Monarch Festival, organise son premier concours de *hula*, point de départ de la renaissance culturelle hawaiienne.

La monarchie renversée

À la mort de Kalakaua en 1891, sa sœur Lili'uokalani accède au trône. Tout comme son prédécesseur, la nouvelle reine est attachée à préserver l'indépendance de Hawaii.

En janvier 1893, la souveraine s'apprête à proclamer une nouvelle Constitution restaurant le pouvoir de la royauté lorsqu'un groupe d'hommes d'affaires américains fait irruption l'arme au poing dans la Cour suprême. Après avoir proclamé la fin de la monarchie, ils annoncent la formation d'un gouvernement provisoire conduit par Sanford B. Dole, un descendant de l'une des premières familles de missionnaires.

Débarrassés de la monarchie, les nouveaux hommes forts du gouvernement font pression pour obtenir l'annexion de Hawaii par les États-Unis, convaincus que la stabilité de l'archipel et la rentabilité des compagnies gérées par les Occidentaux s'en verraient renforcées. Bafouant la loi américaine qui prévoit que toute demande d'annexion soit soutenue par une majorité de citoyens, la procédure n'organise aucun scrutin dans ce sens à Hawaii.

Le 7 juillet 1898, le président William McKinley signe pourtant une résolution bicamérale en faveur de l'annexion. Certains historiens estiment que Hawaii n'aurait pas été annexé si la guerre hispano-américaine n'avait pas éclaté en avril 1898, entraînant l'envoi de milliers de soldats aux Philippines et faisant de l'archipel hawaiien une base cruciale dans le Pacifique.

La Seconde Guerre mondiale

Le 7 décembre 1941, lorsque des avions de guerre japonais apparaissent au-dessus de Pearl Harbor, la plupart des habitants pensent qu'il s'agit d'appareils maquillés prenant part à un simple exercice militaire. Il n'en est rien. Au cours de la journée, des centaines de navires et d'avions partent en fumée et plus de 1 000 soldats américains perdent la vie. La guerre du Pacifique a commencé.

Pour Hawaii, les conséquences seront drastiques. L'armée prend le contrôle de l'archipel, la loi martiale est déclarée et les droits civiques sont suspendus. Contrairement au reste du territoire, l'archipel n'enferme pas les Américains d'origine japonaise dans des camps de concentration – ils composent l'essentiel de la main-d'œuvre des plantations sucrières, dont l'économie hawaiienne est si dépendante. Des milliers de Nippo-Américains, originaires de Hawaii notamment, finiront même par combattre dans les rangs de l'armée américaine. Nombre d'entre eux seront décorés pour leur bravoure.

Le ministère des Armées installe la 4e division des Marines à Maui, où des milliers de soldats s'entraînent en vue de combattre dans le Pacifique.

Le 50e État américain

Tout au long du XXe siècle, de nombreux projets de loi sont présentés au Congrès pour faire de Hawaii un État – en vain. Ce manque de soutien s'explique notamment par les préjugés raciaux dont fait l'objet la population cosmopolite de l'archipel. Les députés du Sud américain, où règne toujours la ségrégation, affirment haut et fort que la naissance

1976
Des souverainistes autochtones occupent l'île de Kaho'olawe.

1983
Le volcan Kilauea entame une éruption toujours en cours, ce qui en fait le volcan le plus actif de la planète.

1993
À travers l'Apology Resolution, le président Clinton reconnaît l'annexion illégale du royaume de Hawaii par le gouvernement américain.

d'un État hawaiien ouvrirait la porte à une immigration asiatique et au prétendu "péril jaune", tant redouté à l'époque. D'autres affirment que les syndicats hawaiiens sont des foyers du communisme.

En revanche, la renommée du 442e Regimental Combat Team durant la Seconde Guerre mondiale contribue grandement à réduire le sentiment antijaponais. En mars 1959, le Congrès vote à nouveau et intègre cette fois Hawaii dans l'Union. Le 21 août, le président Eisenhower signe la proposition de loi qui fait officiellement de Hawaii le 50e État d'Amérique.

Le boom du tourisme

L'accès au statut d'État a un impact immédiat sur l'économie locale. Profitant de l'avènement des avions à réaction, capables d'acheminer des milliers de visiteurs sur l'archipel chaque semaine, le secteur touristique explose, entraînant un boom sans précédent de la construction hôtelière aux États-Unis.

Retour aux racines

Dès les années 1970, la rapide croissance de l'économie hawaiienne entraîne un afflux de résidents (des Américains pour l'essentiel) et de touristes sur les plages et routes de l'archipel. Sous l'effet de la construction galopante, les stations balnéaires se transforment au point de devenir méconnaissables, tandis que certains îliens, à force d'entendre des "aloha" dans toutes les bouches, finissent par s'interroger sur le sens de l'identité hawaiienne. Certains autochtones se tournent alors vers les *kapuna* (anciens) et leurs racines pour retrouver leur patrimoine, affirmant ainsi leur identité politique.

En 1976, un groupe de militants occupe illégalement Kahoʻolawe, surnommée "l'île cible" dans la région de Maui (en raison des tests en explosifs effectués par le gouvernement américain, de la Seconde Guerre mondiale jusqu'aux années 1990). À l'occasion d'une autre occupation militante en 1977, deux membres du Protect Kahoʻolawe ʻOhana (PKO) – George Helm et Kimo Mitchell – disparaissent en mer, ce qui leur vaut aussitôt le statut de martyrs. La lutte autour de Kahoʻolawe devient un symbole et entraîne la radicalisation d'un mouvement naissant en matière de droits civiques.

Lorsque l'État organise sa convention constitutionnelle en 1978, il fait voter plusieurs amendements cruciaux pour les autochtones. Par exemple, il fait du hawaiien la langue officielle (avec l'anglais) et ordonne que la culture hawaiienne soit enseignée dans les écoles publiques. On assiste alors à une renaissance de la culture hawaiienne, avec un nombre croissant d'habitants – de toutes origines – s'inscrivant à des cours de *hula*, apprenant à jouer des instruments hawaiiens et redécouvrant l'artisanat traditionnel.

En 2011, le gouverneur Neil Abercrombie signe une loi qui reconnaît les Hawaiiens d'origine comme le seul peuple autochtone de l'État et met en place une commission chargée de créer et d'alimenter une liste d'autochtones reconnus. Pour ces derniers, il s'agit du premier pas vers l'autogestion.

2002
Née sur le continent, Linda Lingle devient le premier gouverneur républicain de Hawaii depuis 40 ans. Elle est réélue en 2006.

2008
Barack Obama, qui est né et a grandi à Honolulu (Oʻahu), est élu président des États-Unis. Il remporte plus de 70% des suffrages à Hawaii.

2013
Comme nombre d'autres États américains, Hawaii légalise le mariage entre personnes de même sexe.

Jeunes femmes participant aux Aloha Festivals

BRUCE C. MURRAY/SHUTTERSTOCK

Culture et société

*Quelle que soit votre représentation de la Polynésie
— un paradis mêlant plages de sable, falaises émeraude
et flots azuréens, chanteurs s'accompagnant à l'ukulélé,
danseurs de hula aux épaules nues et surfeurs à la peau
cuivrée — elle devient ici réalité. Mais par-delà le cliché
se cache un autre Hawaii, un lieu authentique où vivent
et travaillent des gens ordinaires d'origines variées.*

La vie à Hawaii aujourd'hui

Paradis polynésien, Hawaii n'en possède pas moins des galeries marchandes,
des décharges, des zones industrielles, des quartiers standardisés et des bases militaires.
Le visiteur sera donc peut-être surpris de découvrir lors de son premier séjour un lieu
ancré dans la modernité, avec des autoroutes et des enseignes de fast-food guère
différents de ceux que l'on trouve dans le reste des États-Unis.

Mais sous le vernis de la culture de consommation et de l'industrie touristique se cache
un autre Hawaii, caractérisé par une différence revendiquée, un isolement géographique et
un mélange unique de traditions polynésiennes, asiatiques et occidentales. Certes, toutes
ces cultures ne se fondent pas toujours sans heurt, mais rares sont les endroits au monde
où l'on voit cohabiter autant de communautés sans qu'aucune n'impose sa loi aux autres.

Pas d'impair

- N'hésitez pas à faire le *shaka* (signe de la main hawaiien).

- Retirez vos chaussures avant d'entrer chez quelqu'un.

- Essayez de prononcer correctement les noms de lieux et les mots hawaiiens.

- N'essayez pas de parler pidgin.

- Demandez la permission avant de cueillir des fruits ou des fleurs sur une propriété privée.

- Ne vous habillez pas de façon trop recherchée : une tenue sportive et décontractée est conseillée.

- Conduisez lentement. Les habitants, qui vont rarement très loin, conduisent sans hâte. En vérité, cultivez la lenteur en toute chose.

- Ne hurlez pas à la vue du moindre lézard ou insecte – vous êtes sous les tropiques, que diable !

- Abstenez-vous de ramasser (ou même de déplacer) des pierres sur les sites sacrés. En cas de doute, dites-vous que toute chose est sacrée pour les Hawaiiens, surtout dans la nature.

Est-ce parce qu'ils vivent sur des îles minuscules au milieu d'un vaste océan ? Toujours est-il que les Hawaiiens s'efforcent de traiter autrui avec courtoisie et respect, sans jamais "faire de vagues". Comme le dit la maxime locale : "On est tous dans la même pirogue." Au-delà de leurs origines et de leur passé, les résidents partagent aussi la conscience de vivre dans l'un des endroits les plus sublimes de la planète.

Attitudes îliennes et continentales

Hawaii semble souvent négligé par les 49 autres États (sauf peut-être l'Alaska), mais n'en cultive pas moins sa différence – ce qui a ses avantages et ses inconvénients : d'un côté, le caractère unique de l'archipel est unanimement apprécié ; de l'autre, cette originalité renforce l'opposition entre îliens et non-îliens, ce qui peut se manifester chez les habitants par une tendance à l'exclusion, voire dans certains cas à une véritable discrimination.

Identité îlienne

Pour les habitants d'Oahu, mais aussi pour tous les Hawaiiens, Honolulu est "la ville". Nettement plus nonchalante que New York ou Los Angeles, la capitale hawaiienne surprend néanmoins par son cosmopolitisme, son aisance technologique et son souci de la mode. À juste titre ou non, les habitants de Honolulu se sentent un peu au centre du monde – on trouve ici des arènes sportives, la meilleure université de l'État et une authentique scène nocturne (quoique relativement calme). Kaua'i, Maui, Hawai'i (Big Island), Lana'i et surtout Moloka'i sont considérées comme "campagnardes". Cela dit, sur un territoire aussi concentré, ce terme est bien relatif.

À Hawaii, les zones rurales sont rarement très éloignées de la ville et de la périphérie, tandis que les vastes étendues de nature n'existent pas comme sur le continent américain.

Par rapport à ceux d'Oahu, les habitants des autres îles ont plus tendance à s'habiller de façon décontractée et à parler le pidgin. Ici, le statut social ne se mesure pas à la Lexus mais au pick-up surélevé. Le concept d'*ohana* (famille étendue et amicale) occupe souvent une place centrale à Hawaii. Quand deux habitants se rencontrent pour la première fois, ils ne se demandent pas "Que faites-vous dans la vie ?" mais "Quel lycée avez-vous fréquenté ?" Tels ces Hawaiiens d'autrefois qui comparaient leurs généalogies, les îliens d'aujourd'hui se définissent par les communautés dont ils font partie – l'île, la ville, le lycée – et non pas par leurs réussites personnelles.

Lorsque deux Hawaiiens se rencontrent en dehors de l'archipel, indépendamment de l'endroit où ils résident, il n'est pas rare qu'ils développent un lien fait d'affection et de nostalgie pour leur île natale – car, où qu'ils aillent, ils appartiennent à jamais à l''*ohana* hawaiienne.

Valeurs îliennes, multiculturalisme et diversité

En 2012, Hawaii a salué la réélection de Barack Obama, l'enfant du pays. Si le 44e président américain, qui a passé la majeure partie de son enfance à Honolulu, a séduit les électeurs locaux, c'est probablement parce que son flegme et son esprit d'ouverture illustrent les valeurs hawaiiennes. Les Hawaiiens ont su apprécier son goût pour le bodysurf et, surtout, sa dévotion assumée pour son *ohana*. En 2008, à la veille de sa première élection, Obama avait suspendu sa campagne pour rendre visite à sa grand-mère mourante, qui vivait à Honolulu. Pour beaucoup d'îliens, ces choses-là veulent dire beaucoup.

En revanche, le sujet qui semblait alors obséder le reste du pays – la couleur de sa peau – laissait l'archipel indifférent. Quelle importance, en effet, qu'Obama soit le fruit d'un couple mixte – qui ne l'est pas ici, semblaient dire les Hawaiiens ? De l'époque des planteurs, Hawaii a notamment hérité d'un regard décomplexé sur la mixité ethnique. Ici, les différences sont assumées, voire revendiquées, sans diviser pour autant. Pour les résidents, la décontraction et l'ouverture culturelle constituent probablement les véritables caractéristiques de Hawaii. Selon le point de vue, Honolulu est enfin la ville la plus asiatique d'Amérique ou la ville la plus américaine de Polynésie.

Chez les plus âgés, les stéréotypes hérités de l'ère sucrière continuent de nourrir les distinctions et les interactions sociales. Les privilèges inhérents au *haole luna* (patron blanc) de l'époque ont longtemps fait l'objet de plaisanteries parmi les autres membres de la communauté. Aujourd'hui, même si elle continue de parler pidgin, la jeunesse locale rejette souvent ces distinctions. Par ailleurs, en raison du nombre croissant de mariages interraciaux, les distinctions ethniques sont de moins en moins nettes. De nos jours, il n'est pas rare de croiser des Hawaiiens affichant quatre ou cinq ascendances – polynésienne, chinoise, portugaise et philippine, par exemple.

Il y a hawaiien et hawaiien...

Hawaiien Personne d'ascendance autochtone. Par rapport à la communauté autochtone, il est maladroit de qualifier de "hawaiien" n'importe quel habitant.

Local Personne ayant grandi à Hawaii. Les "locaux" qui émigrent conservent leur statut, du moins en partie. Même s'ils vivent dans l'archipel depuis des années, les résidents venus du continent américain ne deviendront jamais des "locaux".

Malihini "Nouveau venu" – personne venant de s'installer à Hawaii avec l'intention d'y rester.

Résident Personne qui vit à Hawaii, mais qui n'y est pas forcément né ou y a grandi.

Haole Personne blanche (sauf ceux d'origine portugaise) ; les *haole* se divisent entre les personnes originaires du continent (*mainland*) et de Hawaii (*local*). Le terme peut s'avérer insultant ou moqueur, selon le contexte.

Hapa Personne d'ascendance mêlée ; en hawaiien, *hapa* signifie "moitié". On parlera couramment de *hapa haole* (personne à la fois blanche et hawaiienne et/ou asiatique, par exemple).

Kama'aina "Enfant de la terre", littéralement. Personne native d'un endroit spécifique (*kama'aina* de Hilo, de Kona, etc.). Ce mot dénote un lien très fort avec un lieu.

Surfeur s'attaquant à une vague

EPICSTOCKMEDIA/SHUTTERSTOCK ©

À Hawaii, on trouve une diversité ethnique comparable à celle de la Californie, du Texas ou de la Floride, mais davantage d'unions mixtes. Sur le plan politique, la plupart des résidents hawaiiens votent démocrate, suivant la ligne du parti, ou en fonction de l'origine ethnique, l'ancienneté et le statut (local/non local) du candidat. Avec l'arrivée croissante d'Américains du continent, les candidats républicains, plus conservateurs, ont désormais plus de chances d'être élus – à l'image de Linda Lingle, gouverneur de Hawaii de 2002 à 2010.

Vivre à la mode îlienne

"Dans l'archipel, on fait les choses à la mode îlienne", chante le guitariste local John Cruz dans son hymne à la vie hawaiienne. Vivre à la mode îlienne, c'est prendre les choses de manière décontractée. Les résidents sont fiers d'être insouciants, de vivre à "l'heure îlienne" (euphémisme signifiant qu'on prend son temps, qu'on est en retard), de préférer la chemise hawaiienne au costume-cravate ou d'accepter sans broncher qu'une *tutu* (grand-mère) discute avec la caissière du supermarché à l'heure de pointe. *"Slow down! This ain't da mainland!"* (Ralentis ! On n'est pas sur le continent !), clame ainsi un fameux autocollant local.

Même à Honolulu, 55ᵉ ville des États-Unis (plus de 350 000 habitants), on respire un parfum de province. *Shave ice* (glace pilée), surf, *talking story* (bavardages), ukulélé, *hula*, *baby luau* (1ᵉʳ anniversaire d'un enfant), pidgin, *rubbah slippah* (tongs) et *'ohana* sont les fondements d'un quotidien plutôt tourné vers la famille. Ainsi, les tribunes des stades locaux sont remplies de parents enthousiastes, mais aussi de taties et tontons (qu'ils aient ou non des liens de sang). Enfin, les heures supplémentaires sont rares, tandis que les week-ends sont consacrés au jeu et aux repas improvisés à la plage.

Hawaiienne jouant de l'ukulélé

ROBERT CRAVENS/SHUTTERSTOCK ©

Arts et artisanat

E komo mai (bienvenue) sur ces îles polynésiennes uniques, où conter des histoires et jouer de la slack key guitar *font partie intégrante de la vie quotidienne. Le Hawaii d'aujourd'hui est un mélange vibrant de traditions multiculturelles. Sous les artifices bat le cœur de Hawaï, stimulé par le renouveau de sa langue indigène, de son artisanat, de sa musique et du* hula.

Le hula

À l'origine, le *hula* hawaiien était un divertissement au cours duquel le chef et les *kama'aina* (roturiers) dansaient ensemble, notamment pendant les fêtes annuelles comme *makahiki*, à la saison des récoltes. Surtout, le hula personnifiait la communauté qui, à travers lui, contait sa propre histoire et célébrait son identité.

Traditionnellement, les danseurs suivaient un entraînement rigoureux dans des *halau* (écoles) avec un *kumu* (professeur), pour que leurs gestes, leurs expressions et leurs mouvements soient parfaitement synchronisés. Dans une culture sans langue écrite, les chants (*mele*) étaient importants car ils donnaient un sens aux mouvements et préservaient l'histoire orale de Hawaii, qu'il s'agisse de récits de création ou de

Danse hula lors du King Kamehameha Day à Honolulu

généalogies royales. Les chansons contenaient souvent des *kaona* (sens cachés),
aussi bien spirituels qu'amoureux, voire même sexuels.

Aujourd'hui, lors des compétitions, les danseurs évoluent dans deux catégories,
kahiko (ancien) et *'auana* (moderne). Impressionnantes, les prestations *kahiko* sont
seulement accompagnées de chants et rythmées par les tambours de calebasse ; les
costumes sont traditionnels – *lei* (colliers) de feuilles de ti, jupes ou pagnes en kapa
(tissu d'écorce écrasée), couleurs primaires – et parfois assez dénudés. Les plus grands
championnats de *hula* ont lieu lors du Merrie Monarch Festival sur Big Island, mais des
compétitions authentiques de *hula* et des célébrations ont lieu toute l'année dans l'archipel.

La musique des îles

La musique hawaiienne puise ses racines dans les chants anciens. Les missionnaires
étrangers et les travailleurs des plantations sucrières introduisirent de nouveaux
instruments et mélodies, incorporés et adaptés pour créer un style musical unique.
Les parties vocales *leo ki'eki'e* (falsetto, ou "voix haute"), parfois simplement appelées
soprano pour les femmes, sont caractérisées par le *ha'i* (cassure vocale), lorsqu'un
chanteur passe abruptement d'une voix de tête à une voix de poitrine et vice versa.
Les instruments de musique hawaiiens contemporains incluent la *steel guitar* (en acier),
la guitare *slack key* (en accord ouvert) et l'ukulélé.

Si vous écoutez aujourd'hui l'une des stations de radio locale, vous entendrez de tout :
hip-hop et musique country des États-Unis continentaux, pop asiatique ou musique
"jawaiian" inspirée du reggae. Quelques auteurs-compositeurs natifs de Hawaii,

Lei ornant la statue de Duke Kahanamoku (p. 82)

dont le plus célèbre est Jack Johnson, se sont fait connaître au niveau international. Pour découvrir les dernières tendances, écoutez les lauréats de l'année des Na Hoku Hanohano Awards (www. nahokuhanohano.org), la version hawaiienne des Grammy Awards.

Le son slack key

Depuis le milieu du XXe siècle, la *steel guitar* hawaiienne est généralement jouée en *slack key*, c'est-à-dire en accord ouvert (*ki hoʻalu*) ; le pouce joue la basse et les accords de rythme, tandis que les autres doigts jouent la mélodie et les improvisations, en picking. Traditionnellement, le réglage des accords ouverts était gardé secret au sein de l'*ʻohana* (famille élargie et amis).

Le guitariste de légende Gabby Pahinui a lancé la guitare *slack key* moderne, avec son premier enregistrement de Hiʻilawe en 1946. Dans les années 1960,

Conseils concernant les lei

○ Ne portez pas le *lei* comme un collier ordinaire. Enfilez le *lei* fermé (circulaire) sur vos épaules, et assurez-vous que la même longueur de *lei* retombe devant et derrière.

○ Ne donnez pas de *lei* circulaire à une femme enceinte, cela peut porter malheur ; choisissez un *lei* non fermé ou un *haku lei*, à poser sur la tête.

○ Résistez à la tentation de porter un *lei* prévu pour quelqu'un d'autre, cela porte malheur. Ne refusez jamais un lei, et ne l'enlevez jamais en présence de la personne qui vous l'a remis.

○ Quand vous ne voulez plus porter votre *lei*, ne le jetez pas. Dénouez la ficelle, défaites le nœud et rendez les composants naturels du lei à la terre (par exemple, jetez les fleurs dans l'océan, enterrez les graines ou les noix).

★ **Contes hawaiiens, proverbes et poésie**

Folktales of Hawai'i, illustré par Sig Zane (1995)

'Olelo No'eau, illustré par Dietrich Varez (1983)

Hānau ka Ua: Hawaiian Rain Names (2015)

Obake Files, de Glen Grant (2000)

Gabby et son groupe, les Sons of Hawaii, ont embrassé le son traditionnel hawaiien. Avec d'autres guitaristes influents du style *slack key*, comme Sonny Chillingworth, ils ont entraîné une renaissance de la musique hawaiienne, toujours d'actualité. La liste des maîtres contemporains de la *slack key* est longue et continue de croître ; elle inclut Keola Beamer, Ledward Ka'apana, Martin et Cyril Pahinui, Ozzie Kotani et George Kuo.

L'artisanat traditionnel

Dans les années 1970, la renaissance hawaiienne a éveillé l'intérêt pour l'artisanat, dont le préféré d'entre tous : la réalisation de *lei*, ces guirlandes de fleurs, de feuilles, de baies, de noix ou de coquillages. Parmi les souvenirs plus durables, vous trouverez des sculptures en bois, des paniers et des chapeaux tressés, et des quilts (dessus-de-lit typiques) hawaiiens. Tous ces objets sont devenus si populaires auprès des touristes que Hawaii déborde d'imitations bon marché venues d'au-delà du Pacifique ; achetez toujours des articles fabriqués dans l'archipel.

Réalisation des lei

Bienvenue, amour, honneur, respect, paix, célébration, spiritualité, bonne chance, adieu : le *lei* hawaiien peut signifier tout cela et plus encore. La réalisation de *lei* est peut-être la forme d'art la plus sensuelle de Hawaii. Parfumé et éphémère, le *lei* incarne la beauté de la nature et l'étreinte de l''*ohana* et de la communauté, librement donnée et librement partagée.

Les fabricants de *lei* traditionnels utilisent plumes, noix, coquillages, graines, algues, plantes grimpantes, feuilles et fruits, en plus des fleurs parfumées typiques. Le choix des matériaux n'est pas anodin, il exprime des émotions et raconte une histoire, puisque les fleurs et autres plantes peuvent personnifier des lieux et des mythes hawaiiens. Les techniques les plus employées pour assembler ces matières premières sont les nœuds, le tressage, l'enroulement, l'enfilage ou la couture.

Portés chaque jour, les *lei* faisaient partie intégrante de la société hawaiienne de jadis. Dans le passé polynésien des îles, ils jouaient un rôle dans les danses *hula* sacrées, et ils étaient remis aux personnes aimées en cadeau, pour guérir les malades ou comme offrande aux dieux ; toutes ces pratiques perdurent aujourd'hui. Leur symbolisme était si puissant que sur le champ de bataille, un *lei* pouvait apporter la paix entre des armées ennemies.

De nos jours, les habitants portent un *lei* lors des grandes occasions : mariages, anniversaires, anniversaires de mariage et remises de diplômes. Il est rare que l'on fabrique ses propres *lei*, à moins d'appartenir à un *halau* (troupe) de *hula*. Pour les *hula* cérémoniels, les artistes doivent souvent réaliser leurs *lei*, voire ramasser eux-mêmes les matières premières à la main.

Travail du bois

Les premiers Hawaiiens travaillaient le bois en experts ; ils creusaient des pirogues dans les troncs d'arbres et utilisaient le tournage sur bois pour fabriquer des bols finement polis à partir d'essences tropicales de bois durs dotées d'un beau grain, comme le koa

Sculpture sur bois traditionnelle hawaiienne

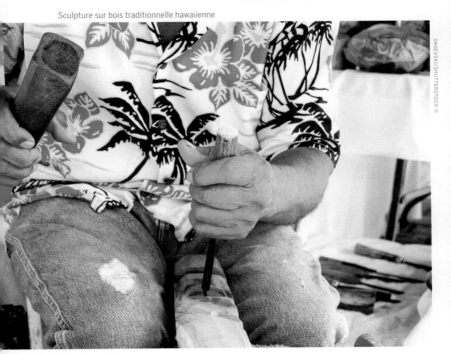

et le milo. Les *ipu* (calebasses) étaient aussi séchées et utilisées comme contenants ou pour fabriquer des tambours de *hula*. Les artisans du bois contemporains utilisent des essences hawaiiennes pour fabriquer des bols traditionnels, des meubles superbes, des bijoux et des sculptures de forme libre. Traditionnellement, les bols en bois ne sont pas décorés, mais polis de façon à faire ressortir la beauté naturelle du bois. Plus le bol est fin et léger, plus le travail artistique est grand, et plus le bol se vend cher. Attention aux imitations : n'achetez pas un bol bon marché en bois de *samanea saman* importé des Philippines.

Tortue verte marine

SHANE MYERS PHOTOGRAPHY/SHUTTERSTOCK ©

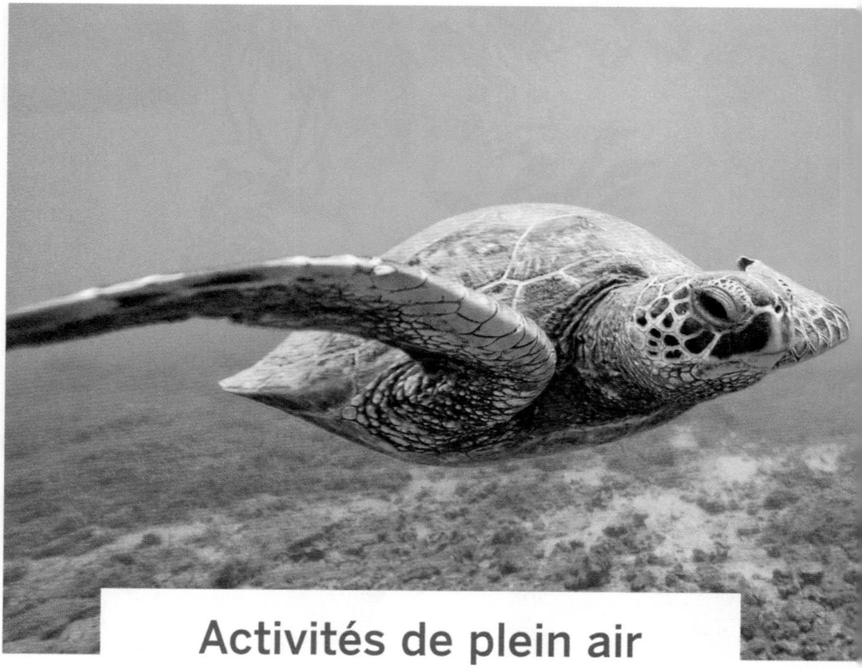

Activités de plein air

La nature a été si généreuse avec Hawaii en paysages de rêve que vous pourriez vous contenter de les admirer de loin ; mais vous n'avez pas fait tout ce chemin pour rester allongé sur la plage ! Des aventures inoubliables vous attendent sur l'archipel. La seule limite ? Le temps dont vous disposez.

Sur l'eau

Kayak

Les kayakeurs de mer découvriront un littoral et des îlots paradisiaques dans tout l'archipel. De nombreuses plages, baies et vallées ne peuvent être atteintes que par la mer. Si vous débutez, envisagez un circuit guidé en kayak (à partir de 50 $), qui inclut normalement un enseignement de base. Des loueurs sont généralement installés près des lieux populaires de mise à l'eau ; la location d'un kayak coûte généralement de 40 à 75 $ par jour.

★ Les meilleures aventures

Surf à Waikiki (p. 82), Oʻahu

Kayak sur la côte de Na Pali (p. 112), Kauaʻi

Randonnée jusqu'au sommet du Haleakalā (p. 212), Maui

Plongée à Cathedrals (p. 206), Lanaʻi

Kitesurf

Le kitesurf consiste essentiellement à se faire tracter sur l'eau en planche (attachée à votre pied) en tenant un parachute – un spectacle impressionnant. Si vous savez déjà faire de la planche à voile, du surf ou du wakeboard, il y a de grandes chances que vous maîtrisiez rapidement la pratique du kitesurf. Les vents les plus favorables soufflent généralement l'été, mais cela dépend de l'endroit où vous vous trouvez sur chaque île. Maui est très fréquentée par les kitesurfeurs de tous niveaux.

Plages et baignade

Hawaii compte d'innombrables plages convenant à la baignade, dans un véritable arc-en-ciel de nuances et une variété infinie de textures : sable d'un blanc étincelant mais aussi beige, noir, charbonneux, vert ou orange, ou encore semé de verre dépoli ; galets et rochers ; ou bassins intertidaux en pierre volcanique.

La loi stipule que toutes les plages de Hawaii sont ouvertes au public au-dessous de la ligne supérieure de l'estran. Les propriétaires privés peuvent empêcher l'accès à leur littoral par voie terrestre, mais non par voie maritime. Les plages des complexes hôteliers offrent un accès public limité à quelques places de parking, et font parfois payer une petite admission.

La plupart des centaines de parcs avec plage, fédéraux et régionaux, disposent d'installations publiques simples (toilettes, douches extérieures à eau froide) ; environ la moitié est surveillée. Quelques-uns sont équipés de barrières fermées à certaines heures, ou affichent des panneaux interdisant l'entrée entre le coucher et le lever du soleil.

La nudité est illégale sur toutes les plages publiques. Toutefois, quelques-unes tolèrent à contrecœur le naturisme et le monokini. Sur les plages accueillant *de facto* des naturistes, l'application de la loi est variable : les naturistes peuvent être ignorés, recevoir un avertissement verbal sévère, ou se voir dresser un procès-verbal assorti d'une amende et peut-être même d'une comparution au tribunal.

Planche à voile

Avec ses eaux chaudes et ses vents constants, Hawaii est l'un des meilleurs endroits au monde pour la planche à voile. Les vents les plus propices soufflent généralement de juin à septembre, mais les alizés satisferont les véliplanchistes toute l'année à certains endroits.

Tout comme la côte nord d'Oʻahu pour le surf, **Hoʻokipa Beach** (☎808-572-8122 ; www.mauicounty.gov/facilities ; Hana Hwy, Mile 9 ; ◷5h30-19h ; P), sur Maui, est la Mecque de la planche à voile : une arène rapide et dangereuse où s'affrontent les meilleurs véliplanchistes lors des plus grandes compétitions internationales. Les autres îles permettent aussi de la pratiquer, sans être aussi excitantes que Maui. Seule Molokaʻi, encadrée par des bras de mer fouettés par les vents, offre un terrain aussi difficile aux véliplanchistes chevronnés.

Plongée sous-marine

Les températures des eaux hawaiiennes – de 22 à 28°C à la surface toute l'année – sont parfaites pour la plongée avec bouteilles. Surtout, la visibilité est généralement idéale pour observer les poissons, les coraux et les autres créatures marines qui abondent dans la région. La période de novembre à mars n'est pas la meilleure, car les orages et les vents hivernaux donnent des eaux plus agitées et des vagues plus hautes.

Le coût des plongées varie beaucoup en fonction de l'équipement, de la durée de plongée, du site (notamment entre la plongée depuis le littoral et depuis un bateau), etc. Une plongée avec deux bouteilles depuis un bateau coûte en moyenne de 125 à 180 $. N'oubliez surtout pas d'emporter votre carte de plongeur certifié.

Certains prestataires proposent un baptême de plongée qui inclut une brève séance d'enseignement (parfois un entraînement en piscine), suivie d'une plongée en eaux peu profondes depuis la plage ou un bateau. Aucune expérience requise, mais il faut être bon nageur. Ces baptêmes coûtent généralement entre 110 et 200 $, suivant le lieu et l'éventuelle utilisation d'un bateau.

Si vous n'avez jamais fait de plongée, Hawaii est idéal pour apprendre. Les formations **PADI** (Association professionnelle des instructeurs de plongée ; www.padi.com) open-water peuvent aboutir à l'obtention de la certification en trois jours seulement, pour un coût compris entre 300 et 600 $ par personne. Réservez la formation avant votre voyage.

Snorkeling

Si vous savez nager, les magnifiques récifs coralliens de Hawaii vous tendent les bras. Plus de 500 espèces de poissons tropicaux, arborant souvent des couleurs néon, y trouvent refuge ; parfois, on aperçoit aussi des tortues marines – une espèce menacée –, des raies mantas, des dauphins à long bec, des carangues à grosse tête, des requins et autres prédateurs impressionnants.

Chaque île possède des sites de snorkeling superbes le long du littoral ; des croisières vous emmènent aux endroits ne pouvant pas être rejoints à la nage.

Stand-Up paddle (SUP)

Par sécurité, faites toujours du SUP accompagné et attachez votre pied à la planche avec un *leash*. Emportez suffisamment d'eau et un sifflet ou un téléphone portable dans un étui waterproof pour les urgences. N'oubliez pas de vous protéger du soleil avec écran solaire, lunettes, chapeau et T-shirt de protection.

Vous verrez des fans de SUP sur toutes les grandes îles, que ce soit près des plages et dans les baies calmes, ou sur les paisibles rivières de Kaua'i.

Certains magasins de plein air spécialisés dans le SUP proposent des cours (leçon collective de 2 heures 75-130 $ en moyenne), du matériel à louer (25-75 $/jour) et parfois des circuits guidés (à partir de 120 $). Sinon, renseignez-vous dans les boutiques et les écoles de surf locales.

Les écrans solaires, une menace pour les récifs coralliens

Pensez à vous enduire d'une crème solaire ne polluant pas les récifs avant de faire du snorkeling, car de nombreuses formules modernes contribuent à leur destruction. Le dioxyde de titane et l'oxyde de zinc sont des ingrédients inoffensifs, mais ce n'est pas le cas de l'oxybenzone et d'autres filtres UV chimiques.

Stand Up Paddle

COLIN ANDERSON/SHUTTERSTOCK ©

Surf

Les premiers Hawaiiens ont inventé le surf et l'ont appelé "*he'e nalu*" ("glisser sur les vagues"). De nos jours, le surf est à la fois une sous-culture fervente et une partie intégrante de la vie quotidienne de l'archipel. Les plus grosses vagues de Hawaii se déroulent sur la côte nord des îles de novembre à mars. La houle estivale qui déferle le long des côtes sud est plus réduite et plus rare.

Dotée de nombreux et variés spots de surf, O'ahu accueille toutes les grandes compétitions professionnelles ; sur la côte nord a lieu la **Triple Crown of Surfing** (vanstriplecrownofsurfing.com ; ⊘nov-déc), qui attire des milliers de spectateurs en novembre et décembre. Toutes les principales îles possèdent de bons, voire d'excellents spots de surf. Les cours de surf et la location de planches sont proposés sur presque toutes les plages touristiques dont les vagues peuvent être chevauchées.

Sur terre

Observation du ciel

Les astronomes sont attirés par le ciel nocturne hawaiien comme les surfeurs le sont par les énormes vagues de l'archipel. La vue depuis le volcan de Mauna Kea, sur Big Island, est d'une clarté inégalée. Mauna Kea compte plus d'observatoires astronomiques que n'importe quelle autre montagne sur Terre. Sur la route menant au sommet de Mauna Kea, le Visitor Information Station (p. 239) offre chaque soir (selon la météo) des séances d'observation des étoiles publiques et gratuites. En journée, assistez à une

Meilleures îles pour la randonnée

Hawai'i (Big Island) remporte de peu la palme de la variété. Le Hawai'i Volcanoes National Park comprend un volcan en activité ainsi que des cratères fumants, des déserts de lave et des forêts pluviales. Sans oublier Mauna Loa et Mauna Kea, deux sommets de près de 4 270 m de haut qui se prêtent à la randonnée d'altitude.

Sur **Maui**, le Haleakalā National Park offre des parcours inspirant crainte et émerveillement à travers le paysage lunaire du sommet volcanique, tandis que la route de Hana séduit grâce à ses courtes randonnées menant à des cascades.

Le légendaire Kalalau Trail, sur la côte Na Pali de **Kaua'i**, longe de spectaculaires falaises marines cannelées. Quantité de sentiers sillonnent le Koke'e State Park, au sommet d'une falaise, et le gigantesque Waimea Canyon.

Sur **O'ahu**, vous pouvez rapidement échapper à Honolulu dans les forêts des vallées de Manoa et de Makiki, autour du mont Tantalus, ou vous éloigner de la foule des touristes à Ka'ena Point.

séance familiale au planétarium du Hilo's Educational 'Imiloa Astronomy Center (p. 271), également sur Hawai'i, ou au Bishop Museum (p. 52) de Honolulu, sur O'ahu.

Les observatoires astronomiques de **Science City** (Haleakalā Observatories ; www.ifa.hawaii.edu), sur le volcan Haleakalā de Maui, étudient le soleil et ne sont pas ouverts au public. Pour une sortie astronomique en solo, le centre des visiteurs du sommet du Haleakalā National Park stocke des cartes célestes, et vous pouvez louer de puissantes jumelles dans les magasins de plongée de l'île avant votre ascension. Les complexes hôteliers, particulièrement sur Maui et sur Hawai'i, proposent parfois à leur clientèle des séances d'observation des étoiles à l'aide de télescopes de grande qualité.

Randonnée

Les panoramas époustouflants et la beauté lyrique de ces îles n'ont guère d'égal. Comme elles sont petites, même les lieux les plus sauvages sont généralement accessibles lors d'excursions d'une journée. Le matériel de camping est rarement nécessaire, mais quand il l'est, la récompense vaut très largement les efforts déployés. Découvrez les chemins de randonnée publics en ligne par le biais du **Nā Ala Hele Trail & Access Program** (hawaiitrails.org/trails).

Il est illégal de pénétrer sur un terrain privé ou une terre fédérale interdite au public, quel que soit le nombre de randonneurs concernés. Respectez tous les panneaux indiquant "Kapu" ou "No Trespassing" – il en va aussi de votre propre sécurité.

Spéléologie

La lave est un phénomène étrange. Lorsque la couche supérieure d'une coulée refroidit et durcit, la roche en fusion située dessous continue à se déplacer. Après l'éruption, la lave se retire et laisse derrière elle un labyrinthe souterrain de tunnels semblable à une fourmilière. Merveilles géologiques, beaucoup de ces tunnels de lave ont aussi un immense intérêt culturel, car autrefois, les Hawaiiens les utilisaient notamment comme chambres funéraires, réservoirs d'eau et abris temporaires.

Avec six des dix plus longs tunnels de lave du monde, Hawai'i (Big Island), l'île la plus jeune de l'archipel et toujours active du point de vue volcanique, est un haut lieu de la spéléologie. L'ensemble de grottes de Ka'u's Kanohina, géré par la **Cave Conservancy of Hawai'i** (www.hawaiicaves.org) 🖉, compte environ 32 km de tunnels complexes – visitez les **Kula Kai Caverns** (☎808-929-9725 ; www.kulakaicaverns.com ;

Exploration d'un tunnel de lave, Hawaiian Volcanoes National Park

MATT MUNRO/LONELY PLANET ©

92-8864 Lauhala Dr ; adulte/enfant 6-12 ans à partir de 20/10 $). La **Kazumura Cave** (📞808-967-7208 ; www.kazumuracave.com ; près de Volcano Hwy, après Mile 22 ; à partir de 30 $; 🕐lun-sam sur rdv), à Kea'au, est encore plus étendue.

Les autres îles offrent moins de possibilités dans ce domaine. Sur Maui, le **Hana Lava Tube** (p. 177), aussi appelé Ka'eleku Caverns, est un petit ensemble de grottes que même les enfants peuvent explorer.

Vélo et VTT

Concernant la pratique du vélo et du VTT, la qualité est au rendez-vous, même si la quantité ne l'est pas. Les cyclistes trouveront les routes les plus propices au vélo sur O'ahu (et les plus nombreux prestataires), mais les principales îles proposent toutes la location de vélos et disposent de pistes et de routes praticables en 4X4, également utilisables par les aventuriers du deux-roues.

Spam *musubi* (boulettes de riz surmontées d'une tranche de Spam)

Cuisine

La cuisine hawaiienne se distingue par une savoureuse exubérance et l'intégration sans complexe de saveurs étrangères. Plate lunch *(assiette-déjeuner),* loco moco *(riz, œuf au plat et steak haché en sauce) et* Spam musubi *(boulette de riz surmontée d'une tranche de l'incontournable jambon en boîte) ne manquent ni de charme international ni d'audace. Laissez-vous entraîner dans l'inconnu, et savourez chaque bouchée.*

Cuisine hawaiienne indigène

Avec ses saveurs franches et ses ingrédients polynésiens, la cuisine hawaiienne indigène occupe une place à part dans le monde culinaire. Il n'est cependant pas toujours facile pour le visiteur d'y goûter ; cherchez du côté des marchés de bord de route, des cantines servant des *plate lunches*, des traiteurs à l'ancienne et des *diners* insulaires.

Le porc *kalua* est traditionnellement rôti dans un *imu*, un trou creusé dans la terre rempli de pierres brûlantes et recouvert de feuilles de bananier et de ti, ce qui lui donne un goût fumé, salé et savoureux. De nos jours, le porc *kalua* est généralement cuit au four et assaisonné avec du sel et de la fumée liquide. Durant les grands *luau* destinés aux touristes, un cochon est la plupart du temps placé dans un *imu* pour le folklore uniquement (il ne pourrait pas nourrir les quelque 300 convives généralement réunis lors de ces banquets-spectacles).

Le *poi* – une purée violâtre faite de racine de taro broyée, souvent cuite à la vapeur et fermentée – était sacré pour les Hawaiiens anciens. Le taro est très nutritif, faible en calories et digeste, et peut être accommodé de différentes manières. Fade ou légèrement acide, voire aigre, le *poi* est généralement servi en accompagnement de plats forts en goût comme le saumon *lomilomi* (haché et salé, avec dés de tomates et oignon vert). Des chips de taro frites ou cuites au four sont vendues dans les épiceries, les stations-service, etc.

Le *laulau* est un plat populaire composé de viande (porc ou poulet) et de *butterfish* (poisson à chair blanche) cuits à l'étouffée dans des feuilles de taro et de ti. C'est un peu fade, mais les habitants adorent. Parmi les autres spécialités hawaiiennes traditionnelles, on peut citer le *'ulu* (fruit à pain) au four, semblable en bouche à la pomme de terre ; les *'opihi* (patelles), minuscules mollusques ramassés au-delà des récifs à marée basse ; et le *haupia*, un pudding à la crème de coco épaissie avec de l'*arrow-root* (fécule issue de l'herbe aux flèches) ou de la fécule de maïs.

De manière générale, la cuisine hawaiienne indigène n'est peut-être pas la plus savoureuse mais elle est extrêmement nourrissante, une place importante étant accordée aux féculents et à la viande. Elle s'apparente à d'autres cuisines polynésiennes, avec des ingrédients et des saveurs très semblables.

★ **Les 5 meilleurs restaurants**
Alan Wong's, Honolulu (p. 69)
Monkeypod Kitchen, Wailea (p. 203)
Roy's Waikiki, Honolulu (p. 96)
Takenoko Sushi, Hilo (p. 278)
Umekes, Kona (p. 251)

Cuisine hawaiienne régionale

Hawaii était considéré comme un désert culinaire jusqu'au début des années 1990, lorsque quelques chefs insulaires – notamment Alan Wong, Roy Yamaguchi, Sam Choy et Peter Merriman, lesquels possèdent toujours des restaurants sur Hawai'i – créèrent une nouvelle cuisine en puisant généreusement dans l'héritage multiethnique hawaiien. S'associant avec des agriculteurs, éleveurs et pêcheurs de l'archipel, ces chefs mirent en avant les ingrédients frais locaux et revisitèrent des classiques de leur enfance pour en faire des chefs-d'œuvre gastronomiques du Pacifique. Subitement, *mahi-mahi* à la croûte de noix de macadamia, *butterfish* au miso et *liliko'i* (fruit de la passion) connurent un immense succès.

Ce mouvement culinaire fut surnommé "Hawaii regional cuisine" (cuisine hawaiienne régionale) et les 12 chefs pionniers devinrent des vedettes. Au départ, cette cuisine était plutôt réservée à une élite, uniquement servie dans les établissements haut de gamme. Elle se caractérisait par ses saveurs fusion eurasiatiques, ses techniques gastronomiques et sa présentation raffinée.

Si les restaurants chics sont toujours la vitrine des chefs vedettes de Hawaii, on peut aujourd'hui goûter des plats inspirés de la cuisine hawaiienne régionale dans les bistrots de quartier et même dans les food-trucks de *plate lunches*, dont les cartes glorifient les agriculteurs locaux.

Saimin (soupe de nouilles aux raviolis)

HAPPYSARI/SHUTTERSTOCK ©

Spécialités locales

Les *grinds* (mot argotique local signifiant "nourriture") locaux sont bon marché, savoureux et nourrissants. Le classique *plate lunch* en est l'exemple parfait : une assiette composée de deux cuillerées de riz, de salade de macaronis ou de pommes de terre, et d'un plat chaud riche en protéines tel que *mahi-mahi* frit, poulet teriyaki ou plats-de-côtes *kalbi*. Souvent dégustés avec des baguettes jetables dans des assiettes jetables, ces repas frits, salés et riches en viande sont très savoureux (et caloriques). Aujourd'hui, on trouve aussi des *plate lunches* plus sains avec riz complet et salade de légumes verts, mais les deux cuillerées de riz et la salade de macaronis/pommes de terre – une bonne dose de glucides – restent incontournables.

Le riz blanc gluant (et non le riz tendre, ni le riz sauvage) est plus qu'un accompagnement à Hawaii ; c'est une composante essentielle des repas de tous les jours. Sans le riz, le Spam *musubi* ne serait qu'une tranche de jambon en conserve et le *loco moco* qu'un steak haché surmonté d'un œuf et de sauce.

Pupu (en-cas ou entrée) local incontournable, le *poke* est un savoureux plat de dés de poisson cru (*ahi* généralement), agrémentée de *shōyu*, d'huile de sésame, d'oignon vert, de flocons de piment, de sel de mer, d'*ogo* (algues croustillantes) et d''*inamona* (un condiment fait de noix de kukui – noyer des Moluques – grillées et moulues). Selon nous, rien – si ce n'est peut-être une huître crue – n'évoque mieux les saveurs de l'océan que le *poke*.

Le *saimin*, soupe de nouilles chinoises aux œufs tendres dans un bouillon japonais, garnie d'oignon vert, de *nori* (algues japonaises séchées), de *kamaboko* (pâte de poisson cuite à la vapeur) et de *char siu* (porc grillé à la chinoise), est un autre classique local.

Friandises locales traditionnelles, les *crack seed* sont des fruits (généralement prunes, cerises, mangues ou citrons) séchés, dont le goût est impossible à décrire ; ils peuvent être sucrés, acides, salés ou épicés. Vendus préemballés dans les supermarchés et les drugstores Longs Drugs ou servis au poids dans les boutiques spécialisées, ils se mangent sans faim.

On cultive dans l'archipel des avocats dont la taille démesurée n'a d'égale que la saveur. Cela dit, ce n'est pas nécessairement la taille qui fait le goût ; les petits sont tout aussi délicieux. De nombreux avocatiers portent des pancartes "no spray" ("pas de pulvérisations"), en particulier dans les coins les plus sensibilisés à l'écologie (par exemple Puna, North Kohala et la South Kona Coast) ; un message qui s'adresse aux utilisateurs de pesticides. Le mouvement antipesticide et anti-OGM est important sur l'île de Hawai'i, et même si ses habitants sont généralement décontractés par nature, la question peut provoquer des discussions très enflammées.

Il y a le bœuf et il y a le bœuf de Big Island. Les vallées nord de Hawai'i sont tapissées sur des kilomètres de pâturages verdoyants, émaillés de troupeaux de bétail errants. Si une grande partie de cet énorme réservoir de viande est exportée, on peut dans certains restaurants se régaler de steaks délicatement persillés et de hamburgers juteux dont serait jalouse n'importe quelle table texane. Nous ignorons ce qui donne la qualité particulière du bœuf de Big Island ; ce qui est sûr, c'est qu'il possède une saveur sans égale.

Dans certaines régions de l'île de Hawai'i, en particulier à Hilo et sur la South Kona Coast, la cuisine japonaise s'est enrichie d'éléments locaux pour donner naissance à une cuisine hawaiienne spécifique. Dans les *diners* tenus par des Américains d'origine japonaise, on peut trouver des hot-dogs servis avec du riz et du *furikake* (un condiment composé entre autres d'algues et de poisson séché), et la plupart des repas sont précédés d'un bol gratuit d'edamame (fèves de soja) et accompagnés d'un bol de soupe miso.

Café, thé et boissons traditionnelles

Hawaii fut le premier État américain à cultiver du café. Le café de Kona, à la saveur douce et sans arrière-goût amer, est réputé dans le monde entier. Les versants d'altitude des volcans Mauna Loa et Hualalai, dans le district de Kona (Hawai'i), offrent le climat idéal pour la culture du café (ensoleillé le matin, nuageux l'après-midi et faibles précipitations saisonnières).

Si le 100% Kona Coffee est le plus prestigieux, vendu entre 20 et 40 $ les 500 g, ces dernières années le café de Ka'u, district à l'extrême sud de Hawai'i, s'est attiré des éloges et a séduit les aficionados. De petites exploitations se sont aussi développées à Puna et à Honoka'a, du côté de l'île exposé au vent. Notez que l'appellation "100%" est un gage réel d'authenticité ; le "café de Kona" vendu dans les grandes chaînes de supermarchés ne comprend souvent qu'une poignée de grains de Kona mélangée à des grains moins chers. Le vrai 100% Kona Coffee offre une saveur extrêmement complexe, aux notes multiples, où l'amertume s'équilibre avec un cœur caféiné intense.

Les premiers Hawaiiens ne se sont jamais passionnés pour le café, importé pour la première fois au début du XIXe siècle. Les breuvages hawaiiens originels étaient les élixirs polynésiens à base de plantes : 'awa (ou *kava*, un sédatif doux qui anesthésie la bouche, fabriqué à partir de racines de *kava*) et *noni* (mûre indienne), qui aurait le pouvoir de tout guérir selon certains. Ces deux boissons étant âcres au goût et à l'odeur, elles sont souvent mélangées à d'autres jus, mais ce n'est pas trop compliqué de trouver du *kava* buvable. Le *kava* a un goût de terre ; certains y voient les liens profonds avec le terroir hawaiien, d'autres trouvent cela infect.

Ananas, ramboutans et mangoustans

VITALYTITOV/ADOBE STOCK ©

La culture du thé fut introduite à Hawaii à la fin du XIXᵉ siècle, mais ne s'est jamais développée commercialement en raison des coûts élevés de main-d'œuvre et de production. En 1999, des chercheurs de l'Université de Hawaii ont découvert qu'un cultivar de thé particulier poussait bien sur un sol volcanique et dans les climats tropicaux, en particulier à haute altitude. De petites exploitations de thé, souvent bio, fleurissent aujourd'hui autour de Volcano et le long de la Hamakua Coast.

Des arbres fruitiers y poussent également. Hélas, la plupart des supermarchés proposent des boissons aux fruits importés à base de concentrés ou avec des ajouts de sucre, comme le jus POG (Passion-Orange-Goyave). C'est certes bon, mais pas très sain compte tenu de la faible teneur en fruits. Vous trouverez des jus de fruits mélangés et fraîchement pressés dans les boutiques diététiques, dans les marchés de producteurs et sur les stands de fruits en bord de route. Ne vous attendez néanmoins pas à des fruits locaux.

Na Pali Coast (p. 106)

MARC LEATHAM/500PX ©

Carnet pratique

Infos utiles

Alimentation

Les prix suivants sont valables pour un plat principal au dîner dans un restaurant (le déjeuner est moins cher, en général moitié prix) ou pour un repas dans un restaurant à emporter, hors taxes et pourboires (sauf si c'est indiqué).

$	Moins de 12 $
$$	12-30 $
$$$	Plus de 30 $

Ambassades et consulats

Ambassades et consulats des États-Unis

Pour trouver une ambassade des États-Unis à l'étranger, consultez le site du **US Department of State** (www.usembassy.gov).

Quelques représentations diplomatiques :
France Ambassade américaine (☏ 01 43 12 22 22 ; fr.usembassy.gov/fr ; 2 avenue Gabriel, 75008 Paris). **Consulats américains à Bordeaux, Lyon, Rennes, Toulouse, Marseille et Strasbourg. Sur rendez-vous.**
Belgique Ambassade américaine (☏ 32-2 811-4000 ; be.usembassy.gov/fr ;

27 boulevard du Régent, B-1000 Bruxelles)
Suisse Ambassade américaine (☏ 031 357 70 11 ; ch.usembassy.gov/embassy/bern ; Sulgeneckstrasse 19, CH-3007 Bern)
Canada Consulat américain (☏ 514 398-9695 ; ca.usembassy.gov/embassy-consulates/montreal ; 315 place d'Youville, Suite 500, Montréal, Québec, H2Y 0A4) Représentations diplomatiques américaines à Ottawa, Toronto, Vancouver, Winnipeg, Calgary, Québec et Halifax.

Consulats étrangers

Les ambassades sont situées à Washington, la capitale des États-Unis. Pour tout ce qui concerne la délivrance de visas ou de passeport, il faut s'adresser aux consulats généraux de son pays en Californie. Les consuls honoraires présents à Hawaii peuvent prêter assistance aux ressortissants de leur pays qui se trouvent en difficulté (maladie, accident ou vol par exemple).

France Consulat général de France à San Francisco (☏ 415-616 4906 ; sanfrancisco.consulfrance.org ; 88 Kearny St, Suite 600, CA 94108 San Francisco) ; Consul honoraire à Honolulu (Guillaume Maman ☏ 808-726-3866 ; consulfrancehawaii@gmail.com ; 1436 Young Street, Suite 303, HI 96814 Honolulu, USA)
Belgique Consulat général de Belgique à Los Angeles (☏ 323-857 1244 ; LosAngeles@diplobel.fed.be ; 6100 Wilshire Boulevard, Suite

1200, CA 90048 Los Angeles) ; Consul honoraire à Honolulu (Jeffrey Lau ☏ 808-533 3999 ; jlau@ollon.com ; 600 Ocean View Center, 707 Richards Street, HI 96813 Honolulu, USA)
Suisse Consulat général de Suisse à San Francisco (☏ 415-788 2272 ; sfr.vertretung@eda.admin.ch ; Pier 17, Suite 600, CA 94111 San Francisco) ; Consul honoraire à Honolulu (☏ 808 233 8982 ; honolulu@honrep.ch ; 616 Kahlau Loop, HI 96821-2540 Honolulu, USA)
Canada Consulat général du Canada à San Francisco (☏ 415-834 3180, 844-880 6519 ; sfran@international.gc.ca ; 580 California Street, 14th Floor, CA 94104 San Francisco) Suivant le Protocole d'entente passé entre le Canada et l'Australie, le Consulat général d'Australie à Honolulu (☏ 844-880 6519 ; consular.honolulu@dfat.gov.au ; Penthouse Suite, 1000 Bishop Street, HI 96813-4299 Honolulu) est ouvert aux citoyens canadiens.

Argent

Cartes de crédit

○ Les cartes de crédit sont acceptées presque partout, et souvent exigées pour louer une voiture, réserver un hôtel, etc. Certains B&B et locations de vacances les refusent (paiement en chèques de voyage libellés en dollars ou en espèces) ou appliquent un supplément de 3%.

❍ Les cartes Visa, MasterCard et American Express sont les plus souvent acceptées, suivies par les cartes américaines Discover et JTB.

Change

❍ Vous pouvez échanger vos devises à l'aéroport international de Honolulu ou dans les agences principales des banques plus importantes, telles que la **Bank of Hawaii** (☎808-643 3888 ; www.boh.com) ou la **First Hawaiian Bank** (☎808-844 4444 ; www.fhb.com).

❍ Hors des grandes villes et des villes moyennes, changer des devises peut s'avérer impossible ; assurez-vous d'avoir suffisamment d'espèces et/ou une carte de débit ou de crédit.

Taux de change

Canada	1 CAD	0,81 $
Suisse	1 CHF	$1.44
Zone euro	1 EUR	1,20 $

Consultez les taux de change actualisés sur www.xe.com.

Distributeurs automatiques de billets (DAB)

❍ Les DAB (ATM sur place) sont accessibles 24h/24 et 7j/7 dans les banques, centres commerciaux, aéroports et supermarchés.

❍ La plupart des DAB prélèvent une commission minimum d'environ 3 $ par transaction, et il se peut que votre banque rajoute des frais.

❍ La majorité d'entre eux sont connectés à des réseaux internationaux (notamment Plus et Cirrus) et offrent un taux de change correct.

Assurance

Il est fortement conseillé de souscrire à une police d'assurance qui vous couvrira en cas de perte, de vol ou de problème médical – assurez-vous que votre contrat couvre au moins le rapatriement médical d'urgence et les séjours à l'hôpital.

Vérifiez aussi que les activités "à risque" comme la plongée, la moto ou même la randonnée, ne sont pas exclues de votre police.

Le paiement de vos billets d'avion ou de la location d'une voiture par carte de crédit vous permet parfois de bénéficier d'une assurance voyage aux conditions très diverses ; mieux vaut vous renseigner. Certaines assurances habitation ou santé comprennent également une garantie voyage-villégiature ; là encore, vérifiez les conditions et ne prenez qu'une assurance supplémentaire pour les événements non couverts. Si vous avez réglé à l'avance une grande partie de votre voyage, l'assurance annulation est recommandée.

Pourboires

Les pourboires sont pour ainsi dire obligatoires, sauf si le service est vraiment déplorable.

Porteurs dans les aéroports et les hôtels 2 $ par bagage et 5 $ minimum pour un chariot.

Barmen 15 à 20% par tournée, minimum 1 $ par boisson.

Concierges Rien pour un simple renseignement, jusqu'à 20 $ pour vous obtenir une réservation de dernière minute dans un restaurant, etc.

Personnel de chambre 2 à 4 $ par jour, laissés sous la carte fournie ; plus si vous êtes désordonné.

Voituriers Au moins 2 $, lorsqu'on vous rend votre clé.

Serveurs et service en chambre De 18 à 20%, sauf si le pourboire est inclus dans l'addition (habituel pour les groupes de six ou plus).

Taxis 10 à 15% du prix de la course, arrondis au dollar supérieur.

Électricité

120 V/60 Hz

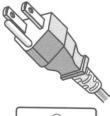

120 V/60 Hz

Formalités et visas

○ Attention : les conditions d'entrée sur le territoire américain changent au gré des réglementations nationales en matière de sécurité. Tous les voyageurs sont invités à vérifier la législation relative aux visas et aux passeports avant de venir aux États-Unis. Pour des informations à jour concernant les conditions d'entrée et d'éligibilité, consultez la section visas du site du **Département d'État américain** (travel.state.gov), et la section voyage du site de l'administration des douanes, l'**US Customs and Border Protection** (CBP ; www.cbp.gov).

○ Les ressortissants de Syrie, Iran, Soudan, Libye, Somalie, Yémen et Irak, de même que toutes les personnes ayant séjourné dans l'un de ces pays depuis le 1er mars 2011 doivent demander un visa par la voie traditionnelle auprès des représentations consulaires américaines, même si ces personnes sont des ressortissants de pays dotés d'un programme d'exemption de visas (Visa Waiver Program).

○ En arrivant aux États-Unis, la plupart des ressortissants étrangers (à l'exception, actuellement, de nombreux Canadiens, de certains Mexicains, des moins de 14 ans et des plus de 79 ans) doivent s'enregistrer auprès

de la sécurité intérieure, le **Department of Homeland Security** (DHS ; www.dhs.gov), avec prise d'empreintes digitales électroniques et d'une photo numérique.

○ Nous vous conseillons de scanner ou de photocopier tous vos documents importants (pages d'introduction de votre passeport, cartes de crédit, police d'assurance, billets de train/d'avion/de bus, permis de conduire, etc.). Conservez ces copies à part des originaux. Vous remplacerez ainsi plus aisément ces documents en cas de perte ou de vol.

Visa

Hormis les Canadiens et les ressortissants des pays signataires du Visa Waiver Program (VWP), les étrangers doivent faire une demande de visa auprès d'un consulat ou d'une ambassade américaine.

Visa Waiver Program

○ Actuellement, le programme d'exemption de visa (Visa Waiver Program ; VWP) permet aux ressortissants de 38 pays – dont la France, la Belgique, le Luxembourg et la Suisse – de séjourner aux États-Unis jusqu'à 90 jours sans visa, à condition de posséder un passeport sécurisé à lecture optique et un billet aller-retour (ou d'un billet à destination d'un autre pays) non remboursable aux États-Unis. Pour connaître

Un fil d'ARIANE en voyage

Vous êtes ressortissant français ? Pensez à vous enregistrer sur le **portail Ariane** (pastel.diplomatie. gouv.fr/fildariane) du ministère des Affaires étrangères. Ce service gratuit vous permet de recevoir des alertes si la situation le justifie. Crise politique, catastrophe naturelle, attentat... recevez en temps réel des consignes de sécurité lors de votre voyage.

les dernières dispositions, consultez le site du **Département américain de l'État** (travel.state.gov/ content/visas/en/visit/visa-waiver-program.html).

o Les citoyens des pays concernés par le VWP doivent s'enregistrer en ligne sur l'**Electronic System for Travel Authorization** (ESTA ; https://esta.cbp.dhs.gov/ esta) au moins 72 heures avant leur arrivée. Les frais actuels sont de 14 $. Une fois approuvée, votre inscription est valable deux ans (ou jusqu'à expiration de votre passeport). Attention, de nombreux sites non officiels proposent le téléchargement du formulaire.

o Les Français peuvent également s'informer auprès du **site de l'ambassade américaine** (fr.usembassy.gov/fr) ou regarder les pages consacrées à la préparation du voyage sur l'excellent site de l'**Office du tourisme américain** (www.office-tourisme-usa.com).

o Les citoyens canadiens sont généralement autorisés à séjourner

sans visa jusqu'à 182 jours au total sur une période de 12 mois, à condition de posséder un passeport biométrique.

o Les voyageurs étrangers qui ne sont pas citoyens canadiens et ne relèvent pas du VWP doivent faire une demande de visa touristique. Le processus fait l'objet de frais non remboursables (160 $ minimum), inclut un entretien et peut prendre plusieurs semaines ; faites votre demande bien à l'avance.

o Le site Internet www. usembassy.gov possède des liens avec tous les sites des ambassades et consulats américains à l'étranger (voir aussi p. 314). Mieux vaut faire votre demande de visa dans votre propre pays plutôt qu'en voyage.

Passeport

o Tous les ressortissants étrangers doivent être munis d'un passeport électronique ou biométrique pour entrer aux États-Unis. Si votre passeport a été délivré/renouvelé après le 26 octobre 2006, vérifiez qu'il s'agit bien

d'un passeport biométrique, avec photo numérique et puce intégrée. (Pour savoir si votre passeport est sécurisé, consultez www.service-public.fr/ particuliers/vosdroits/ F11603.)

o Votre passeport doit être valide six mois au-delà de votre date de retour prévue.

Douane

Actuellement, les voyageurs internationaux sont autorisés à entrer aux États-Unis avec les produits détaxés suivants :

o 1 litre de vin ou d'alcool (si vous avez plus de 21 ans)

o 200 cigarettes (1 cartouche) ou 100 cigares (si vous avez plus de 18 ans) Si vous arrivez avec l'équivalent de plus de 10 000 $ en espèces, chèques de voyage, mandats postaux ou autres, il est obligatoire de le déclarer. Des informations plus détaillées et actualisées sont disponibles sur le site de l'**US Customs and Border Protection** (CBP ; www.cbp.gov).

La plupart des fruits frais et des plantes ne sont pas acceptés à Hawaii (pour empêcher la propagation d'espèces envahissantes), et les douaniers appliquent strictement la réglementation. Comme la rage ne sévit pas à Hawaii, la réglementation en matière de quarantaine des animaux de compagnie est draconienne. Renseignez-vous auprès de **Hawaii**

Department of Agriculture
(hdoa.hawaii.gov).

Tous les bagages de cabine ou enregistrés quittant Hawaii pour les États-Unis continentaux, l'Alaska ou Guam, doivent être contrôlés aux rayons X par un inspecteur de l'agriculture à l'aéroport. Assurez-vous que les aliments frais, les fruits et légumes ou les fleurs placés dans vos bagages ont été emballés commercialement et ont le droit de voyager, sinon vous serez obligé de vous délester de vos ananas ou de vos orchidées à l'aéroport.

Handicapés

o Les grands hôtels et complexes hôteliers récents disposent d'ascenseurs, de chambres accessibles en fauteuil roulant (à réserver bien à l'avance) et de téléphones équipés d'un mode d'accessibilité pour les malentendants (TDD).

o Les compagnies téléphoniques emploient des opérateurs-relais (via un téléphone équipé d'un mode d'accessibilité TTY/TDD ; composez le ☎711) pour les malentendants.

o De nombreuses banques fournissent des instructions en braille dans les DAB.

Conseils aux voyageurs

La plupart des gouvernements possèdent des sites Internet qui recensent les dangers possibles et les régions à éviter. Consultez notamment les sites suivants :

Ministère des Affaires étrangères français
(www.diplomatie.gouv.fr)

Ministère des Affaires étrangères de Belgique
(diplomatie.belgium.be/fr)

Département fédéral des Affaires étrangères suisse
(www.eda.admin.ch/eda/fr/dfae.html)

Ministère des Affaires étrangères du Canada
(www.voyage.gc.ca)

o Les carrefours routiers dans les grandes villes et certaines autres ont des trottoirs abaissés et des signaux sonores pour traverser.

o Les chiens d'aveugle et d'assistance ne sont pas soumis aux mêmes conditions de quarantaine que les autres animaux de compagnie, mais ils doivent arriver à l'aéroport international de Honolulu. Contactez l'**Animal Quarantine Station** (☎808-483-7151 ; hdoa.hawaii.gov/ai/aqs/animal-quarantine-information-page ; ◷8h-17h) du département d'Agriculture avant l'arrivée.

o Consultez le site Internet du **Disability & Communication Access Board** (☎808-586-8121 ; www.hawaii.gov/health/dcab) pour télécharger des brochures gratuites de conseils aux voyageurs handicapés pour toutes les îles, sauf Lana'i.

o **Access Aloha Travel** (☎808-545-1143, 800-480-1143 ; www.accessalohatravel.com), une agence de voyages d'O'ahu, peut vous aider à réserver des hébergements accessibles en fauteuil roulant, des véhicules de location, des croisières et des circuits.

o L'**APF** (Association des paralysés de France ; ☎01 40 78 69 00 ; www.apf.asso.fr ; 17 bd Auguste-Blanqui, 75013 Paris) peut fournir des informations utiles sur les voyages accessibles.

Hébergement

Il est presque toujours nécessaire de réserver. En haute saison, mieux vaut vous y prendre dès que possible – jusqu'à un an à l'avance pour la période de Noël et du Nouvel An.

○ **Hôtels et complexes hôteliers** Les établissements situés près des plages populaires facturent séparément des frais de service et/ou des frais de parking journaliers.

○ **Appartements** Offre abondante sur les îles principales. Appartements équipés avec services, accordant souvent des réductions à la semaine.

○ **B&B et locations de vacances** Généralement fiables, ils sont plus spacieux et mieux équipés que les hôtels à prix comparables.

○ **Auberges de jeunesse** Chambres privatives et dortoirs bon marché.

○ **Campings et chalets** Amenez votre propre matériel de camping.

Il existe de nombreux sites permettant de réserver son logement à Hawaii. En voici quelques-uns :

GoHawaii (www.gohawaii. com). Le site officiel du bureau du tourisme vous donnera une idée très claire, photos à l'appui, de l'offre existant sur les différentes îles.

Hawaiian Beach Rentals (www.hawaiianbeachrentals. com ; ☏44-261 0464). Villa en bord de mer, appartement, maison

de ville, etc., pour tous les goûts et tous les budgets.

Airbnb (www.airbnb.fr). On ne présente plus la principale plateforme de réservation et de location d'hébergements entre particuliers. De la délicieuse cabane perchée dans les arbres et dominant la mer à la chambre louée chez l'habitant, le choix est immense.

Elite Vacation Rentals (evrhi.com). Pour ceux qui recherchent une location haut de gamme.

Hawaii Camping Reservation (camping.ehawaii.gov). Tous campings de l'archipel visualisables sur une carte interactive, avec de nombreuses explications. L'inscription sur le site est nécessaire pour réserver en ligne.

Heure locale

○ Heure standard de Hawaii et des Aléoutiennes, soit 10 heures de retard sur l'heure GMT. En été, quand il est midi à Paris, il est minuit à Hawaii. En hiver, il est 1h du matin à Hawaii, car le passage de l'heure d'été à l'heure d'hiver n'y est pas appliqué.

Homosexualité

L'État hawaiien protège les minorités et sa constitution, qui garantit le respect de la vie privée, s'applique au comportement sexuel entre adultes consentants. Le mariage homosexuel est légal.

Les Hawaiiens tendent à protéger leur vie privée ; vous verrez donc peu de gens se tenant la main ou montrant leur affection en public, qu'ils soient hétérosexuels ou homosexuels. La vie quotidienne de la communauté LGBT est assez sage – pique-niques et dîners à la maison plutôt que discothèques. Même à Waikiki, la scène gay, discrète, ne compte qu'une demi-douzaine de bars, clubs et restaurants.

Hawaii est néanmoins une destination prisée des voyageurs LGBT, qui profitent d'un petit réseau de B&B, de pensions et d'hôtels gérés par des personnes homosexuelles ou ouvertes à cette communauté. Pour plus de renseignements concernant l'hébergement, les plages, les événements et plus encore, consultez les ressources suivantes :

Out Traveler (www.outtraveler. com/hawaii). Articles de voyage en ligne (gratuits) sur la communauté LGBT de Hawaii.

Réservation en ligne

Trouvez un vol, un séjour ou un hôtel en quelques clics dans la rubrique "Réserver" de www.lonelyplanet.fr.

Pride Guide Hawaii
(www.gogayhawaii.com).
Guide gratuit axé sur la
communauté LGBT – activités,
hébergement, restauration,
sorties nocturnes, achats,
fêtes, mariages, etc.

**Hawai'i LGBT Legacy
Foundation** (www.
hawaiilgbtlegacyfoundation.
com). Actualité, ressources
et agenda des événements
LGBT, principalement
sur O'ahu.

Gay Hawaii (www.gayhawaii.
com). Liste de commerces
et de prestataires ouverts
à la communauté LGBT, plages
et ressources communautaires
sur O'ahu, Maui, Kaua'i
et Hawai'i (Big Island).

Purple Roofs (www.
purpleroofs.com). Liste
de B&B, locations de vacances,
pensions et hôtels ouverts
à la communauté LGBT.

Internet

○ La plupart des
hébergements, de
nombreux cafés et quelques
bars, restaurants et autres
commerces offrent
des hotspots publics
(gratuité parfois limitée
à la clientèle). L'accès
à l'Internet dans les
chambres d'hôtel de Hawaii
se fait de plus en plus
souvent en Wi-Fi.

○ Les grandes villes
et les villes moyennes
comptent parfois des
cybercafés ou des centres
d'affaires comme le **FedEx
Office** (☎800-463-3339 ;

local.fedex.com/hi), qui
proposent l'accès tarifé
à des terminaux d'Internet
(généralement 12-20 \$/
heure) et parfois le Wi-Fi
(gratuit ou payant).

○ Les **bibliothèques
publiques** (☎808-586-
3500 ; www.librarieshawaii.org)
offrent l'accès gratuit
à Internet via des
ordinateurs aux titulaires
d'une carte de bibliothèque
temporaire de non-résident
(10 \$). Certaines proposent
aussi le Wi-Fi gratuit
(carte de bibliothèque
et PIN requis).

Jours fériés

Durant les jours fériés
nationaux, les banques,
les écoles et les
administrations
(y compris les bureaux
de poste) sont fermées.
Les musées, transports
et autres services adoptent
les horaires du dimanche.
Quand le jour férié tombe
un week-end, le lundi
suivant est généralement
chômé.

Nouvel An 1er janvier
**Anniversaire de Martin Luther
King Jr (Martin Luther King Jr
Day)** 3e lundi de janvier
**Jour du Président
(Presidents' Day)** 3e lundi
de février
**Jour du prince Kuhio
(Prince Kuhio Day)** 26 mars

Vendredi saint (Good Friday)
vendredi avant le dimanche
de Pâques en mars/avril
Memorial Day Dernier lundi
de mai
**Jour du roi Kamehameha
(King Kamehameha Day)**
11 juin
**Fête nationale
(Independence Day)** 4 juillet
**Jour de l'Admission
(Statehood Day ou Admission
Day)** 3e vendredi d'août
Fête du Travail (Labor Day)
1er lundi de septembre
**Jour des vétérans
(Veterans' Day)** 11 novembre
Thanksgiving 4e jeudi
de novembre
Noël 25 décembre

Offices
du tourisme

Des guichets d'information
des visiteurs pourvus
en personnel se trouvent
dans les aéroports au
niveau des arrivées.
En attendant de récupérer
vos bagages, jetez un
coup d'œil aux brochures
et dépliants gratuits, qui
contiennent des bons de
réduction pour des activités,
visites, restaurants, etc.

Planifiez votre voyage
en consultant le site
multilingue très complet
du **Hawaii Visitors
& Convention Bureau**
(www.gohawaii.com).

Pas d'impair

Les Hawaiiens adoptent généralement une attitude décontractée dans la vie de tous les jours, mais il existe certaines règles implicites à respecter :

● Enlevez vos chaussures en entrant dans une maison. La plupart des habitants portent des *rubbah slippah* (tongs) en partie pour cette raison – ils sont faciles à enlever et à remettre et se portent sans chaussettes.

● Demandez la permission avant de cueillir un fruit ou des fleurs, ou d'empiéter sur une propriété privée d'une quelconque manière.

● Conduisez lentement. Ne klaxonnez pas à moins d'être sur le point de heurter quelqu'un.

● Essayez de prononcer correctement les noms de lieux et les mots hawaiiens ; même si vous échouez, vos efforts seront appréciés.

● Ne ramassez pas et ne déplacez pas de pierres sur les sites sacrés. Vous ne savez pas si un site est sacré ? Considérez que dans l'esprit de Hawaii, tout est sacré, particulièrement dans la nature.

● N'empilez pas de pierres et ne les enveloppez pas de feuilles de ti près des cascades, des *heiau* (temples), etc. Cela dénature une pratique hawaiienne ancienne consistant à faire des *ho'okupu* (offrandes) sur les sites sacrés, et crée des détritus.

Problèmes juridiques

En cas d'arrestation, vous avez droit à un avocat ; si vous n'avez pas le moyen de payer un avocat, un commis d'office vous défendra gratuitement. Le **Hawaii State Bar Association** (☐808-537-9140 ; hawaiilawyerreferral. com ; Suite 1000, 1100 Alakea St, Honolulu ; ⊙8h30-16h30 lun-ven) peut vous indiquer un avocat. Il est conseillé aux visiteurs étrangers d'appeler leur consulat ou leur ambassade le plus proche ; la police fournira le numéro sur demande.

Santé

Vols long-courriers

● Les trajets en avion, principalement du fait d'une immobilité prolongée, peuvent favoriser la formation de caillots sanguins dans les jambes (par exemple une phlébite). Le risque est d'autant plus élevé que le vol est plus long. Généralement, l'un des premiers symptômes est un gonflement ou une douleur du pied, de la cheville ou du mollet.

● En prévention, buvez en abondance des boissons non alcoolisées, faites jouer les muscles de vos jambes lorsque vous êtes assis et levez-vous de temps à autre pour marcher dans la cabine.

Décalage horaire et mal des transports

● Le décalage horaire est fréquent dans le cas de trajet si le trajet traverse plus de trois fuseaux horaires. Il se manifeste par des insomnies, de la fatigue, des malaises ou des nausées. En prévention, buvez abondamment (des boissons non alcoolisées) et mangez léger. En arrivant, exposez-vous à la lumière naturelle et adoptez les horaires locaux aussi vite que possible (pour les repas, le coucher et le lever).

● Pour réduire les risques d'avoir le mal des transports, mangez légèrement avant et pendant le voyage. Si vous êtes sujet à ces malaises, essayez de trouver un siège dans une partie du véhicule où les oscillations sont moindres : près de l'aile dans un avion, au centre sur un bateau et dans un bus. Les antihistaminiques préviennent efficacement le mal des transports, qui se caractérise principalement par une envie de vomir, mais ils peuvent provoquer une somnolence.

Services médicaux

○ En cas d'urgence médicale à Hawaii, appelez le ☑911 ou rendez-vous aux urgences (ER) de l'hôpital le plus proche. Pour les autres problèmes médicaux, envisagez d'aller dans un centre de soins d'urgence (*urgent care center*) ou un centre médical sans rendez-vous (*walk-in clinic*).

○ Les îles principales de Hawaii sont dotées d'un excellent service de santé, mais le coût des soins est exorbitant. Si votre assurance ne couvre pas les dépenses médicales à l'étranger, il est indispensable de souscrire avant le départ une assurance santé voyage. Certaines polices d'assurance demandent que vous obteniez une préautorisation de leur centre d'appel avant tout traitement médical. Conservez tous les documents médicaux et factures qui vous sont remis pour vous faire rembourser par la suite.

Affections liées à l'environnement

Soleil et chaleur

○ Même par temps couvert, utilisez un écran solaire

Le vog

Le *vog* est un brouillard visible généré par les émissions volcaniques de l'île de Hawai'i. Il est souvent dispersé par les alizés (mais pas toujours) avant d'atteindre les autres îles. Sur Big Island, le *vog* peut obscurcir le ciel même par beau temps à West Hawai'i, notamment l'après-midi aux alentours de Kailua-Kona.

L'exposition à court terme au *vog* n'est généralement pas dangereuse ; cependant, des niveaux élevés de dioxyde de soufre peuvent provoquer des problèmes respiratoires chez les personnes sensibles (celles souffrant de maladies respiratoires ou cardiaques, les femmes enceintes, les jeunes enfants et les bébés). Évitez les activités physiques vigoureuses à l'extérieur quand ce phénomène se produit.

haute protection et pensez à couvrir les endroits habituellement protégés, les pieds par exemple. Les lunettes de soleil sont indispensables. Évitez de vous exposer aux heures les plus chaudes (12h-16h) et privilégiez l'ombre.

○ Une exposition prolongée au soleil peut provoquer une insolation. Symptômes : nausées, peau chaude, maux de tête. Dans ce cas, il faut rester dans le noir, appliquer une compresse d'eau froide sur les yeux et prendre de l'aspirine.

Baignade et plongée en mer

○ Soyez très vigilants lors de la baignade car, même si la mer est splendide et calme en apparence, les courants peuvent être particulièrement dangereux. Même si la plage est surveillée, demandez l'avis des sauveteurs notamment si vous voyagez

avec des enfants. Sur les plages non surveillées, si personne ne se baigne, c'est généralement que les courants sont dangereux. Dans tous les cas, il est prudent de ne pas s'éloigner du rivage.

○ Les piqûres causées par les épines et dards venimeux de créatures comme les oursins, les rascasses et les poissons-lions, peuvent être très douloureuses. Si vous en êtes victime, plongez immédiatement la partie affectée dans de l'eau aussi chaude que possible (sans vous brûler). Continuez à rajouter de l'eau chaude jusqu'à ce que la douleur s'apaise et que vous puissiez bénéficier d'une assistance médicale. Il en est de même pour les piqûres de cônes marins.

○ Les eaux tropicales de Hawaii recèlent également des méduses et des physalies (aussi appelées vessies de mer ou galères portugaises). Même une physalie échouée sur la plage depuis des heures peut provoquer de sévères piqûres. On aperçoit souvent les méduses entre huit et dix jours après la pleine lune, flottant dans les eaux peu profondes du littoral hawaiien, souvent le long des côtes des îles sous le vent. En cas de piqûre, versez une bonne quantité de vinaigre sur la zone affectée, ou retirez délicatement les tentacules en portant un gant, puis rincez bien à l'eau de mer (pas d'eau douce ou d'urine) et emmenez rapidement la personne à l'hôpital ; il existe des antivenins.

○ Seules huit espèces de requins se rencontrent près des côtes hawaiiennes et, parmi elles, seul le requin tigre (au corps brun gris strié de rayures verticales sombre) est susceptible d'attaquer l'homme. Les surfeurs sont les principales victimes de ces attaques, rarement mortelles. Évitez de plonger à l'aurore, au crépuscule ou de nuit, car les requins se rapprochent alors des côtes pour se nourrir.

Mal des montagnes

○ Le mal des montagnes se manifeste à haute altitude et affecte la plupart des individus de façon plus ou moins forte. Il survient à des altitudes variables, mais en général il frappe plutôt à partir de 3 500 à 4 500 m. Il est bon d'en connaître les symptômes si vous effectuez l'ascension du Haleakala (3 055 m) ou du Mauna Kea (4 205 m).

○ Symptômes : manque de souffle, toux sèche irritante, fort mal de tête, perte d'appétit, nausée et parfois vomissements. Les symptômes disparaissent généralement au bout d'un jour ou deux, mais s'ils persistent ou empirent, le seul traitement consiste à redescendre, ne serait-ce que de 500 m.

○ Vous pouvez prendre certaines mesures à titre préventif : ne faites pas trop d'efforts au début, reposez-vous souvent. À chaque palier de 1 000 m, arrêtez-vous pendant au moins un jour ou deux afin de vous acclimater. Buvez plus que d'habitude, mangez légèrement, évitez l'alcool et tout sédatif. Il est recommandé de dormir à une altitude inférieure à l'altitude maximale atteinte dans la journée.

Affections transmises par les insectes

Dengue

La dernière épidémie de dengue de Hawaii remonte à 2002 ; pour connaître la situation actuelle, consultez le **Hawaii State Department of Health** (health.hawaii.gov).

○ La dengue est transmise par les moustiques du genre Aedes ; ils piquent de préférence le jour et se reproduisent principalement dans des récipients artificiels remplis d'eau.

○ Les symptômes de la dengue ressemblent à ceux de la grippe : fièvre, douleurs articulaires et musculaires, maux de tête intenses, nausée et vomissements précèdent souvent une éruption cutanée.

○ Si vous pensez être infecté, ne prenez ni aspirine ni anti-inflammatoires non stéroïdiens comme l'ibuprofène, qui peuvent causer une hémorragie. Consultez un médecin pour établir le diagnostic et surveiller votre état. Les cas graves peuvent nécessiter une hospitalisation.

Maladies infectieuses et parasitaires

Leptospirose

○ La leptospirose s'attrape suite à une exposition à de l'eau douce non traitée ou à un sol souillé par l'urine d'animaux infectés, particulièrement les rongeurs.

○ Les épidémies sont fréquentes après des inondations, lorsque le trop-plein contamine les sources d'eau en aval d'animaux d'élevage ou des habitats d'animaux sauvages.

○ Les premiers symptômes rappellent la grippe ; ils s'apaisent généralement en quelques jours, mais dans une minorité de cas, la leptospirose peut entraîner des complications mortelles.

○ Le diagnostic nécessite des tests sanguins et/ou urinaires et le traitement se fait par antibiotiques.

○ Minimisez les risques en évitant de vous baigner dans des plans d'eau douce (ex. : lacs, cours d'eau, cascades), et évitez-les absolument en cas de coupure ou de plaie.

○ En randonnée, prenez au sérieux les panneaux vous avertissant des risques de leptospirose. Si vous campez, il est essentiel de purifier l'eau et d'avoir une bonne hygiène.

Giardiase

○ Les symptômes de cette parasitose sont notamment la nausée, les ballonnements, les crampes intestinales et la diarrhée, et peuvent se manifester pendant plusieurs semaines.

○ Pour vous en prémunir, ne buvez pas d'eau non traitée (ex. : cascades, lacs, ruisseaux, rivières) pouvant être contaminée par des excréments humains ou animaux.

○ La giardiase est diagnostiquée par un examen des selles et soignée aux antibiotiques.

Staphylocoques

Hawaii est l'État où l'on trouve le plus de cas d'infections à staphylocoque résistant aux antibiotiques. Ces infections d'origine bactérienne pénètrent souvent dans le corps par une plaie ouverte.

○ Pour empêcher l'infection, ayez une bonne hygiène (lavage fréquent et soigneux des mains, douche ou bain quotidien, port de vêtements propres). Appliquez une pommade antibiotique (ex. : Neosporin) sur toute coupure ou plaie au niveau des pieds et ne marchez pas pieds nus, même sur le sable.

○ Consultez immédiatement un médecin si une blessure devient douloureuse, rouge, enflammée ou gonflée, contient du pus ou entraîne une éruption cutanée ou des cloques.

Téléphone

Téléphones portables

Les voyageurs internationaux nécessitent un téléphone GSM multibande pour appeler à l'intérieur des États-Unis. Avec un téléphone multibande déverrouillé, il est généralement plus avantageux d'insérer une carte SIM américaine prépayée rechargeable que d'utiliser votre propre réseau. Les cartes SIM sont disponibles dans tous les magasins de téléphonie et d'électronique. Si votre appareil ne fonctionne pas aux États-Unis, ces magasins vendent aussi des téléphones prépayés bon marché, avec temps de communication inclus.

Sinon, vérifiez auprès de votre fournisseur les conditions d'utilisation de votre portable à Hawaii. Parmi les fournisseurs américains, Verizon possède l'un des réseaux de téléphonie les plus étendus. La couverture cellulaire est meilleure sur O'ahu, parfois inégale hors des grandes villes (particulièrement sur les autres îles) et inexistante dans de nombreuses zones rurales, y compris sur les chemins de randonnée et les plages isolées.

Cabines téléphoniques et cartes

○ Les cabines publiques sont en voie de disparition ; on les trouve généralement dans les centres commerciaux, les hôtels et les lieux publics (ex. : plages, parcs).

○ Certaines cabines fonctionnent avec des pièces (les appels locaux coûtent ordinairement 0,50 $) ; d'autres n'acceptent que les cartes de crédit ou les cartes téléphoniques.

○ Des cartes téléphoniques prépayées privées sont disponibles dans les épiceries, les kiosques à journaux, les supermarchés et les pharmacies.

Appels nationaux

○ Tous les numéros de téléphone hawaiiens se composent d'un indicatif régional à trois chiffres

(808) suivi d'un numéro local à sept chiffres.

○ Pour les appels longue distance d'une île hawaiienne à une autre, composez le 📞1 + 808 + le numéro local.

○ Composez toujours le 📞1 avant les numéros gratuits (📞800, 888 etc.) ; certains ne fonctionnent qu'à Hawaii ou en appelant depuis les États-Unis continentaux (voire le Canada).

Appels internationaux

○ Pour appeler Hawaii depuis l'étranger, composez le code d'accès international (📞00 pour la France, la Belgique et la Suisse, 📞011 pour le Canada), suivi du 📞1 (indicatif des États-Unis).

○ Pour appeler l'étranger depuis Hawaii, composez le 📞011 puis l'indicatif du pays (33 pour la France, 32 pour la Belgique, 41 pour la Suisse et 1 pour le Canada) suivi du numéro de votre correspondant (sans le 0 initial).

Numéros utiles

○ Urgences (police, pompiers, ambulance) 📞911

○ Renseignements téléphoniques locaux 📞411

○ Renseignements téléphoniques longue distance 📞1-808-555-1212

○ Renseignements téléphoniques gratuits 📞1-800-555-1212

○ Opérateur 📞0

Transports

Depuis/vers Hawaii

Voie aérienne

Aéroports

La majorité des vols en provenance de l'étranger et des États-Unis continentaux arrivent à l'**aéroport international de Honolulu** (HNL ; 📞808-836-6411 ; www.hawaii.gov/hnl ; 300 Rodgers Blvd ; 🛜) sur O'ahu. Les vols pour Lana'i et Moloka'i partent généralement de Honolulu ou de Maui.

Les principaux aéroports des îles autres qu'O'ahu sont les suivants :

Aéroport international de Hilo (ITO ; 📞808-961-9300 ; www.hawaii.gov/ito ; 2450 Kekuanaoa St), Hawai'i (Big Island).

Aéroport international de Kahului (OGG ; 📞808-872-3830 ; www.hawaii.gov/ogg ; 1 Kahului Airport Rd), Maui.

Aéroport international de Kona (KOA ; 📞808-327-9520 ; www.hawaii.gov/koa ; 73-200 Kupipi St), à Keahole, West Hawai'i (Big Island).

Aéroport de Lana'i (LNY ; 📞808-565-7942 ; www.hawaii.gov/lny ; près de la Hwy 440), Lana'i.

Aéroport de Lihu'e (LIH ; 📞808-274-3800 ; www.hawaii.gov/lih ; 3901 Mokulele Loop), Kaua'i.

Aéroport de Moloka'i (MKK, Ho'olehua ; 📞808-5679660 ; www.hawaii.gov/mkk ; Ho'olehua), Moloka'i.

Parmi les nombreuses compagnies aériennes domestiques et internationales desservant les îles, la seule compagnie hawaiienne est **Hawaiian Airlines** (📞800-367-5320 ; www.hawaiianairlines.com).

Vols multi-destinations

La plupart des voyageurs explorent au moins deux îles. Il peut donc être judicieux d'opter pour un billet multi-destinations, ou Open Jaw (OJ) lors de la réservation de votre trajet long courrier : ce billet permet de repartir d'un d'aéroport différent de celui du trajet aller, et vous fera économiser un vol intérieur (et pas mal de temps). Par exemple, vous choisissez d'atterir à Honolulu (O'ahu) à l'aller mais repartez depuis l'aéroport de Kona (Hawai'i/Big Island).

Lors de votre recherche sur Internet, cliquez sur l'option "multidestinations", "plusieurs destinations" ou "plusieurs vols".

Depuis la France

Les vols vers Hawaii s'opèrent avec 1 ou 2 escales via les États-Unis ou le Canada. La plupart des compagnies internationales atterrissent à Honolulu, sur sur O'ahu, mais plusieurs compagnies américaines desservent les aéroports des autres îles.

Avertissement

Les informations contenues dans ce chapitre sont particulièrement susceptibles de changements. Vérifiez directement auprès de la compagnie aérienne ou de l'agence de voyages les modalités d'utilisation de votre billet d'avion. N'hésitez pas à comparer les prestations. Les détails fournis ici doivent être considérés à titre indicatif et ne remplacent en rien une recherche personnelle attentive.

Depuis Paris, comptez environ 17h de vol sans compter le temps d'escale.

Le prix moyen d'un vol Paris-Honolulu est d'environ 900 €. Comme toujours, les prix varient selon la compagnie et la période de voyage. Réservez vos billets plusieurs mois en avance pour obtenir les meilleurs tarifs.

Voici quelques agences et transporteurs desservant la destination :
Air France (☎36 54, 0,12 €/min ; www.airfrance.fr)
Air Tahiti Nui (☎08 25 02 42 02 et 01 56 81 13 3028 ; www.airtahitinui.fr)
American Airlines (☎0821-980-999, 0,12 €/min + prix appel ; www.americanairlines.fr)
Delta Airlines (☎0 811 64 00 05 ; www.delta.com)
United Airlines (☎01 71 23 03 35 ; www.united.com)
Lufthansa (☎0 826 103 334, 0,15 €/min ; www.lufthansa.fr)

Les Connaisseurs du Voyage
(Paris ☎01 53 95 27 00 ; Marseille ☎04 91 92 08 91 ; www.connaisseursvoyage.fr)

Nouvelles Frontières (☎0 825 000 747, 0,15 €/min ; www.nouvelles-frontieres.fr)
Voyages SNCF (☎36 35, 0,64 € /min ; www.voyages-sncf.com)
Thomas Cook (☎0 826 826 777, 0,15 €/min ; www.thomascook.fr)
Voyageurs du Monde
(☎01 42 86 16 00 ; www. voyageursdumonde.fr)

Depuis la Belgique

Les vols entre la Belgique et Hawaii nécessitent le plus souvent deux escales – généralement une première en Europe et la seconde aux États-Unis. Comptez un voyage de 22 heures minimum, temps d'escale inclus, et un prix moyen compris entre 900 et 1 100 €.

Quelques adresses utiles :
Airstop (☎070 233 188 ; www.airstop.be)
Connections (☎070 23 33 13 ; www.connections.be) spécialiste belge du voyage pour les jeunes et les étudiants
Gigatours/Éole (☎02 672 35 03 ; www.voyageseole.be)

Depuis la Suisse

Il faut compter au minimum deux escales et 22 heures de vols (temps d'escale compris) pour rallier Hawai'i depuis la Suisse. Les prix débutent autour de 1 300 FS.

Voici quelques adresses utiles :
Swiss International Air Lines (☎0848 700 700 ; www.swiss.com)
Vous pouvez aussi vous renseigner auprès des agences de voyages suivantes :
STA Travel (☎058 450 49 49 ; fr.statravel.ch)
Cercle des Vacances (☎01 40 15 15 05 ; www.usavacances.com)

Depuis le Canada

Les voyageurs canadiens bénéficient de la concurrence très forte entre les compagnies aériennes reliant des villes des États-Unis continentaux à Honolulu.

Renseignez-vous en particulier auprès des compagnies suivantes :
Air Canada (☎877 359 8474 ; www.aircanada.com)
Alaska Airlines (☎01-800-252-7522 ; www.alaskaair.com)
Hawaiian Airlines (☎1-800-367-5320 ; www.hawaiianairlines.com)
Virgin America (☎00 825 880 881 ; www.virginamerica.com)

Pour des vols et des voyages organisés à prix réduits depuis le Canada, renseignez-vous auprès de la compagnie aérienne low cost **WestJet** (☎888-937-8538 ; www.westjet.com).

Vous pouvez aussi vous renseigner auprès des agences de voyages suivantes :

Expedia (☎1 888 397 3342
ou 1 613 780 1386 ;
www.expedia.ca)
Orbitz (☎1 888 656 4546 ;
www.orbitz.com)
Travelcuts (☎1 800 667 2887 ;
www.travelcuts.com). Agence
de voyages nationale des
étudiants canadiens.
Travelocity (☎1 855 222
6739 ou 1 417 520 5277 ;
www.travelocity.ca)

Voie maritime

De nombreuses croisières
à Hawaii sont proposées
au départ des États-Unis
ou du Canada. Elles incluent
des escales à Honolulu
et sur Maui, Kaua'i et
Hawai'i (Big Island). Elles
durent généralement deux
semaines et coûtent à partir
de 120 $ par personne et
par nuit en chambre double
environ ; vol depuis/vers
votre point de départ
en supplément.
   Les compagnies de
croisières les plus prisées
sont notamment :
Holland America (☎877-932-
4259 ; www.hollandamerica.
com). Départs de San Diego
et Seattle aux États-Unis,
et de Vancouver au Canada.
Norwegian Cruise Line
(NCL, ☎855-577-9489 ;
www.ncl.com). Départs
de Vancouver au Canada.
Princess Cruises (☎800-
774-6237 ; www.princess.com).
Départs de Los Angeles
et San Francisco aux États-Unis,
et de Vancouver au Canada.
Royal Caribbean (☎866-562-
7625 ; www.royalcaribbean.
com). Départs de Vancouver
au Canada.

Voyages organisés

Agences généralistes

Les agences suivantes
proposent des séjours
clés en main, avec vols
inter-îles, location de
voiture et hébergement.
Les voyages prévoient la
découverte d'une à quatre
îles, et peuvent être adaptés
à vos centres d'intérêt
(randonnée, découverte
des volcans, sports
aquatiques, famille, etc.).
La plupart proposent
aussi des séjours combinant
découverte de l'Ouest
américain et Hawaii.

Amplitudes (☎05 67 31 70 00 ;
www.amplitudes.com)
Caribou Travel (☎32 2 375 90
18 ; usa@cariboutravel.be ;
www.cariboutravel.be). Agence
belge basée à Bruxelles.
Cercle des Vacances
(☎01 40 15 15 05 ;
www.usavacances.com)
Comptoir des Voyages (☎01
53 10 30 15 ; www.comptoir.fr)
Evaneos (☎01 82 83 36 36 ;
www.evaneos.fr)
Gendron Voyages (☎1-800 561
8747 ; hawaii.voyagesgendron.
com). Agence canadienne
basée à Québec, spécialiste
de la destination.
Maison des États-Unis
(www.maisondesetatsunis.com)
Thomas Cook (☎01 55 90
10 41 ; voyage-sur-mesure.
thomascook.fr)

Agences spécialisées

Aventures et Volcans
(☎04 78 60 51 11 ; www.
aventurevolcans.com).
Cette agence organise

Agences en ligne

Vous pouvez réserver
votre vol via une
agence en ligne ou vous
renseigner auprès d'un
comparateur de vols :

o www.bourse-des-vols.
com

o www.ebookers.fr

o www.expedia.fr

o www.govoyages.com

o www.illicotravel.com

o www.kayak.fr

o www.opodo.fr

o www.skyscanner.fr

o voyages.kelkoo.fr

o www.voyages-sncf.
com

des séjours axés sur la
découverte des volcans
et la marche, dont trois circuits
à Hawaii – avec option
le survol en hélicoptère
des coulées de lave actives
du Pu'uo'o.
Clémentine in Hawaii
(☎portable 1-808 280 9295 ;
clementine@clementineinhawaii.
com ; clementineinhawaii.com).
Cette agence francophone
propose des services à la
carte (location de logement,
voiture, vols inter-îles,
activités) et des packages
thématiques (volcans, plages,
découverte des piles, stage
windsurf).
Exotic Voyages (☎01 43 74
96 67, 01 43 74 94 42 ; info@
exoticvoyages.fr ; routedhawaii.
com). L'équipe de "la Route
d'Hawaii" connaît parfaitement
la destination. Elle saura

organiser l'intégralité de votre voyage ou vous réserver des activités avec des spécialistes ; croisière plongée sur la petite île de Molokini, cours de surf à Waikiki, excursion en VTT dans les montagnes d'O'ahu, survol d'O'ahu en hélicoptère, etc.

Turquoise Surf Travel (📞04 91 13 94 82, portable 06 83 83 12 75 ; www.turquoise-voyages. fr). Cette agence marseillaise saura organiser votre séjour pour profiter des spots de surf ardus ou plus tranquilles de l'archipel hawaiien.

Ultra Marina (📞0825 02 98 02 ; ultramarina.com). Ce spécialiste des voyages plongées propose un séjour plongée à Honolulu ou une croisière à bord d'un catamaran pour découvrir les fonds sous-marins de Big Island.

Comment circuler

La plupart des déplacements inter-îles se font en avion. Les îles individuelles nécessitent généralement la location d'une voiture.

Avion

Les vols inter-îles sont courts, fréquents et étonnamment chers.

Les aéroports de Hawaii gérant la majeure partie du trafic aérien inter-îles sont

Voyages et changements climatiques

Tous les moyens de transport fonctionnant à l'énergie fossile génèrent du CO_2 – la principale cause du changement climatique induit par l'homme. L'industrie du voyage est aujourd'hui dépendante des avions. Si ceux-ci ne consomment pas nécessairement plus de carburant par kilomètre et par personne que la plupart des voitures, ils parcourent en revanche des distances bien plus grandes et relâchent quantité de particules et de gaz à effet de serre dans les couches supérieures de l'atmosphère. De nombreux sites Internet utilisent des "compteurs de carbone" permettant aux voyageurs de compenser le niveau des gaz à effet de serre dont ils sont responsables par une contribution financière à des projets respectueux de l'environnement. Lonely Planet "compense" les émissions de tout son personnel et de ses auteurs.

ceux de Honolulu (O'ahu), de Kahului (Maui), de Kona et de Hilo sur Hawai'i (Big Island), et de Lihu'e (Kaua'i). Les aéroports régionaux, principalement desservis par des petites compagnies aériennes et des vols charter, sont ceux de Lana'i City (Lana'i) ; Kaunakakai et Kalaupapa sur Moloka'i ; Kapalua et Hana sur Maui ; et Kamuela (Waimea) sur Hawai'i (Big Island).

Bateau

Des services de ferry limités relient Maui à Lana'i.

Bus

Les grandes îles sont dotées d'un service de bus public,

mais les trajets sont lents et compliqués, sauf sur O'ahu.

Voiture

La plupart des visiteurs louent un véhicule, particulièrement sur les îles autres qu'O'ahu. Si vous visitez seulement Honolulu et Waikiki, une voiture peut s'avérer problématique. En dehors des grandes villes, les places de stationnement gratuites ne manquent pas. Les hôtels et complexes hôteliers, notamment à Waikiki, facturent d'ordinaire entre 10 et 40 $, voire plus, pour une place de parking la nuit, à garer vous-même ou à faire garer par un voiturier.

Langues

L'anglais et le hawaiien ('Ōlelo Hawai'i)
sont depuis 1978 les deux langues officielles
de l'État américain de Hawaii. L'anglais
est aujourd'hui la langue maternelle
de plus de 73% de la population hawaiienne
et c'est la langue qui prédomine.

Le hawaiien est une langue polynésienne
étroitement reliée au marquisien,
et proche du tahitien et du maori. Seules
les personnes âgées ainsi que les quelque
250 habitants de l'île de Niihau, qui vivent
en vase clos, le parlent encore couramment.
Le hawaiien n'est utilisé au quotidien
que dans quelques mots et expressions,
mais il est omniprésent dans les noms
de lieux, de rue et aussi de nourriture.
C'est aussi la langue des chansons
traditionnelles, telles que celles chantées
durant les spectacles de *hula*.

Enfin, plus de la moitié des insulaires
parlent le pidgin hawaiien, un créole basé
sur l'anglais, le hawaiien, le chinois
et le japonais, tant pour la prononciation
que pour le vocabulaire. Il est utilisé
dans les conversations informelles,
mais aussi dans les publicités à la radio
et à la télévision.

Anglais

Expressions courantes

Bonjour.	*Hi.*	haï
Au revoir.	*Bye.*	baï

Enchanté(e).
Nice to meet you. naï·ce tou mit you

Comment allez-vous ?/Comment vas-tu ?
How are you? hao âr you

Bien, merci. Et vous ?/Et toi ?
Fine, thanks, and you?
faïnn sanks annd you

D'où venez-vous ?
Where are you from? wère are you from

Je viens de...
I'm from... aïm from

Pour aller plus loin

Indispensable pour mieux communiquer
sur place : le *Guide de conversation
Anglais*, de Lonely Planet. Pour réserver
une chambre, lire un menu
ou simplement faire connaissance,
ce manuel permet d'acquérir
les rudiments de l'anglais. Inclus :
un minidictionnaire bilingue.

Qu'est-ce que tu/vous fais/faites dans la vie ?
What do you do for a living?
wat dou you dou for eu li·vinng

Je suis employé(e) de bureau/.
I'm an office worker.
aïm eunn ofice weur·keur

Je suis marié(e)/célibataire.
I'm married/single.
aïm ma·rid/sinn·gueul

Quel âge avez-vous ?/Quel âge as-tu ?
How old are you?
hao old âr you

J'ai (25) ans.
I'm (25) years old.
aïm (twènn·ti faïv) yirz old

Sensations

J'ai faim
I'm hungry. aïm heunn·gri

J'ai froid.
I'm cold. aïm kold

J'ai chaud.
I'm hot. aïm hot

J'ai soif.
I'm thirsty. aïm seur·sti

Comment te sens-tu ?
You okay? you okè

Transports et orientation

Où est ...?
Where's ...? wèrz ...

Pouvez-vous me montrer (sur la carte) ?
Can you show me (on the map)?
kann you choo mi (onn zeu map)

Est-ce le bus (pour Honolulu) ?
Is this the bus (to Honolulu)?
Iz ziss zeu beuss (tou Honolulu)

Est-ce l'avion (pour Kahului) ?
Is this the plane (to Kahului)?
Iz ziss zeu plèïn (tou Kahului)

C'est combien pour aller à... ?
How much is it to ... ?
hao meutch iz it tou

Ce taxi est-il libre ?
Is this taxi free?
iz ziss taxi frii

À quelle heure part-il ?
What time does it leave?
wat taïm doz it liiv

Visites touristiques

**Quand a lieu la prochaine
excursion à la journée ?**
When's the next day trip?
wènn iz zeu next dèï trip

L'excursion dure combien de temps ?
How long is the tour?
hao long iz zeu tour

L'entrée est-elle comprise dans le prix ?
Is the admission charge included?
Iz zi ad·mi·chieunn tchar·dge inn·clou·did

À quelle heure doit-on rentrer ?
What time should we be back?
wat taïmz chould wi bi bak

Hébergement

Où puis-je trouver un terrain de camping ?
Where is a camp ground?
wère iz eu kèmmp gwand

**Pouvez-vous me recommander
une chambre pas chère ?**
Can you recommend a cheap room?
kann you ri·ko·mènnd eu tchip roum

**Pouvez-vous me recommander
un logement de qualité ?**
Can you recommend somewhere good?
kann you ri·ko·mènnd some·wère goud

Quel est le prix par nuit ?
How much is it per night?
hao meutch iz it peur naït

Je voudrais réserver une chambre.
I'd like to book a room, please.
aïd laïk tou bouk eu roum, pliz

Achats

Où puis-je acheter... ?
Where can I buy ... ?
wère kan aï baï

Est-ce que je peux le voir ?
Can I look at it?
kann aï louk at it

Quel est votre meilleur prix ?
What's your lowest price?
wats your lao·weust praïs

Pouvez-vous écrire le prix ?
Can you write down the price?
kann you waïrt daonn zeu praïs

Puis-je avoir un reçu, s'il vous plaît.
I'd like a receipt, please.
aïd laïk eu ri·cipt pliz

Combien coûte (un kilo) ?
How much is (two pounds)?
hao meutch iz (tou paounds)

J'en voudrais (250) grammes.
I'd like half a pound.
aïd laïk half eu paound

J'en voudrais (6) tranches.
I'd like (six) slices.
aïd laïk (six) slaïss

Quelle est la spécialité locale ?
What's the local speciality?
wat zeu lo·cal spé·chial·ti

Se restaurer et prendre un verre

**Pouvez-vous me conseiller
un restaurant/bar ?**
Can you recommend a restaurant/bar?
kann you ri·ko·mènnd eu res·to·rènnt/bâr

Servez-vous des plats végétariens ?
Do you have vegetarian food?
Dou you hav vèdjè·teu·rieunn foud

**Je voudrais une table pour (4) personnes,
s'il vous plaît.**
I'd like a table for (four), please.
aïd laïk eu tèï·beul for (four) pliiz

**Puis-je avoir la carte des boissons,
s'il vous plaît.**
I'd like to see the drinks list, please.
aïd laïk tou si zeu drinnk list pliiz

Qu'est-ce que vous me conseillez ?
What would you recommend?
wat would you ri·ko·mènnd

Un café (avec du lait, sans sucre).
Coffee (with milk, no sugar).
ko·fi (wiz milk, no chou·gar)

Un thé (sans lait).
Tea (without milk).
tii (wi·zaout milk)

Un verre de vin blanc/rouge.
A glass of white/red wine.
eu glass of waït/rèd waïn

Santé !   *Cheers!*   tchiirz

L'addition, s'il vous plaît.
The check, please.
zeu tchèk pliiz

Heure et chiffres

Quelle heure est-il ?
What time is it?   wat taïm iz it

Il est (1/13) heure(s).
*It's (one am/pm)   its (wann èï·èm/pi·èm)
o'clock.*   ok·lok

matin	morning	mor·ninng
après-midi	afternoon	af·teu·noun
soir	evening	iv·ninng
hier	yesterday	yès·teu·dèï
aujourd'hui	today	tou·dèï
demain	tomorrow	tou·mo·ro

1	one	wann
2	two	tou
3	three	srii
4	four	foor
5	five	faïv
6	six	six
7	seven	sè·veunn
8	eight	eït
9	nine	naïnn
10	ten	tèn

Urgences

Au secours !
Help!   hèlp

Je suis malade.
I'm sick.   aïm sik

J'ai besoin d'un médecin (qui parle français).
I need a doctor (who speaks French).
aï nid eu dok·teur (ou spiks frènnch)

Où est l'hôpital le plus proche ?
Where's the nearest hospital?
wèrz zeu ni·rèst hos·pi·tol

Où est la pharmacie de garde ?
Where's a 24-hour pharmacy/drugstore?
wèrz eu twènn·ti for haoeur far·ma·ci/dreug·storr

Hawaiien

L'alphabet hawaiien utilise 12 lettres de l'alphabet latin (a, e, i, o, u, h, k, l, m, n, p, w) auxquelles s'ajoute l'*okina* (noté '), lettre à part entière correspondant à un coup de glotte et toujours placée devant une voyelle.

Les voyelles peuvent être courtes ou longues. Dans ce dernier cas, elles sont surmontées d'un *kahakō* (ā, ē, ī, ō, ū), parfois présent dans ce guide. Leur prononciation est identique au français, excepté pour le **u** qui se prononce "ou". Le cas du **w** est plus complexe : il se prononce "oua" lorsqu'il est placé en début de mot ou placé après un **u** ou un **o**, et généralement "v" après un **i** ou un **e**.

Glossaire

'a'a – type de lave rugueuse et irrégulière

ahu – empilements de pierres servant à baliser un sentier ; autel ou sanctuaire

ahupua'a – entité géographique traditionnelle, généralement de forme triangulaire, qui s'étend des crêtes des montagnes jusqu'à la mer (plus modeste qu'un *moku*)

'aina – terre

'akala – framboise ou baie "dé à coudre" de Hawaii

ali'i – chef, personne de rang royal

ali'i nui – chefs de haut rang, membres de la classe royale

aloha – salutation traditionnelle pour souhaiter amour, bienvenue, au revoir

aloha 'aina – amour de la terre

'amakihi– amakihi familier : petit passereau de couleur vert-jaune ; l'un des oiseaux endémiques les plus courants de Hawaii

anchialine, mare (pool) – mare contenant un mélange d'eau salée et d'eau douce

'apapane– picchion cramoisi : petit passereau écarlate, typique de Hawaii

'aumakua – divinité protectrice ou ange gardien, ancêtre divinisé

'awa – voir *kava*

e komo mai – bienvenue

ha'i – technique de chant utilisée par les femmes, caractérisée par une rupture marquée entre les registres

haku – tête

hala – *Pandanus tectorius* ; ses feuilles *(lau)* sont utilisées pour tresser des tapis et des paniers

haole – personne à la peau blanche ; littéralement, "sans souffle"

hapa – portion ou fragment ; personne de sang mêlé

hapa haole – musique hawaiienne aux paroles majoritairement en anglais

he'e nalu – surf ("glisse sur les vagues", littéralement)

heiau – temple de pierre traditionnel ; lieu de culte à Hawaii

ho'okupu – offrande

hula – danse hawaiienne, qu'elle soit traditionnelle ou moderne

hula halau – école ou troupe de *hula*

hula kahiko – *hula* traditionnel et sacré

'i'iwi – liwi rouge : passereau hawaiien à la robe écarlate et au bec incurvé de couleur saumon

'iliahi – bois de santal hawaiien

'ilima – **Sida fallax** : plante couvre-sol aux délicates fleurs orangées ; fleur officielle d'Oahu

ipu – gourde séchée de forme sphérique et à col étroit, servant de percussion pour accompagner le *hula*

kahuna – personne instruite dans un domaine ; souvent un prêtre, un guérisseur ou un sorcier

kama'aina – littéralement, "enfant de la terre" ; personne qui est née et a grandi à Hawaii

kapa – voir *tapa*

kapu – tabou, fondement d'un vieux système social et religieux très strict

kapuna – anciens

kava – boisson légèrement narcotique (*'awa* en hawaiien), faite à partir des racines du *Piper methysticum,* un poivrier

ki ho'alu – en anglais *slack key* (accord ouvert) ; jouer de la guitare avec un accordage particulier

kiawe – arbre voisin du mesquite, introduit à Hawaii dans les années 1820

ki'i – voir *tiki*

kilau – fougère raide et chétive

ko – canne à sucre

koa – feuillu endémique, souvent utilisé par les autochtones pour la fabrication d'objets artisanaux et de pirogues

kukui – *Aleurites moluccana*, arbre officiel de l'État ; l'huile extraite de ses noix servait autrefois de combustible

kumu – enseignant

Kumulipo – histoire ou chant de la création pour les autochtones

kupuna – grand-père ou grand-mère, ancien

la'au lapa'au – médecine des plantes

lanai – véranda ; balcon

lauhala – feuilles du *Pandanus tectorius* (ou hala), utilisées dans le tressage

lei – guirlande, généralement composée de fleurs, mais aussi de feuilles, de plantes grimpantes, de coquillages ou de noix

leptospirose – maladie bactérienne transmise via une eau contaminée par l'urine d'animaux malades, notamment le bétail

limu – algues

lomilomi – massage hawaiien traditionnel

Lono – dieu polynésien de la récolte, de l'agriculture, de la fertilité et de la paix

loulu – palmier de type *Pritchardia*

luau – banquet hawaiien traditionnel

luna – superviseur ou directeur de la plantation

mahalo – merci

mai ho'oka'awale – lèpre (maladie de Hansen) ; littéralement, "la maladie qui isole"

maile – plante endémique, de type volubile et aux feuilles odorantes ; souvent utilisée pour confectionner des lei

makahiki – fête hivernale traditionnelle, organisée à la saison des pluies pour honorer le dieu de l'agriculture Lono

makai – par la côte ; vers la mer

malihini – nouveau venu, visiteur

mana – pouvoir spirituel

mauka – par les terres ; vers les montagnes

mele – chanson, chant

menehune – "petites personnes" qui, selon la légende, construisirent une grande partie des étangs à poissons, *heiau* et autres ouvrages en pierre de Hawaii

milo – arbre endémique, produisant un généreux feuillage et un magnifique bois dur

moku – zones géographiques de forme triangulaire, qui s'étendent de la crête des montagnes à la mer

mokupuni – île basse ou plate ; atoll

Neighbor Islands – "îles voisines", littéralement ; désigne les principales îles hawaiiennes à l'exception d'Oahu

nene – bernache néné ; cette oie locale a été désignée emblème officiel de Hawaii

niu – cocotier

'ohana – famille, famille étendue ; groupe de personnes très soudé

'olelo Hawai'i – la langue hawaiienne

'opihi – patelle comestible

pahoehoe – type de lave fluide

pali – falaise

paniolo – cow-boy hawaiien

pau – terminé, assez

pau hana – "arrêt travail" ; synonyme de happy hour

Pele – déesse du feu et des volcans ; réside dans la caldeira du Kilauea

pidgin – langue locale inventée par les immigrants d'origines diverses qui travaillaient dans les plantations de Hawaii

piko – nombril, cordon ombilical

pohaku – rocher

pono – juste, respectueux et correct

pukiawe – plante endémique produisant des baies rouges et blanches, ainsi que des feuilles persistantes

pulu – matière soyeuse provenant des fibres des fougères arborescentes

pupu – en-cas ou amuse-bouche ; désigne aussi un type de coquillage

pu'u – colline, cône volcanique

pu'uhonua – refuge

raku – poterie japonaise caractérisée par une apparence brute et artisanale

rubbah slippah – tongs

sansei – immigrants japonais de troisième génération

shaka – signe de la main hawaiien servant à saluer quelqu'un ou à affirmer la fierté locale

talk story – engager la conversation, bavarder

tapa – tissu obtenu en frappant l'écorce du mûrier de Chine ; utilisé par les autochtones pour confectionner des habits (*kapa* en hawaiien)

ti – plante endémique très commune ; ses longues feuilles luisantes servent à envelopper des mets et à confectionner des jupes haïtiennes (*ki* en hawaiien)

tiki – statue sculptée en bois ou en pierre, représentant généralement une divinité (*ki'i* en hawaiien)

tutu – grand-mère ou grand-père ; terme respectueux désignant tout membre de cette génération

ukuléée – instrument à cordes dérivé du *braguinha*, introduit à Hawaii par les immigrants portugais dans les années 1800

'ulu – arbre à pain

Wakea – Père Ciel

En coulisses

Crédits iconographiques

Photo de couverture : vue aérienne d'une île dans un lagon, Hawaii, Sandy Kelly ©

Les données de la carte du climat sont adaptées de l'article de M.C. Peel, B.L. Finlayson et T.A. McMahon, "Updated World Map of the Köppen-Geiger Climate Classification", *Hydrology and Earth System Sciences*, 11, 163344, 2007.

À propos de cet ouvrage

Cette 1re édition en français du guide *Hawaii* est la traduction-adaptation de la 1re édition du guide *Best of Hawaii* en anglais. Amy Balfour, Sara Benson, Greg Benchwick, Adam Skolnick, Ryan Ver Berkmoes, Craig McLachlan, Jade Bremner, Adam Karlin, Luci Yamamoto et Loren Bell ont documenté et écrit ce livre.

Traduction Giuseppe Ardiri, Pierre-Yves Raoult et Laurence Stewart
Direction éditoriale Didier Férat
Coordination éditoriale Sandrine Gallotta
Responsable prépresse Jean-Noël Doan
Maquette Valérie Police
Cartographie Caroline Sahanouk
Couverture Laure Wilmot

Merci à Angélique Adagio et Jacqueline Menanteau pour leur travail sur le texte. Un grand merci à Dominique Spaety et à toute l'équipe du bureau de Paris. Et enfin, tous nos remerciements à Clare Mercer, Joe Revill, Sarah Nicholson, Luan Angel et Becky Henderson du bureau de Londres, ainsi qu'à Andy Nielsen, Darren O'Connell, Chris Love, Jacqui Saunders, Glenn van der Knijff et Claire Murphy du bureau australien.

VOS RÉACTIONS ?

Vos commentaires nous sont très précieux et nous permettent d'améliorer constamment nos guides. Notre équipe lit toutes vos lettres avec la plus grande attention. Nous ne pouvons pas répondre individuellement à tous ceux qui nous écrivent, mais vos commentaires sont transmis aux auteurs concernés. Tous les lecteurs qui prennent la peine de nous communiquer des informations sont remerciés dans l'édition suivante, et ceux qui nous fournissent les renseignements les plus utiles se voient offrir un guide.

Pour nous faire part de vos réactions, prendre connaissance de notre catalogue et vous abonner à notre newsletter, consultez notre site Internet : **www.lonelyplanet.fr**

Nous reprenons parfois des extraits de notre courrier pour les publier dans nos produits, guides ou sites web. Si vous ne souhaitez pas que vos commentaires soient repris ou que votre nom apparaisse, merci de nous le préciser. Notre politique en matière de confidentialité est disponible sur notre site Internet.

Index

référence des cartes **en gras**

Comment utiliser ce guide

Ces symboles vous aideront à identifier les différentes rubriques :

- ◉ À voir
- ⊕ Activités
- ⊖ Cours
- ⊕ Circuits organisés
- ⊗ Fêtes et festivals
- ⊗ Où se restaurer
- ⊜ Où prendre un verre
- ⊗ Où sortir
- ⊕ Achats
- ⊕ Renseignements et transports

Choisissez des lieux sur mesure grâce aux symboles suivants :

 Petits prix

 Gastronomie

 Prendre un verre

Vélo

Sports

Art et culture

 Fêtes et festivals

 Sites photogéniques

Paysages

En famille

Excursion

Détour

 Randonnée

 100% local

 Histoire

 Sortir

 Plages

 Café

 Faune et flore

 Scène LGBT

Hébergement

Transports

Activités aquatiques

Infos pratiques

Ces symboles vous donneront des informations essentielles au sein de chaque rubrique :

🌿 Adresses écoresponsables

GRATUIT Sites libres d'accès

- ☏ Numéro de téléphone
- ⊙ Horaires d'ouverture
- P Parking
- ⊖ Non-fumeur
- ✳ Climatisation
- @ Accès Internet
- 🛜 Wi-Fi
- ⊠ Piscine

- ⊞ Bus
- ⊞ Ferry
- ⊞ Tramway
- ⊞ Train
- ⊞ Menu en anglais
- ✔ Végétarien
- ⊞ Familles bienvenues

À voir
- ⊕ Cave/vignoble
- ⊕ Château
- ⊕ Église
- ⊕ Monument
- ⊕ Mosquée
- ⊕ Musée/galerie/ édifice historique
- ⊕ Plage
- ⊕ Réserve ornithologique
- ⊕ Ruines
- ⊕ Synagogue
- ⊕ Temple bouddhiste
- ⊕ Temple confucéen
- ⊕ Temple hindou
- ⊕ Temple jaïn
- ⊕ Temple shintoïste
- ⊕ Temple sikh
- ⊕ Temple taoïste
- ⊕ Zoo/réserve animalière
- ⊙ Autre site

Achats
- ⊕ Magasin

Activités
- ⊕ Bodysurfing
- ⊕ Canoë/kayak
- • Cours/circuits organisés
- ⊕ Plongée/snorkeling
- ⊕ Randonnée
- ⊕ Sentô (bain public)
- ⊕ Ski
- ⊕ Snorkeling
- ⊕ Surf
- ⊕ Piscine/baignade
- ⊕ Planche à voile
- ⊕ Autres activités

Où se loger
- ⊕ Camping
- ⊕ Hébergement

Où se restaurer
- ⊗ Restauration

Où prendre un verre
- ⊜ Bar
- ⊜ Café

Où sortir
- ⊗ Salle de spectacle

Renseignements
- ⊕ Banque
- ⊕ Ambassade/consulat
- ⊕ Hôpital/centre médical
- @ Accès Internet
- ⊕ Police
- ⊠ Bureau de poste
- ⊕ Centre téléphonique
- ⊕ Toilettes
- ⊕ Office du tourisme
- • Autre adresse pratique

Géographie
- ⊕ Aire de pique-nique
- ⊕ Cascade
-)(Col
- ▲ Montagne/volcan
- ⊕ Oasis
- ⊕ Parc
- ⊕ Phare
- ⊕ Plage
- ⊕ Point de vue
- ⋊ Portail
- ⊕ Refuge/gîte

Transports
- ⊕ Aéroport
- ⊕ Bart
- ⊕ Bus
- ⊖ Ferry
- ⊕ Gare/chemin de fer
- Ⓜ Métro/MRT
- ⊕ Monorail
- ⊕ Parking
- ⊕ Piste cyclable
- ⊗ Poste-frontière
- ⊕ Station-service
- ⊕ Subway
- ⊕ T/T-Bane
- ⊕ Taxi
- ⊕ Téléphérique/ funiculaire
- ⋯ Tramway
- ⊕ Tube
- Ⓤ U-Bahn
- • Autre moyen de transports

Les guides lonely Planet

Une vieille voiture déglinguée, quelques dollars en poche et le goût de l'aventure, c'est tout ce dont Tony et Maureen Wheeler eurent besoin pour réaliser, en 1972, le voyage d'une vie : rallier l'Australie par voie terrestre via l'Europe et l'Asie. De retour après un périple harassant de plusieurs mois, et forts de cette expérience formatrice, ils rédigèrent sur un coin de table leur premier guide, *Across Asia on the Cheap*, qui se vendit à 1 500 exemplaires en l'espace d'une semaine. Ainsi naquit Lonely Planet, dont les guides sont aujourd'hui traduits en 13 langues.

Les auteurs

Amy Balfour

Amy a été juriste en Virginie, aux États-Unis, avant de déménager à Los Angeles pour tenter de percer en tant que scénariste – l'air résonne encore des cris horrifiés de ses parents. Après une brève expérience comme assistante scénariste sur la série *New York, Police judiciaire*, elle s'est lancée dans l'écriture en freelance, en particulier dans le domaine des voyages, de la gastronomie et du plein air. Elle a marché, pédalé et ramé dans toute la Californie du Sud et dans le Sud-Ouest des États-Unis, et a récemment sillonné les Grandes Plaines en quête des meilleurs hamburgers et barbecues de la région.

Sara Benson

Après avoir obtenu un diplôme universitaire à Chicago, Sara a sauté dans un avion pour la Californie avec une valise et seulement 100 dollars en poche. Elle a atterri à San Francisco et habite aujourd'hui Oakland, de l'autre côté de la baie. Elle a aussi vécu au Japon pendant trois ans, puis s'est baladée à travers l'Asie et dans la région Pacifique avant de rentrer aux États-Unis, où elle a été enseignante, journaliste, infirmière et garde forestier dans un parc national. Pour vous informer sur les derniers périples de Sara, lisez son blog, *The Indie Traveler* (indietraveler.blogspot.com), et suivez-la sur Twitter (@indie_traveler) et Instagram (indietraveler).

Auteurs contributeurs

Loren Bell, Greg Benchwick, Jade Bremner, Adam Karlin, Craig McLachlan, Adam Skolnik, Ryan Ver Berkmoes, Luci Yamamato.

L'essentiel de Hawaii
1re édition
Traduit et adapté de l'ouvrage *Best of Hawaii, 1st edition, November 2017*
© Lonely Planet Global Limited 2017
© Lonely Planet et Place des éditeurs 2018

Dépôt légal Janvier 2018
ISBN 978-2-81616-405-3
Photographes © comme indiqué 2017
Imprimé par IME by ESTIMPRIM, Baume-les-Dames, France

En Voyage Éditions | un département place des éditeurs